KB152099

2022 제빵기능사

실기

염경훈, 허현희, 장양순, 조우철 지음

2022
제빵기능사 실기

첫 째 판 1쇄 발행 | 2012년 06월 25일
다섯째판 1쇄 발행 | 2022년 04월 29일

지 은 이 염경훈, 허현희, 장양순, 조우철
발 행 인 장주연
출 판 기 획 한인수
책 임 편 집 임유리
표지디자인 임진영
내지디자인 임진영
발 행 처 군자출판사(주)
등록 제 4-139호(1991. 6. 24)
(10881) 파주출판단지 경기도 파주시 회동길 338(서패동 474-1)
전화 (031) 943-1888 팩스 (031) 955-9545
www.koonja.co.kr

ISBN 979-11-5955-865-8
정 가 30,000원

저자 약력

염경훈

순천대학교 식품 이학박사
제과기능장
현) 마이스터제과제빵학원 원장
현) 혜전대, 서일대, 정화예술대 출강

허현희

전남대학교 농생물학과
일본과자전문학교 제빵학과 졸업
제과기능장
브런치 대회 최우수상(2021년)
현) 미오베이커리 오너쉐프
현) miosorte 베이킹공방 운영

장양순

쉐라톤워커힐호텔 근무
신한대학교 박사과정
제과기능장(심사위원)
제과·제빵기능사 실기시험 감독위원
한국조리학회 이사
코리아푸드아트협회 이사
서울시자활센터 자문위원
현) 동원대학교 호텔제과제빵학과 전임교수

조우철

경기대학교 일반대학원 관광학박사
Millennium Hilton Seoul Hotel Bakery 근무
한국관광대학교 호텔제과제빵과 근무
제과기능장
제과·제빵기능사 실기시험 감독위원
한국산업인력공단 기능경기대회 심사위원

머리말

Preface

최근 국민 경제성장으로 국민의 의식수준이 높아지면서 생활문화 양식 중 식생활 문화도 매우 급변하고 있습니다. 제과·제빵 관련 제품의 소비량은 빠른 속도로 증가하고 있으며, 한걸음 더 나아가 식생활 문화도 서구화되어 가고 간편하게 이용할 수 있는 식품을 요구하는 사람들이 늘어나고 있는 추세입니다.

대기업 등의 제과 분야 브랜드화 사업이 이어지면서 제과사와 제빵사라는 직업에 대한 선호도가 높아졌으며, 이로 인해 제과·제빵기능사 자격증 취득에 대한 관심도 지속적으로 높아지고 있습니다.

이러한 추세에 발맞추어 제과·제빵 분야의 공부를 필요로 하는 사람들을 위한 보다 쉽고 확실한 안내서의 필요성이 절실해졌습니다. 기존의 교재 모습을 탈피하여 독자로 하여금 친한 친구와 같은 학습서를 만들겠다는 취지하에 본 교재를 구상하게 되었습니다.

본 교재는 제과·제빵 관련 분야에서의 실무 경력이 풍부하고, 현재 대학에서 강의 중인 저자들의 공동 집필로 제빵 이론, 제과 이론, 재료 과학, 영양학 및 식품 위생 등 제과·제빵 분야 전반에 걸쳐서 체계적인 내용으로 구성했습니다.

최근 3년간 기출 문제와 해설, 그리고 한국기술자격검정원의 새로운 출제 기준과 채점 기준을 적용한 모의고사 문제를 수록하였고, 아울러 제과·제빵기능사 자격증 취득 시험에 대한 자세한 안내와 출제 기준 등도 수록하였습니다. 또한, 실기 품목을 쉽게 이해할 수 있도록 각 제법별 사진을 일관성 있게 정리하였고, 꼭 알아야 할 실기 공정 과정을 단계별 point와 세부 컷에 추가하여 현장감을 살리는 데 최선을 다하였습니다.

본 교재가 제과·제빵기능사 자격증 시험을 준비 중이거나, 제과·제빵 분야에 관심을 가지고 계시는 모든 분들에게도 친근하고 유익한 길잡이가 되기를 희망합니다.

오랜 시간 동안 힘든 여정을 기꺼이 함께해 주신 팀원들과 사랑하는 학원 수강생, 그리고 가족들에게도 지면을 통하여 고마움을 전합니다.

끝으로 본 교재가 출간될 수 있도록 결정적인 도움을 주신 군자출판사 장주연 대표님과 이하 모든 임직원 여러분께도 진심으로 감사의 인사를 올립니다.

2022년
저자 일동

차 례

Contents

제과·제빵기능사
시험 안내

I. 원서 접수

1. 취득 방법

[제과·제빵기능사]

1) 시행처: Q-net (☎ 1644-8000)
2) 시험 과목
   ① 필기: 제과·제빵 이론, 재료과학, 식품위생학, 영양학 및 기타 제과 제빵에 관한 사항
   ② 실기: 제과 작업
3) 검정 방법
   ① 필기: 객관식 4지 택일형, 60문항(60분)
   ② 실기: 작업형(3~4시간 정도)
4) 합격 기준: 100점 만점에 60점 이상
5) 응시 자격: 제한 없음

2. 제과·제빵기능사 준비물

1) 위생복 백색(상·하) 벌 1 기관 표식이 없는 것, 미착용 시 감점 처리
2) 위생모 또는 스카프 백색 EA 1 기관 표식이 없는 것, 미착용 시 감점 처리

3) 흑색 또는 청색 필기구 필기용(연필 제외) EA 1
4) 계산기 계산용 EA 1
5) 온도계 제과·제빵용 EA 1 유리제품 제외
6) 자 문방구용(30~50 ㎝) EA 1
7) 국자 소형 EA 1
8) 나무주걱 제과용, 중형 EA 1 제과용
9) 보자기 면(60×60 cm) 장 1
10) 고무주걱 중형 EA 1 제과용
11) 주걱 제빵용, 소형 EA 1 제빵용
12) 행주 EA 1
13) 커터칼 문구용 EA 1

3. 실기 시험 원서 접수

Q-net 회원가입 → 로그인 → 원서 접수 → 원서 접수 신청 → 응시 시험 선택 → 종목 선택 → 응시 유형 선택(필기 합격자/면제자) → 추가 입력 → 장소 선택 → 결제 → 수험표 출력

4. 자격증 발급 안내

[신규 발급·재발급]
Q-net 접속 → 로그인 → 자격증/확인서 발급 → 자격증 신청 → 자격증 선택 → 수령 방법 선택(배송 신청/방문 신청) → 신청서 작성 → 본인 인증 → 수수료 결제 → 접수증 출력

5. 원서 접수 및 합격자 발표

ARS: 1644-8000
홈페이지: http://www.q-net.or.kr

Ⅱ. 제과·제빵 기구와 도구

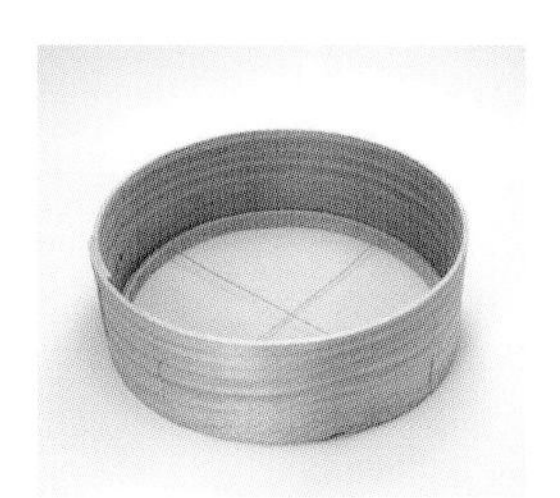
가루체

거품기

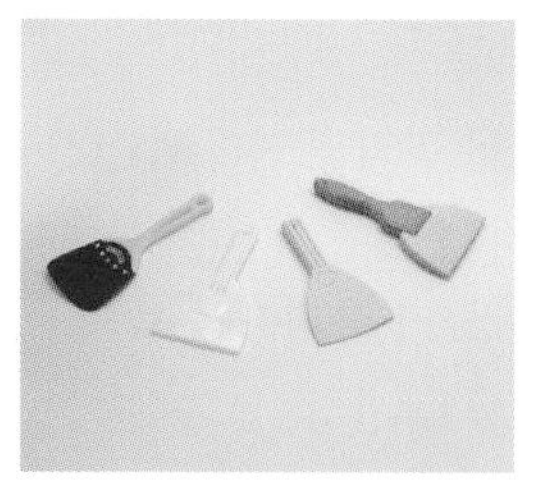
고무주걱

나무주걱

냉각팬

도넛정형기

돌림판

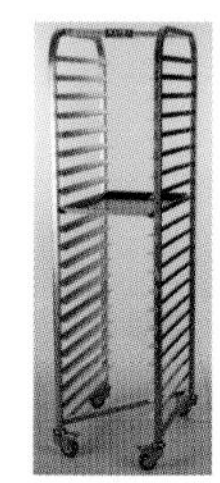
랙

마드레느팬

머핀팬

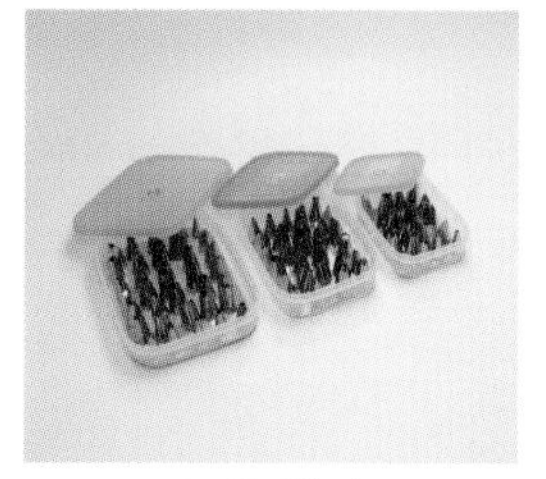
모양 깍지

믹서기

밀대

바게트팬

비닐 짤주머니

발효실

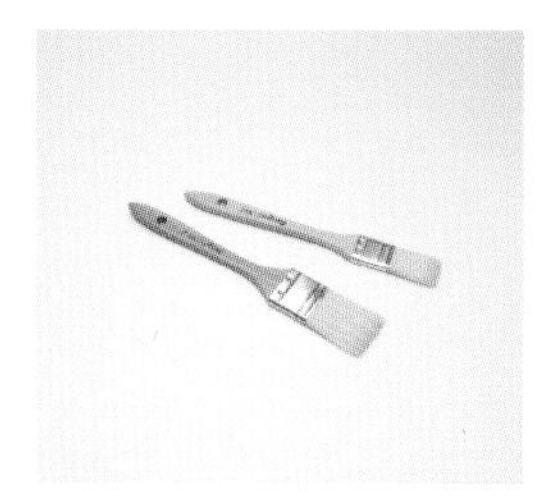
붓

브리오슈팬

빵칼

사과파이팬

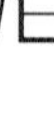

쉬폰팬 스크레이퍼 스텐볼 식빵팬

앙금빵 누르개 앙금 주걱 오븐 온도계

원형팬 전자저울 짤주머니 파운드 케이크팬

파이칼 평철판 풀만 식빵팬

Ⅲ. 제과·제빵 실기 출제 기준

시험 과목	주요 항목	세부 항목
제과 작업	재료 계량	재료 계량하기
	반죽	기계 조작, 믹싱 순서 및 믹싱 시간, 반죽 상태
	반죽 온도 조절	반죽 결과 온도의 적합성, 마찰계수 산출
		사용할 물 온도 산출, 얼음 사용량 산출
	반죽 비중 측정	반죽 비중 측정 방법, 반죽 비중 조절
	반죽 채우기(팬닝)	팬닝량, 팬닝 숙련도
	성형	모양 및 시간 정확도
	굽기	오븐 조작, 구워진 상태 및 굽기 관리
	튀김	튀김기 조작 적합성, 튀겨진 상태 및 튀김 관리
	장식	장식하기
	기계·도구 관리	기계 및 도구 관리하기
제빵 작업	재료 계량	계량시간(숙련도), 재료 손실, 계량 정확도
	반죽	혼합 순서, 반죽 상태, 반죽 온도 조절, 반죽의 되기
	발효	발효실 관리, 온도 및 습도, 발효점
	성형	숙련도 및 정확성, 분할, 둥글리기, 중간 발효, 성형, 팬닝, 팬닝량
	2차 발효	발효실 관리, 온도 및 습도, 발효점
	굽기	온도, 시간, 오븐 관리, 오븐 조작
	튀김	튀김 제품 만들기
	장식	장식하기
	기계·도구 관리	기계·도구 관리하기

Ⅳ. 과제 목록 및 시험시간

제과

순서	제품명	시험시간
1	초코 머핀(초코 컵케이크)	1시간 50분
2	버터 스펀지 케이크(별립법)	1시간 50분
3	젤리 롤케이크	1시간 30분
4	소프트 롤케이크	1시간 50분
5	버터 스펀지 케이크(공립법)	1시간 50분
6	마드레느	1시간 50분
7	쇼트 브레드 쿠키	2시간
8	슈	2시간
9	브라우니	1시간 50분
10	과일 케이크	2시간 30분

순서	제품명	시험시간
11	파운드 케이크	2시간 30분
12	다쿠와즈	1시간 50분
13	타르트	2시간 20분
14	사과파이	2시간 30분
15	시퐁 케이크(시퐁법)	1시간 40분
16	마데라(컵) 케이크	2시간
17	버터쿠키	2시간
18	치즈 케이크	2시간 30분
19	호두파이	2시간 30분
20	초코 롤케이크	1시간 50분

제빵

순서	제품명	시험시간
1	빵도넛	3시간
2	소시지빵	3시간 30분
3	식빵(비상스트레이트법)	2시간 40분
4	단팥빵(비상스트레이트법)	3시간
5	그리시니	2시간 30분
6	밤 식빵	3시간 40분
7	베이글	3시간 30분
8	스위트롤	3시간 30분
9	우유 식빵	3시간 40분
10	단과자빵(트위스트형)	3시간 30분

순서	제품명	시험시간
11	단과자빵(크림빵)	3시간 30분
12	풀만 식빵	3시간 40분
13	단과자빵(소보로빵)	3시간 30분
14	더치빵	3시간 30분
15	호밀빵	3시간 30분
16	버터 톱 식빵	3시간 30분
17	옥수수 식빵	3시간 40분
18	모카빵	3시간 30분
19	버터롤	3시간 30분
20	통밀빵	3시간 30분

V. '22년도 위생상태 및 안전 관리 세부기준 안내(제과기능사, 제빵기능사 공통 적용)

<table>
<tr><th>순번</th><th>구분</th><th>세부기준</th><th>채점기준</th></tr>
<tr><td>1</td><td>위생복
상의</td><td>• 전체 흰색, 기관 및 성명 등의 표식이 없을 것
• 팔꿈치가 덮이는 길이 이상의 7부·9부·긴소매(수험자 필요에 따라 흰색 팔토시 가능)
• 상의 여밈은 위생복에 부착된 것이어야 하며 벨크로(일명 찍찍이), 단추 등의 크기, 색상, 모양, 재질은 제한하지 않음(단, 금속성 부착물·뱃지, 핀 등은 금지)
• 팔꿈치 길이보다 짧은 소매는 작업 안전상 금지
• 부직포, 비닐 등 화재에 취약한 재질 금지</td><td rowspan="3">• 미착용, 평상복(흰색 티셔츠 등), 패션 모자(흰색 털 모자, 비니, 야구 모자 등) → 실격
• 기준 부적합 → 위생 0점
- 제과용/식품가공용이 아닌 경우(화재에 취약한 재질 및 실험복 형태의 영양사·실험용 가운은 위생 0점)
- (일부) 유색/표식이 가려지지 않은 경우
- 반바지·치마 등
- 위생모가 뚫려있어 머리카락이 보이거나, 수건 등으로 감싸 바느질 마감 처리가 되어있지 않고 풀어지기 쉬워 일반 제과·제빵 작업용으로 부적합한 경우 등
- 위생복의 개인 표식(이름, 소속)은 테이프로 가릴 것
- 제과 제빵·조리 도구에 이물질(예 테이프) 부착 금지</td></tr>
<tr><td>2</td><td>위생복
하의
(앞치마)</td><td>•「흰색 긴 바지 위생복」 또는 「(색상 무관) 평상복 긴 바지 + 흰색 앞치마」
- 흰색 앞치마 착용 시, 앞치마 길이는 무릎 아래까지 덮이는 길이일 것
- 평상복 긴 바지의 색상·재질은 제한이 없으나, 부직포·비닐 등 화재에 취약한 재질이 아닐 것
- 반바지·치마·폭넓은 바지 등 안전과 작업에 방해가 되는 복장은 금지</td></tr>
<tr><td>3</td><td>위생모</td><td>• 전체 흰색, 기관 및 성명 등의 표식이 없을 것
• 빈틈이 없고, 일반 제과점에서 통용되는 위생모(크기 및 길이, 재질은 제한 없음)
- 흰색 머릿수건(손수건)은 머리카락 및 이물에 의한 오염 방지를 위해 착용 금지</td></tr>
<tr><td>4</td><td>마스크</td><td>• 침액 오염 방지용으로, 종류는 제한하지 않음(단, 감염병 예방법에 따라 마스크 착용 의무화 기간에는 '투명 위생 플라스틱 입가리개'는 마스크 착용으로 인정하지 않음)</td><td>• 미착용 → 실격</td></tr>
<tr><td>5</td><td>위생화
(작업화)</td><td>• 색상 무관, 기관 및 성명 등의 표식 없을 것
• 조리화, 위생화, 작업화, 운동화 등 가능(단, 발가락, 발등, 발뒤꿈치가 모두 덮일 것)
• 미끄러짐 및 화상의 위험이 있는 슬리퍼류, 작업에 방해가 되는 굽이 높은 구두, 속 굽 있는 운동화 금지</td><td>• 기준 부적합 → 위생 0점</td></tr>
<tr><td>6</td><td>장신구</td><td>• 일체의 개인용 장신구 착용 금지(단, 위생모 고정을 위한 머리핀은 허용)
• 손목시계, 반지, 귀걸이, 목걸이, 팔찌 등 이물, 교차 오염등을 막기 위해 장신구는 착용하지 않을 것</td><td>• 기준 부적합 → 위생 0점</td></tr>
<tr><td>7</td><td>두발</td><td>• 단정하고 청결할 것, 머리카락이 길 경우 흘러내리지 않도록 머리망을 착용하거나 묶을 것</td><td>• 기준 부적합 → 위생 0점</td></tr>
</table>

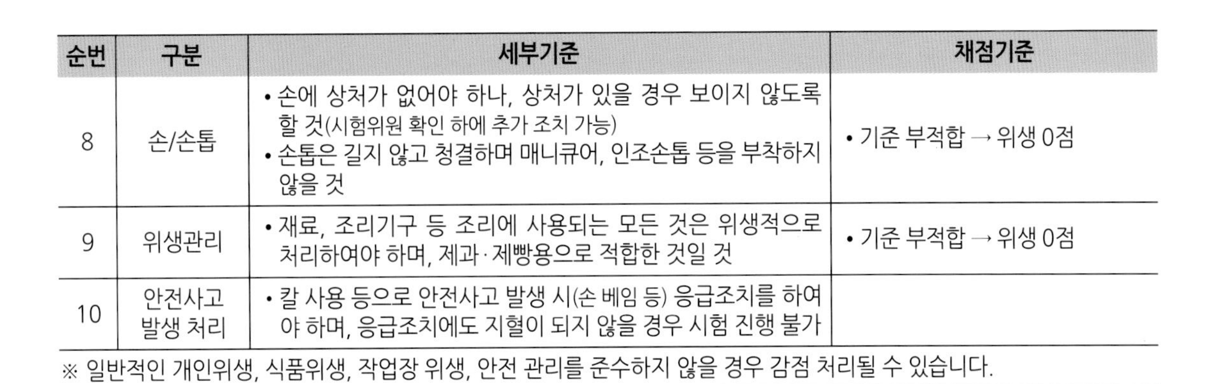

순번	구분	세부기준	채점기준
8	손/손톱	• 손에 상처가 없어야 하나, 상처가 있을 경우 보이지 않도록 할 것(시험위원 확인 하에 추가 조치 가능) • 손톱은 길지 않고 청결하며 매니큐어, 인조손톱 등을 부착하지 않을 것	• 기준 부적합 → 위생 0점
9	위생관리	• 재료, 조리기구 등 조리에 사용되는 모든 것은 위생적으로 처리하여야 하며, 제과·제빵용으로 적합한 것일 것	• 기준 부적합 → 위생 0점
10	안전사고 발생 처리	• 칼 사용 등으로 안전사고 발생 시(손 베임 등) 응급조치를 하여야 하며, 응급조치에도 지혈이 되지 않을 경우 시험 진행 불가	

※ 일반적인 개인위생, 식품위생, 작업장 위생, 안전 관리를 준수하지 않을 경우 감점 처리될 수 있습니다.

Ⅵ. '22년도 수험자 유의사항 안내(제과기능사, 제빵기능사 공통 적용)

1) 항목별 배점은 제조공정 55점, 제품 평가 45점이며, 요구사항 외의 제조 방법 및 채점기준은 비공개입니다.
2) 시험시간은 재료 전처리 및 계량시간, 제조, 정리 정돈 등 모든 작업과정이 포함된 시간입니다(감독위원의 계량 확인 시간은 시험시간에서 제외).
3) 수험자 인적 사항은 검은색 필기구만 사용하여야 합니다. 그 외 연필류, 유색 필기구, 지워지는 펜 등은 사용이 금지됩니다.
4) 시험 전과정 위생수칙을 준수하고 안전사고 예방에 유의합니다.
   - 시작 전 간단한 가벼운 몸 풀기(스트레칭) 운동을 실시한 후 시험을 시작하십시오.
   - 위생 복장의 상태 및 개인위생(장신구, 두발·손톱의 청결 상태, 손 씻기 등)의 불량 및 정리 정돈 미흡 시 위생 항목 감점 처리됩니다.
5) 다음 사항은 실격에 해당하여 채점 대상에서 제외됩니다.
   가) 수험자 본인이 수험 도중 시험에 대한 포기 의사를 표현하는 경우
   나) 위생복 상의, 위생복 하의(또는 앞치마), 위생모, 마스크 중 1개라도 착용하지 않은 경우
   다) 시험시간 내에 작품을 제출하지 못한 경우
   라) 수량, 모양, 반죽 제조법(공립법을 별립법으로 하는 등)을 준수하지 않았을 경우
   마) 상품성이 없을 정도로 타거나 익지 않은 경우
   바) 지급된 재료 이외의 재료를 사용한 경우
   사) 시험 중 시설·장비의 조작 또는 재료의 취급이 미숙하여 위해를 일으킬 것으로 감독위원 전원이 합의하여 판단한 경우
6) 의문 사항이 있으면 감독위원에게 문의하고, 감독위원의 지시에 따릅니다.

Ⅶ. 특이사항('21년도 동일)

[공개 문제 검색 방법]

- Q-net 홈페이지 → 고객지원 → 자료실 → 공개 문제 → "종목명" 입력 후 검색
- 시험장별 재료 계량용 저울의 눈금 표기가 상이하여(짝수/홀수), 배합표의 표기를 '홀수(짝수)' 또는 '소수점(정수)'의 형태로 병행 표기하여 기재합니다('21년도 동일).
  - 시험장의 저울 눈금 표시 단위에 맞추어 시험장 감독위원의 지시에 따라 올림 또는 내림으로 계량할 수 있음을 참고하시기 바랍니다.
  - 시험장의 저울을 사용하거나, 수험자가 개별로 지참한 저울을 사용하여 계량합니다(저울은 수험자 선택사항으로 필요 시 지참).
- 배합표에 비율(%) 60~65, 무게(g) 600~650과 같이 표기된 과제는 반죽의 상태에 따라 수험자가 물의 양을 조정하여 제조합니다.
- 제과기능사, 제빵기능사 실기시험의 전체 과제는 '반죽기(믹서) 사용 또는 수작업 반죽(믹싱)'이 모두 가능함을 참고하시기 바랍니다[마데라(컵) 케이크, 초코머핀 등의 과제는 수험자 선택에 따라 수작업 믹싱도 가능].
  - 단, 요구사항에 반죽 방법(수작업)이 명시된 과제는 요구사항을 따라야 합니다.
- 시험장에는 시간을 확인할 수 있는 공용시계가 구비되어 있으며, 시험시간의 종료는 공용시계를 기준으로 합니다. 만약, 수험자 개인 용도의 시계, 타이머를 지참하여 사용하고자 할 경우, 아래 사항에 유의하시기 바랍니다.
  - 손목시계 착용 시 '장신구'에 해당하여 위생 부분이 감점되므로 사용하지 않습니다.
  - 탁상용 시계를 제조과정 중 재료 및 도구와 접촉시키는 등 비위생적으로 관리할 경우 위생 부분 감점되므로, 유의합니다. 또한 시험시간은 공용시계를 기준으로 하므로 개인이 지참한 시계는 시험시간의 기준이 될 수 없음을 유념하시기 바랍니다.
  - 타이머는 소리 알람(진동)이 발생하지 않도록 '무음 및 무진동'으로 설정하여 사용합니다(다른 수험자에게 피해가 될 수 있으므로 특히 주의).
  - 개인이 지참한 시계, 타이머에 의하여 소리 알람(진동)이 발생하여 시험 진행에 방해가 될 경우, 본부요원 및 감독위원은 수험자에게 개별적인 시계, 타이머 사용을 금지시킬 수 있습니다.

※ 단순 맞춤법, 문장 순화를 위한 내용은 별도의 공지 없이 수정될 수 있습니다.

Craftsman Confectionary Making

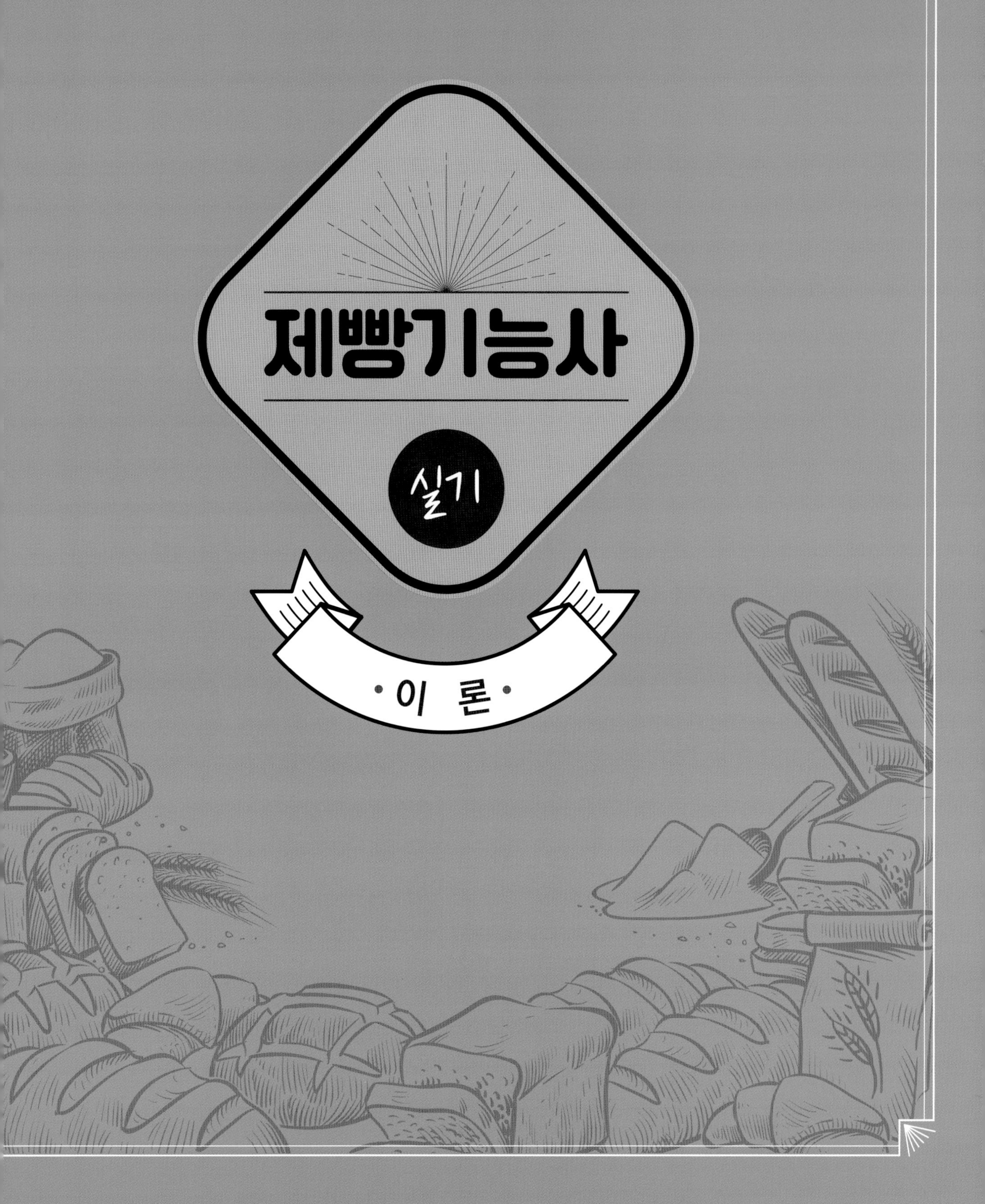

스트레이트법(straight dough method) 제조

- 반죽에 필요한 모든 재료를 한번에 믹서볼에 넣고 반죽하는 방법이다.
- 직접법이라고도 하며 다른 반죽법에 비해 제조 공정 시간이 짧고, 비교적 작업장 설비가 간단한 곳에서도 가능하다.
- 한 제법으로 가장 많이 사용하는 제빵법 중의 하나이다.
- 제빵기능사 시험에서도 이 스트레이트법의 공정만을 다룬다.

1. 믹싱하기

과자는 여러 가지 곡식가루에 부재료(설탕, 유지, 달걀 등)를 섞어서 만든 것으로, 빵·과자를 구분하는 기준으로는 이스트의 사용 여부, 설탕량의 많고 적음, 밀가루의 종류, 반죽 상태 등이 있으나 편의상 이스트 사용 유무를 기준으로 빵과 구별하고 있다.

① 픽업 단계: 유지와 충전물을 제외한 모든 재료를 넣어 섞는 단계로, 가루가 날리지 않게 저속으로 시작한다.
② 클린업 단계: 밀가루가 충분히 수화되어 반죽이 만들어지는 단계로, 이때 유지를 넣는다.
③ 발전 단계: 글루텐의 결합이 진행되어 반죽이 최대의 탄력성을 갖는 단계이다.
④ 최종 단계: 반죽이 부드럽게 윤이 나고, 글루텐 막을 확인하면 손가락 지문이 보이는 얇은 막을 확인할 수 있다.
⑤ 렛다운 단계: 반죽이 탄력성을 잃고 늘어지는 단계로, 오버 믹싱 단계이다.
⑥ 파괴 단계: 글루텐이 완전히 파괴된 단계로 탄력성을 잃어 좋은 제품을 만들 수 없다.

2. 1차 발효

1) 온도

25~28 ℃, 습도 75~80%, 1~3시간 발효

2) 1차 발효 완료 알기

(1) 눈

크기로 약 3배로 부풀 시점

(2) 손

① 손가락으로 발효된 반죽을 찔러 보아 반죽 끝이 살짝 오므리다 멈추는 시점

② 반죽을 찢어 보아 거미줄이 확인되는 시점

(3) 시간

사실, 시험장에서의 1차 발효 시간은 약 40분 사이(시간보다는 상태 파악이 중요!)

식빵류

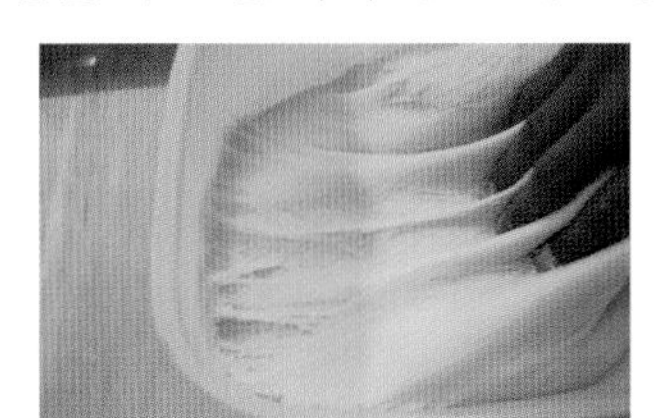
단과자빵류

3. 분할

1) 1차 발효가 완료되면 반죽을 작업대에 올리고 원하는 빵 크기에 맞게 자른다.

2) 덧가루를 최소한으로 사용하며 분할 중에도 발효가 진행되므로 최대한 빨리 작업하도록 한다(20분 내외).

식빵류

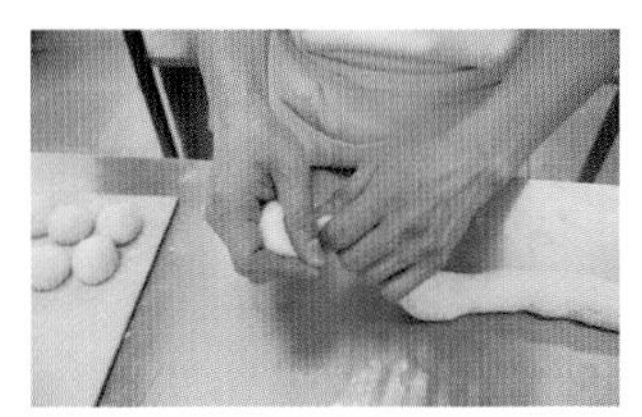
단과자빵류

4. 둥글리기

1) 분할된 반죽의 표면을 정리하는 동작으로, 1차 발효 중 생긴 큰 가스를 빼고 표면을 매끄럽게 정리하여 성형을 용이하게 하는 과정이다.
2) 작은 빵의 둥글리기는 손바닥 위에서 하고, 큰 덩어리 빵은 작업대 위에서 가볍게 한다.

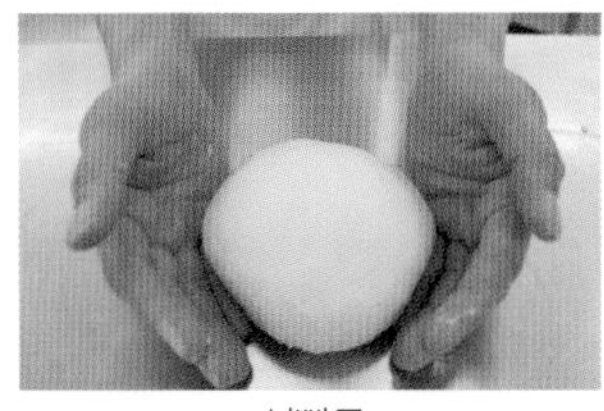
식빵류

단과자빵류

3) 큰 덩어리 빵의 둥글리기 과정

5. 중간 발효

1) 온도 28~29 ℃, 습도 75%, 10~20분
2) 둥글리기가 끝난 반죽을 정형 전에 짧은 시간 발효시켜 성형을 편리하게 하기 위한 공정이다.

식빵류

단과자빵류

6. 정형

1) 중간 발효가 끝난 반죽을 틀에 넣기 전에 일정한 모양으로 만드는 공정이다.

2) 식빵류

(1) 산형

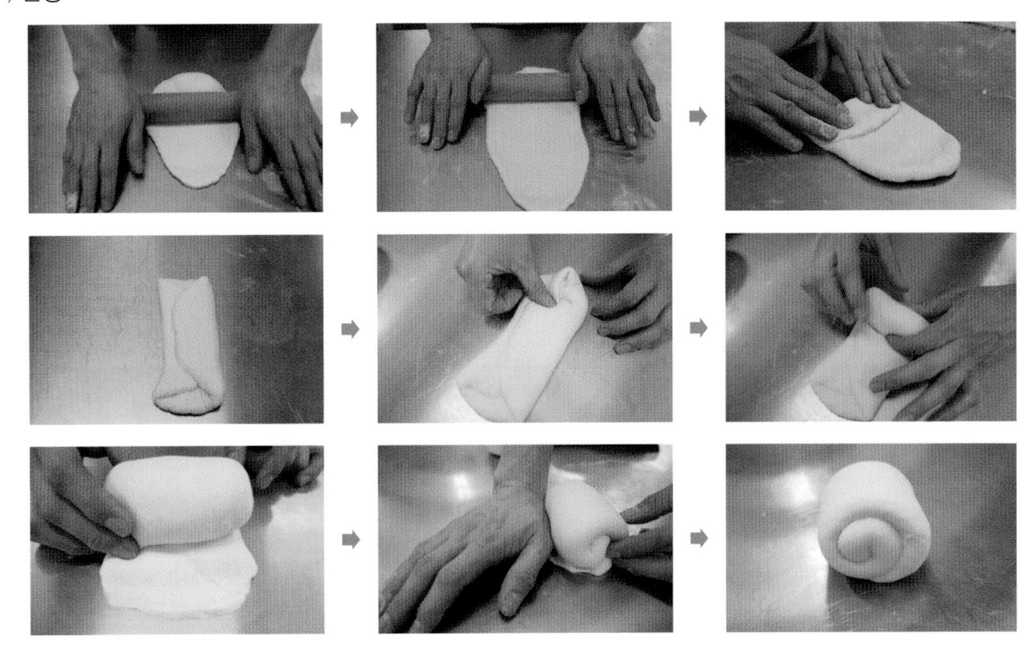

(2) 원로프형

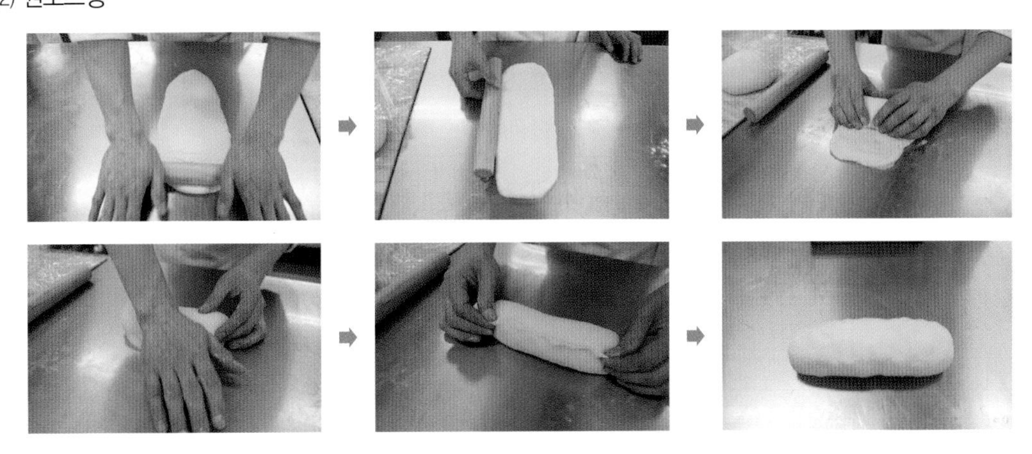

(3) 단과자빵류

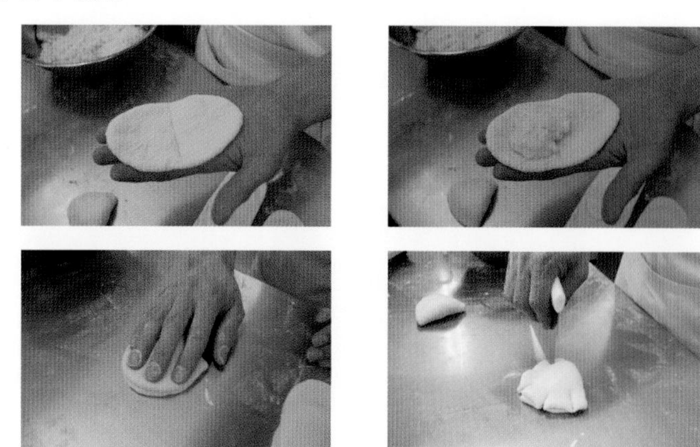

(4) 프랑스빵

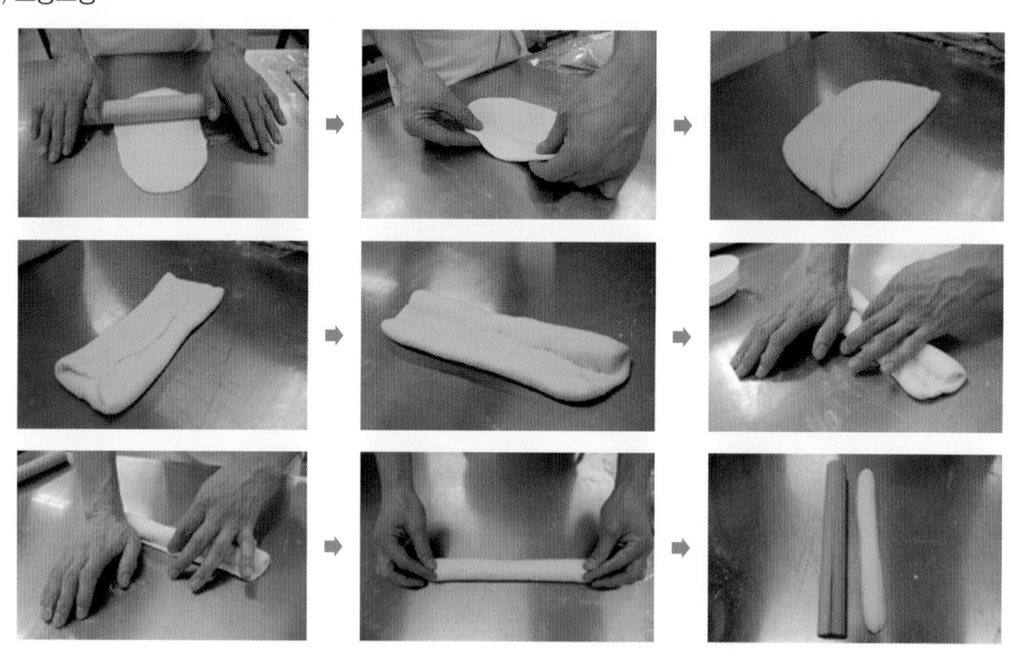

7. 팬닝

1) 식빵팬이나 철판에 기름칠하여 깨끗이 닦아 둔다.
2) 정형한 반죽을 이음매 부분을 밑으로 하여 틀에 넣거나 철판에 나열하는 공정이다.

식빵류

단과자빵류

8. 2차 발효

1) 온도 35~43 ℃, 습도 85~90%, 30~1시간
2) 성형된 반죽을 발효실에 넣고 한 번 더 발효시켜 제품 부피를 키우는 공정이다.

식빵류

단과자빵류

9. 굽기(통상 200 ℃ 전후)

1) 반죽을 뜨거운 오븐에 넣어 먹기 좋은 상태로 바꾸는 공정이다.
2) 오븐 온도와 굽기 시간은 반죽의 중량에 따라 달라진다.
3) 큰 빵일수록 굽기 시간은 길어지고 온도는 낮아지고, 작은 빵일수록 굽기 시간은 짧아지고 온도는 높아진다.

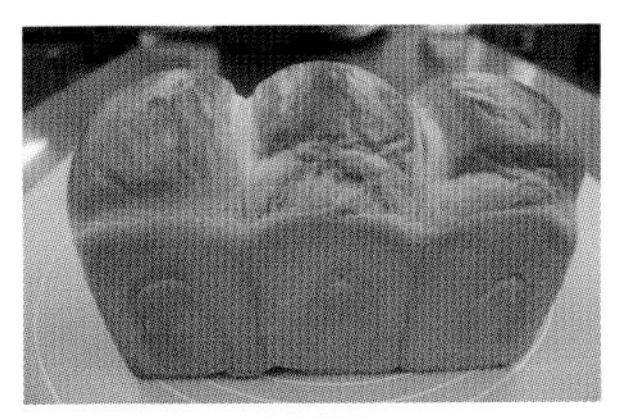
식빵류

단과자빵류

Craftsman Confectionary Making

제빵기능사

실기

1

빵도넛

제품 평가

부피 분할 무게에 맞게 부피가 알맞고, 모양이 균일하다.

외부 균형 찌그러짐이 없고 균형이 잘 맞아야 한다.

껍질 껍질이 부드럽고 고른 색깔이 나야 하고, 반점·줄무늬가 없어야 하며 화이트 라인이 보여야 한다.

내상 기공과 조직이 고르고 내상이 밝고, 기름 흡수가 적어야 한다.

맛과 향 기름의 느끼함이 없어야 하고 발효향과 식감이 좋아야 한다.

국가 기술 자격 실기 시험 문제

자격 종목	제빵기능사	작품명	빵도넛

◈ **시험시간** 3시간[표준시간: 3시간, 연장시간: 없음]

요구사항

빵도넛을 제조하여 제출하시오.

❶ 배합표의 각 재료를 계량하여 재료별로 진열하시오(12분).

- 재료 계량(재료당 1분) → [감독위원 계량 확인] → 작품 제조 및 정리 정돈(전체 시험시간 - 재료 계량시간)
- 재료 계량시간 내에 계량을 완료하지 못하여 시간이 초과된 경우 및 계량을 잘못한 경우는 추가의 시간 부여 없이 작품 제조 및 정리 정돈 시간을 활용하여 요구사항의 무게대로 계량
- 달걀의 계량은 감독위원이 지정하는 개수로 계량

❷ 반죽을 스트레이트법으로 제조하시오(단, 유지는 클린업 단계에서 첨가하시오).

❸ 반죽 온도는 27 ℃를 표준으로 하시오.

❹ 분할 무게는 46 g씩으로 하시오.

❺ 모양은 8자형과 트위스트형(꽈배기형)으로 만드시오.

❻ 반죽은 전량을 사용하여 성형하시오.

배합표

재료명	비상스트레이트	
	비율(%)	무게(g)
강력분	80	880
박력분	20	220
설탕	10	110
쇼트닝	12	132
소금	1.5	18
탈지분유	3	32
이스트	5	54
제빵개량제	1	10
바닐라향	0.2	2
달걀	15	164
물	46	506
넛메그	0.3	2
계	194	2,130

재료 목록

번호	재료명	규격	단위	수량	비고
1	밀가루	강력분	g	960	1인용
2	밀가루	박력분	g	240	1인용
3	설탕	정백당	g	120	1인용
4	쇼트닝	제과제빵용	g	145	1인용
5	소금	정제염	g	18	1인용
6	탈지분유	제과제빵용	g	50	1인용
7	이스트	생이스트	g	60	1인용
8	제빵개량제	제빵용	g	13	1인용
9	바닐라향	분말	g	3	1인용
10	달걀	60 g (껍질 포함)	개	4	1인용
11	넛메그	향신료(식용)	g	4	1인용
12	식용유	대두유	ml	3,000	2인용
13	얼음	식용	g	200	1인용 (겨울철 제외)
14	위생지	식품용(8절지)	장	10	1인용
15	부탄가스	가정용(220 g)	개	1	5인 공용
16	제품 상자	제품포장용	개	1	5인 공용

※ 국가기술자격 실기시험 지급 재료는 시험 종료 후(기권, 결시자 포함) 수험자에게 지급하지 않습니다.

재료 계량

반죽하기

01 믹서볼에 쇼트닝을 제외한 전 재료를 넣는다.

02 저속으로 믹싱하여 재료를 충분히 수화시킨다.

03 반죽 표면과 볼이 깨끗해지는 클린업 단계가 되면 유지를 투입한다.

04 중속에서 고속으로 믹싱 속도를 조절하여 최종 단계까지 반죽한다.

05 반죽의 일부를 떼어 양손으로 글루텐막 상태를 확인한다.

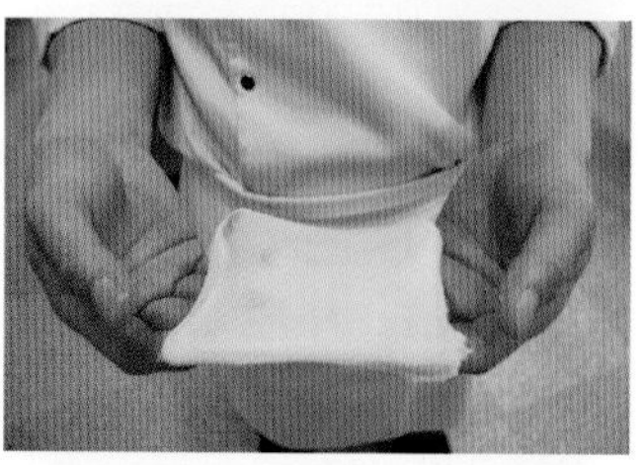

06 반죽 표면을 매끄럽게 정리하여 발효통에 넣고 반죽 온도를 측정한다(반죽 온도: 27 ℃).

① 도넛 모양 유지를 위해서 일반 식빵보다는 믹싱을 약간 적게 한다.
② 반죽 온도 조절을 위해 물 온도를 조정하여 사용한다(겨울철: 온수, 여름철: 냉수).

1차 발효-분할-중간 발효

07 1차 발효시켜 상태를 확인한다.

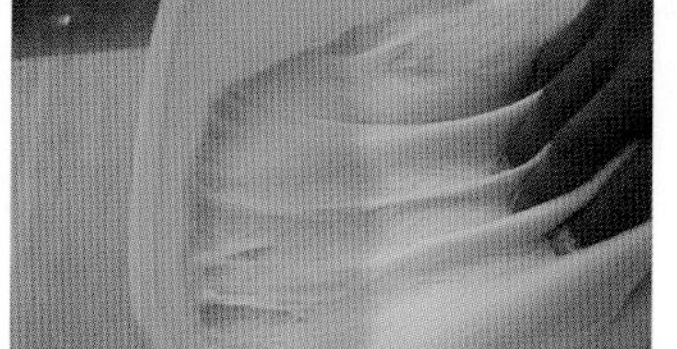

08 반죽을 꺼낸 후 작업대 위에서 손으로 분할한다.

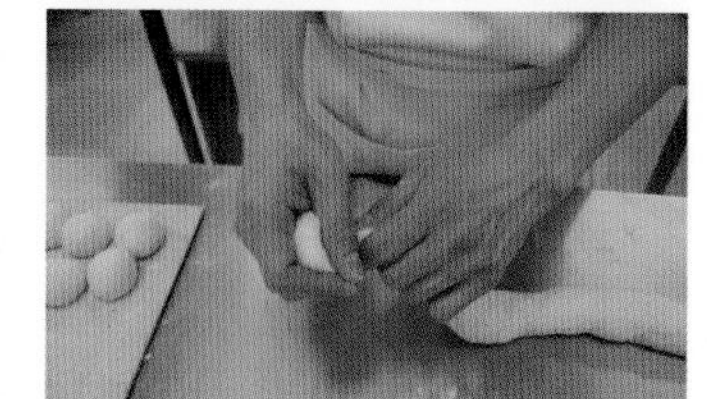

09 반죽 46 g을 분할한다.

10 분할한 반죽을 손바닥에 올려 매끄럽게 둥글리기 한다.

11 둥글리기 한 순서에 맞게 나무판에 놓는다.

12 면이 마르지 않게 비닐을 덮어 중간 발효한다.

① 반죽의 매끄러운 표면이 손상되지 않도록 둥글리기 한다.

성형하기

13 중간 발효된 반죽을 재둥글리기 한 후 앞뒤로 밀어 놓는다.

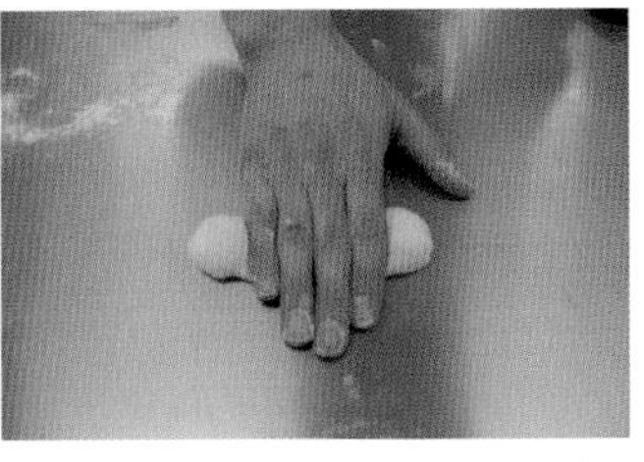

14 다시 반죽을 길이 25 cm가 되도록 양 손으로 민다.

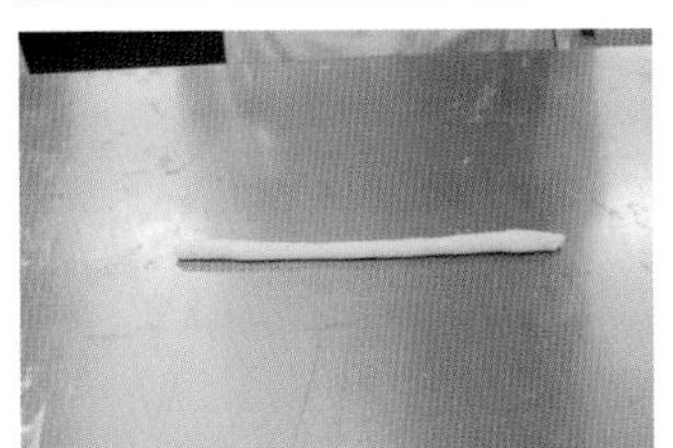

15 반죽의 양쪽 끝부분을 잡는다.

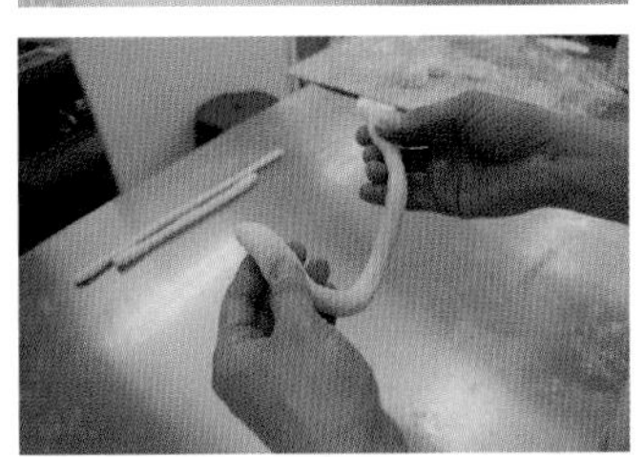

16 오른쪽 반죽을 돌려 감는다.

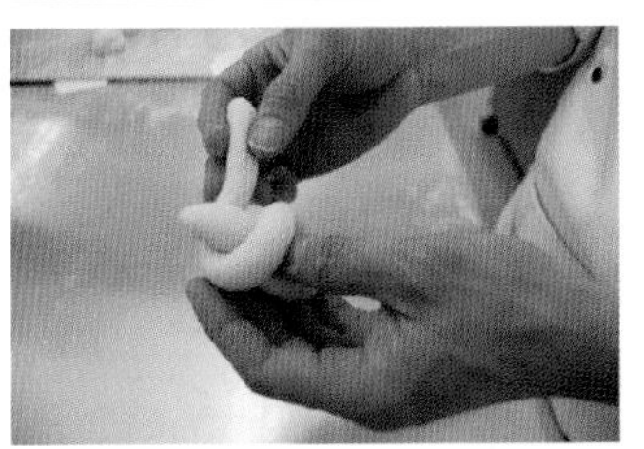

17 반죽 사이 빈 공간으로 반죽을 넣는다.

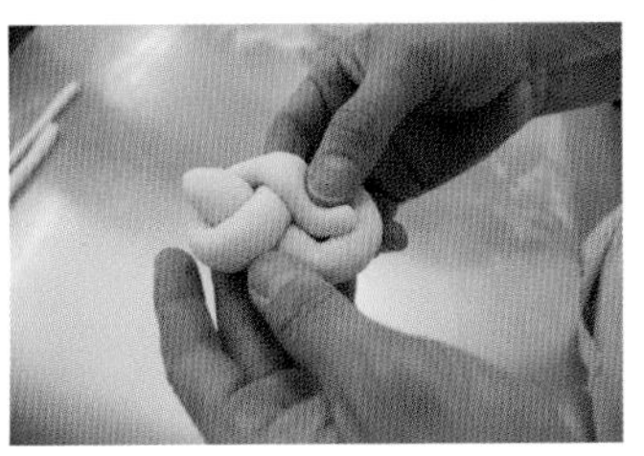

18 8자 성형

Point

① 반죽을 밀어 펼 때에는 한번에 무리하게 밀려 하지 말고 12개를 먼저 밀어놓고 성형 후, 다시 반복하여 밀어 펴도록 한다.
② 반죽을 밀어 펼 때 양쪽 끝부분에 손바닥이 나가지 않도록 한다(뾰족하게 되므로 주의).

팬닝-2차 발효-튀기기-제출

19 기름칠한 철판에 일정한 간격으로 팬닝하여 2차 발효시킨다.

20 기름 온도를 185 ℃로 맞춘 후 반죽을 넣어 튀긴다.

21 노릇하게 완제품 색으로 튀겨지면 위, 아랫면을 뒤집어 준다.

22 튀긴 도넛은 미리 종이를 깔아 준비한 냉각팬에 식힌다.

23 식힌 도넛의 앞뒤로 계피설탕을 묻힌다.

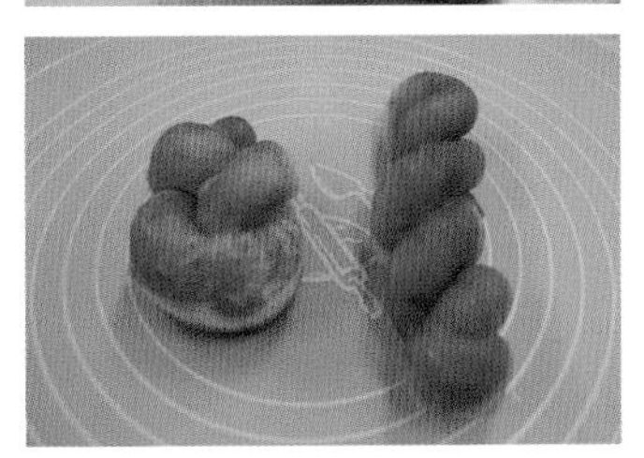

24 완제품

Point

① 도넛은 습도가 높지 않게 2차 발효시킨다(발효실 조정이 어려운 경우에는 미리 반죽을 꺼내어 물기를 건조시킨 후 튀기도록 한다).
② 튀김 시 한 면씩만 기름에 닿게 튀겨 내도록 하며, 튀김 온도가 너무 낮지 않도록 주의한다.

세부컷

01 반죽의 중앙 부분부터 가스를 빼 주며 밀어 준다.

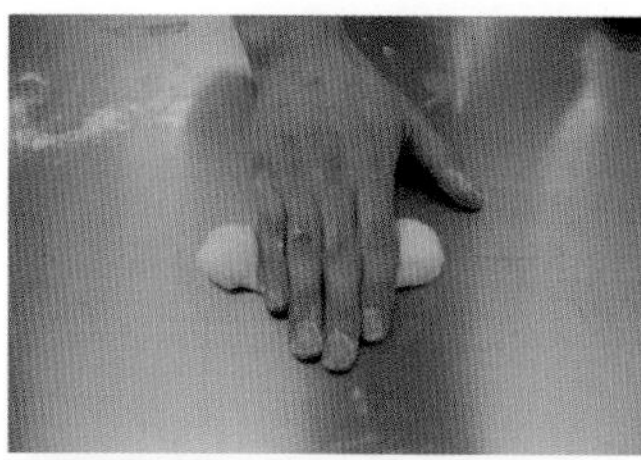

02 중앙 부분이 일정한 두께로 밀리면 양손으로 밀어 준다.

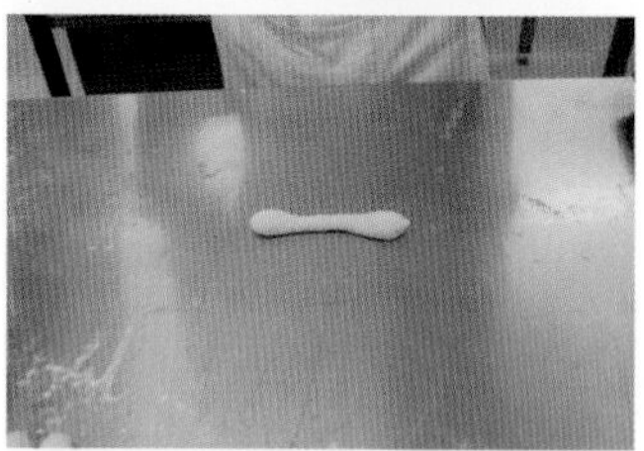

03 약 25 cm로 밀어준다.

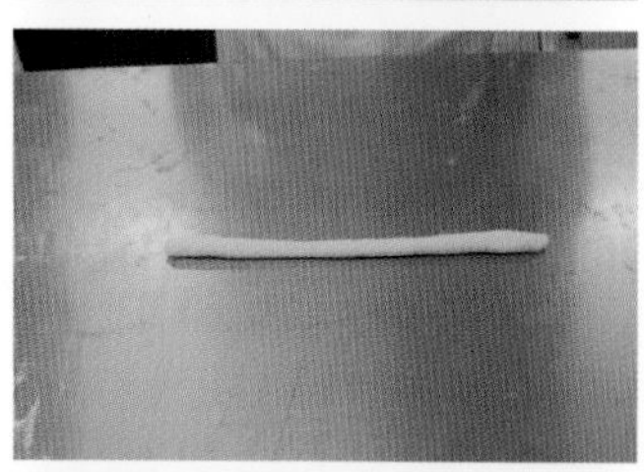

04 두 손으로 반죽의 양끝을 잡고 비틀어 준다.

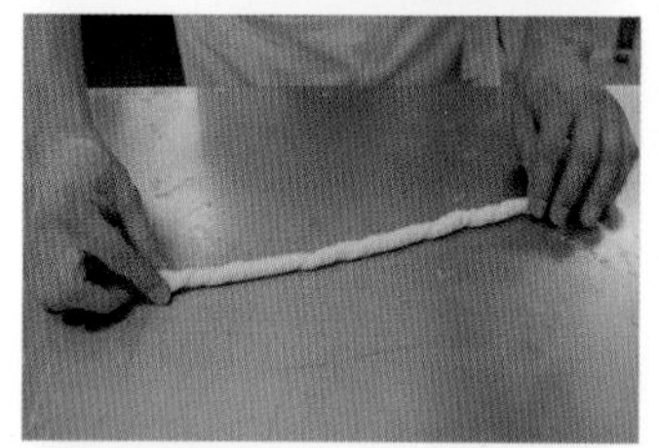

05 두 손을 들어 꽈배기 모양을 만든다.

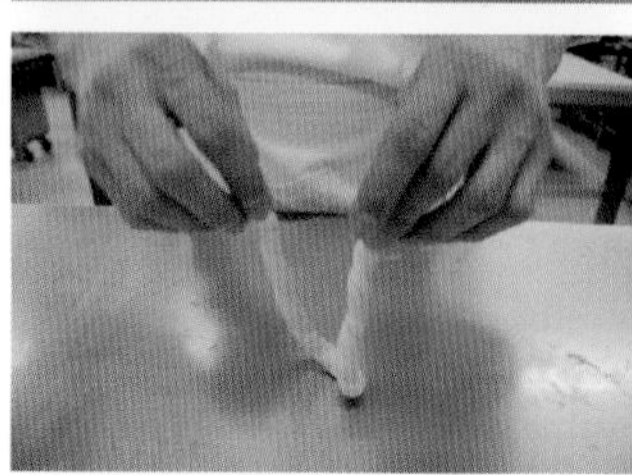

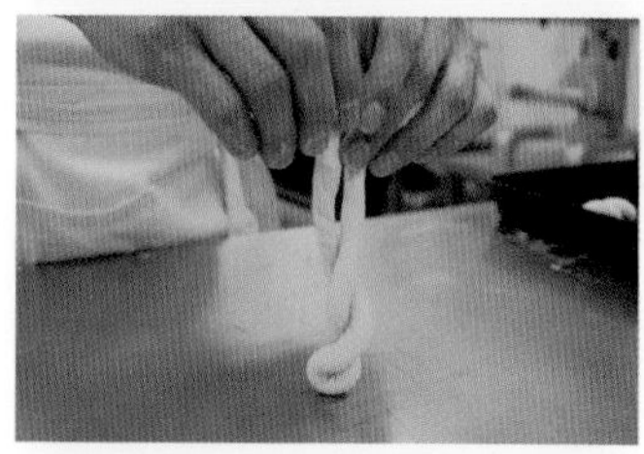

06 반죽의 끝부분이 떨어지지 않게 잘 봉해준다.

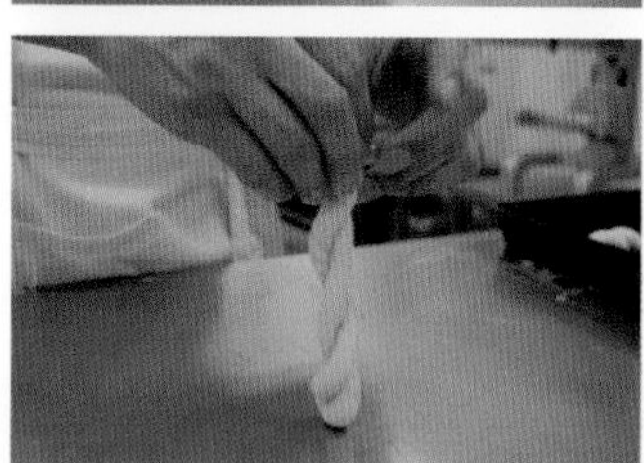

07 꼬임이 4개 정도가 되도록 비틀어 준다.

MEMO

2

소시지빵

제품 평가

부피 분할 무게에 맞게 부피가 알맞고, 모양이 균일하다.
외부 균형 낙엽 모양과 꽃잎 모양의 균형이 잘 맞아야 한다.
껍질 바닥은 연한 갈색이고 테두리가 깔끔하며 먹음직스러운 색깔을 띠어야 한다.
맛과 향 반죽과 충전물의 조화가 잘 되어 소시지와 충전물이 알맞은 식감과 향을 가져야 한다.

국가 기술 자격 실기 시험 문제

자격 종목	제빵기능사	작품명	소시지빵

◈ **시험시간** 3시간 30분[표준시간: 3시간 30분, 연장시간: 없음]

요구사항

소시지빵을 제조하여 제출하시오.

❶ 반죽 재료를 계량하여 재료별로 진열하시오(10분).
(토핑 및 충전물 재료의 계량은 휴지시간을 활용하시오)

- 재료 계량(재료당 1분) → [감독위원 계량 확인] → 작품 제조 및 정리 정돈(전체 시험시간 - 재료 계량시간)
- 재료 계량시간 내에 계량을 완료하지 못하여 시간이 초과된 경우 및 계량을 잘못한 경우는 추가의 시간 부여 없이 작품 제조 및 정리 정돈 시간을 활용하여 요구사항의 무게대로 계량
- 달걀의 계량은 감독위원이 지정하는 개수로 계량

❷ 반죽은 스트레이트법으로 제조하시오.
❸ 반죽 온도는 27 ℃를 표준으로 하시오.
❹ 반죽 분할 무게는 70 g씩 분할하시오.
❺ 완제품(토핑 및 충전물 완성)은 12개 제조하여 제출하고, 남은 반죽은 감독위원이 지정하는 장소에 따로 제출하시오.
❻ 충전물은 발효시간을 활용하여 제조하시오.
❼ 정형 모양은 낙엽 모양과 꽃잎 모양의 2가지로 만들어서 제출하시오.

배합표

【배합표(반죽)】

재료명	비율(%)	무게(g)
강력분	80	560
중력분	20	140
생이스트	4	28
제빵개량제	1	6
소금	2	14
설탕	11	76
마가린	9	62
탈지분유	5	34
달걀	5	34
물	52	364
계	189	1,318

【토핑 및 충전물】

재료명	비율(%)	무게(g)
프랑크소시지	100	480
양파	72	336
마요네즈	34	158
피자치즈	22	102
케찹	24	112
계	252	1,188

※ 충전용 재료는 계량시간에서 제외

재료 목록

번호	재료명	규격	단위	수량	비고
1	밀가루	강력분	g	700	1인용
2	밀가루	중력분	g	200	1인용
3	설탕	정백당	g	100	1인용
4	소금	정제염	g	20	1인용
5	이스트	생이스트	g	32	1인용
6	제빵개량제	제과제빵용	g	10	1인용
7	마가린	제과제빵용	g	80	1인용
8	탈지분유	제과제빵용	g	50	1인용
9	달걀	60 g (껍질 포함)	개	1	1인용
10	프랑크소시지	중량 40 g 길이 12 cm	개	13	1인용
11	양파	껍질 깐 것	g	400	1인용
12	마요네즈	식품용	g	180	1인용
13	피자치즈	모짜렐라치즈	g	130	1인용
14	케찹	식품용	g	140	1인용
15	얼음	식용	g	200	1인용 (겨울철 제외)
16	위생지	식품용(8절지)	장	10	1인용
17	제품 상자	제품포장용	개	1	5인 공용

※ 국가기술자격 실기시험 지급 재료는 시험 종료 후(기권, 결시자 포함) 수험자에게 지급하지 않습니다.

재료 계량

반죽하기

01 믹서볼에 마가린을 제외한 전 재료를 넣는다.

02 저속으로 믹싱하여 재료를 충분히 수화시킨다.

03 반죽 표면과 볼이 깨끗해지는 클린업 단계가 되면 마가린을 넣어 준다.

04 중속에서 고속으로 믹싱 속도를 조절하여 최종 단계까지 반죽한다.

05 반죽의 일부를 떼어 내어 양손으로 글루텐막 상태를 확인한다.

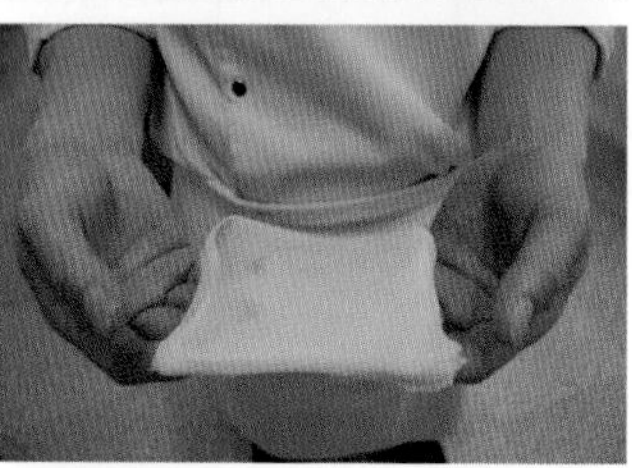

06 반죽 표면을 매끄럽게 정리하여 발효통에 넣어 반죽 온도를 측정한다(반죽 온도 : 27 ℃).

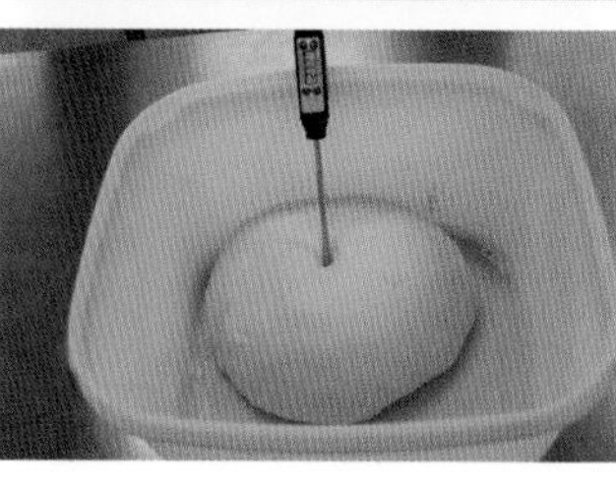

Point
손가락 지문이 보일 정도의 얇고 매끄러운 반투명한 막이 생겨야 한다.

07 1차 발효 상태를 확인한다(온도 27 ℃, 습도 75~80%).

08 70 g씩 분할한다.

09 손바닥 위에 놓고 둥글리기 한다.

10 나무판에 둥글리기 순서에 맞게 나열하여 비닐을 덮어 중간 발효한다.

Point
분할 도중에도 발효가 진행되어 발효가 오버될 수 있으므로 신속하게 분할하도록 한다(특히 여름철에는 신속히 하도록 한다).

성형, 팬닝하기

11 중간 발효된 반죽을 손바닥으로 두드려 기포를 제거한 후 타원형으로 만든다.

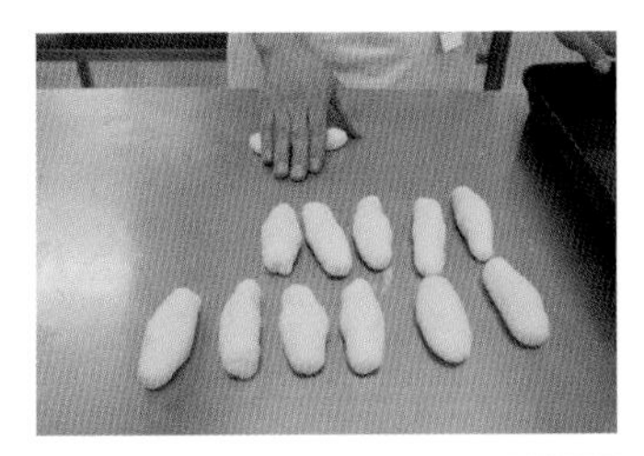

12 반죽으로 프랑크소시지를 감싸 준다.

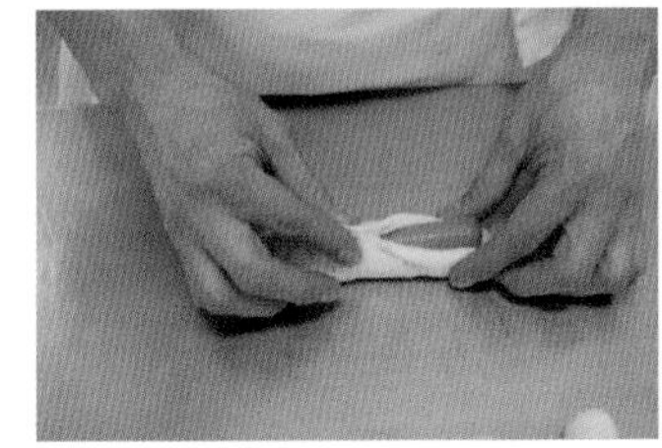

13 평철판에 팬닝 후 가위를 이용하여 일정한 간격으로 자른 후 엇갈리게 뒤집어 주면서 낙엽 모양으로 만든다(6개).

14 평철판에 팬닝 후 가위를 이용하여 일정한 간격으로 7~8개를 자른 후 뒤집어 주면서 꽃잎 모양을 만든다(6개).

소시지 밑면 반죽이 약간 붙어 있을 정도로 하여 가위를 대각선으로 깊게 넣어야 성형 모양이 타원형으로 된다.

2차 발효, 토핑 및 충전물 준비, 굽기

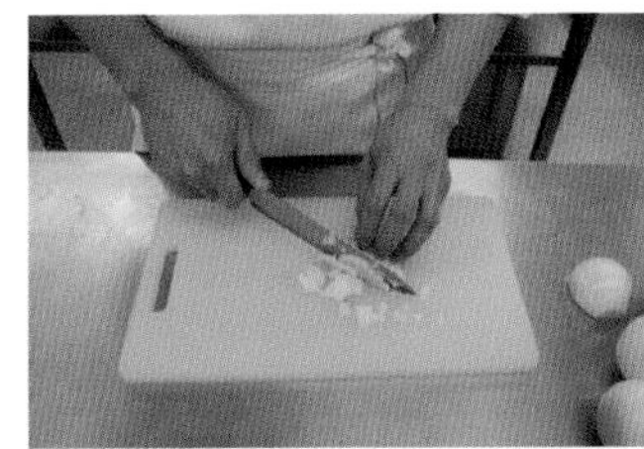

15 2차 발효 중에 양파를 잘게 다진다.

16 다진 양파와 소량의 마요네즈와 피자치즈 일부를 섞어 놓는다.

17 2차 발효가 완료된 반죽 윗면에 충전물을 올린 후 피자치즈를 뿌려 준다.

18 마요네즈와 케찹을 윗면에 지그재그로 짜 준다.

19 윗불 190 ℃/아랫불 150 ℃에서 15~20분 정도 굽는다.

20 완제품

세부컷

01 프랑크 소시지를 반죽 위에 놓는다.

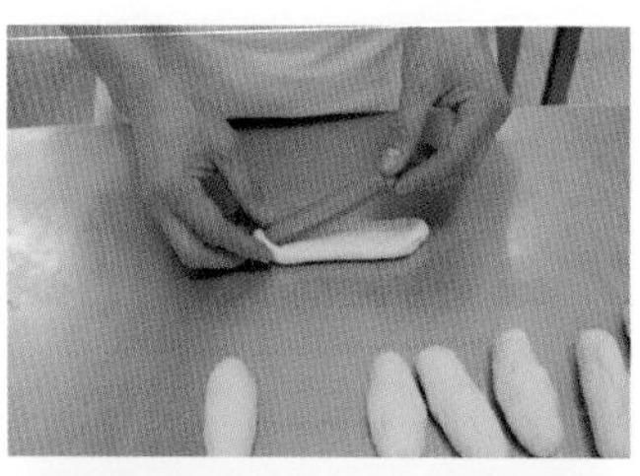

02 반죽으로 프랑크 소시지를 감싸 준다.

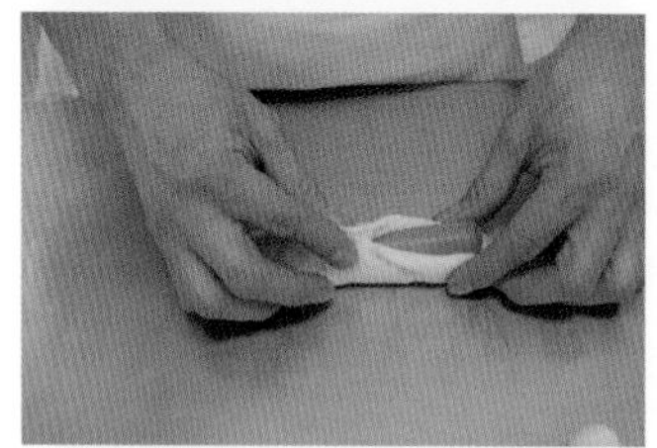

03 일자형으로 감싸준다.

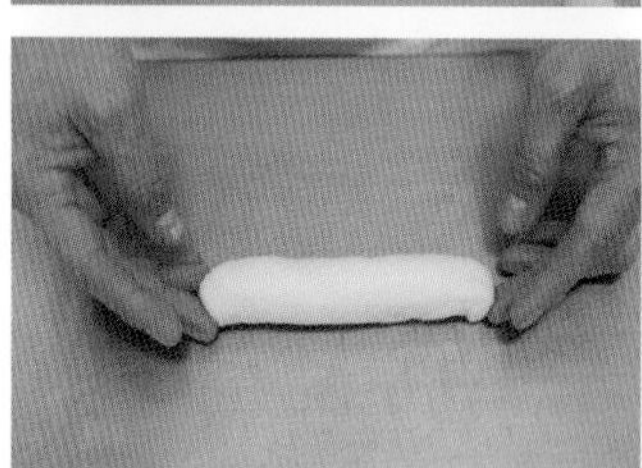

04 가위로 윗부분을 잘라 뒤집어 놓는다.

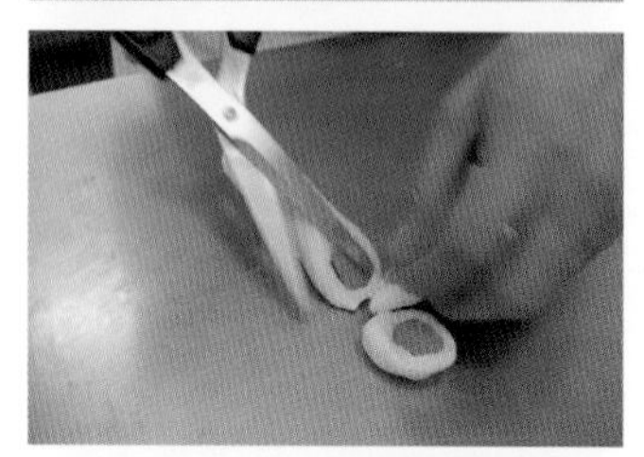

05 가위로 첫 번째 부분을 잘라 옆으로 뒤집어서 펴 준다.

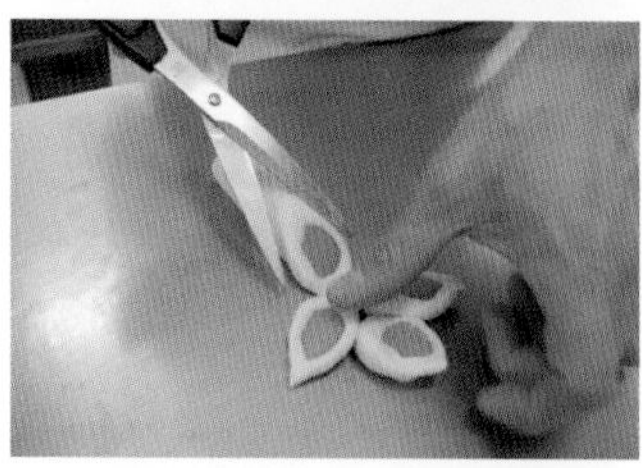

06 가위로 두 번째 부분을 잘라 옆으로 뒤집어서 펴 준다.

07 낙엽 모양 완성

08 가위로 7~8개 정도 잘라 준다.

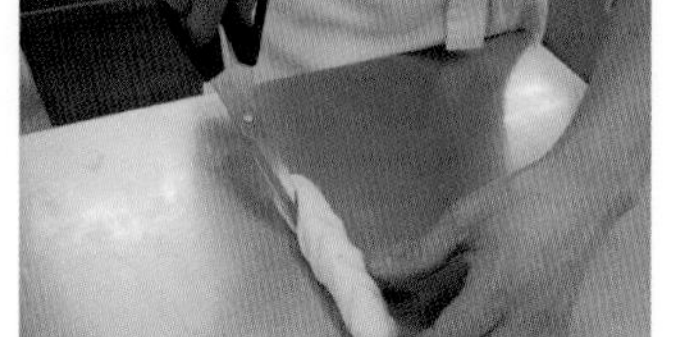

09 옆으로 돌려 주면서 하나씩 뒤집어 펴준다.

10 꽃잎 모양 완성

MEMO

3

식빵(비상스트레이트법)

제품 평가

부피 분할 무게에 맞게 부피가 알맞고, 모양이 균일하여야 한다.
껍질 껍질이 부드럽고 고른 색깔이 나야 하며 반점, 줄무늬가 없어야 한다.
내상 기공과 조직이 고르고 내상이 밝아야 한다.
외부 균형 찌그러짐이 없고 균형이 잘 맞아야 한다.
맛과 향 부드러운 식감과 좋은 발효향이 나야 한다.

국가 기술 자격 실기 시험 문제

자격 종목	제빵기능사	작품명	식빵(비상스트레이트법)

◈ **시험시간** 2시간 40분[표준시간: 2시간 40분, 연장시간: 없음]

요구사항

식빵(비상스트레이트법)을 제조하여 제출하시오.

❶ 배합표의 각 재료를 계량하여 재료별로 진열하시오(8분).

- 재료 계량(재료당 1분) → [감독위원 계량 확인] → 작품 제조 및 정리 정돈 (전체 시험시간 - 재료 계량시간)
- 재료 계량시간 내에 계량을 완료하지 못하여 시간이 초과된 경우 및 계량을 잘못한 경우는 추가의 시간 부여 없이 작품 제조 및 정리 정돈 시간을 활용하여 요구사항의 무게대로 계량
- 달걀의 계량은 감독위원이 지정하는 개수로 계량

❷ 비상스트레이트법 공정에 의해 제조하시오(반죽 온도는 30 ℃로 한다).

❸ 표준 분할 무게는 170 g으로 하고, 제시된 팬의 용량을 감안하여 결정하시오(단, 분할 무게×3을 1개의 식빵으로 함).

❹ 반죽은 전량을 사용하여 성형하시오.

재료 목록

번호	재료명	규격	단위	수량	비고
1	밀가루	강력분	g	1,320	1인용
2	설탕	정백당	g	70	1인용
3	소금	정제염	g	30	1인용
4	식용유	대두유	ml	50	1인용
5	이스트	생이스트	g	65	1인용
6	제빵개량제	제빵용	g	30	1인용
7	쇼트닝	제과제빵용	g	55	1인용
8	탈지분유	제과제빵용	g	45	1인용
9	얼음	식용	g	200	1인용 (겨울철 제외)
10	위생지	식품용(8절지)	장	10	1인용
11	제품 상자	제품포장용	개	1	5인 공용

※ 국가기술자격 실기시험 지급 재료는 시험 종료 후(기권, 결시자 포함) 수험자에게 지급하지 않습니다.

배합표

재료명	비상스트레이트	
	비율(%)	무게(g)
강력분	100	1,200
물	63	756
이스트	5	60
제빵개량제	2	24
설탕	5	60
쇼트닝	4	48
탈지분유	3	36
소금	1.8	21.6(22)
계	183.8	2,205.6(2,206)

재료 계량

반죽하기(비상스트레이트법으로 제조)

01 믹서볼에 쇼트닝을 제외한 전 재료를 넣는다.

02 저속으로 믹싱하여 재료를 충분히 수화시킨다.

03 반죽 표면이 매끈해지는 클린업 단계가 되면 쇼트닝을 투입한다.

04 중속과 고속으로 믹싱 속도를 조절하여 최종 단계까지 반죽한다.

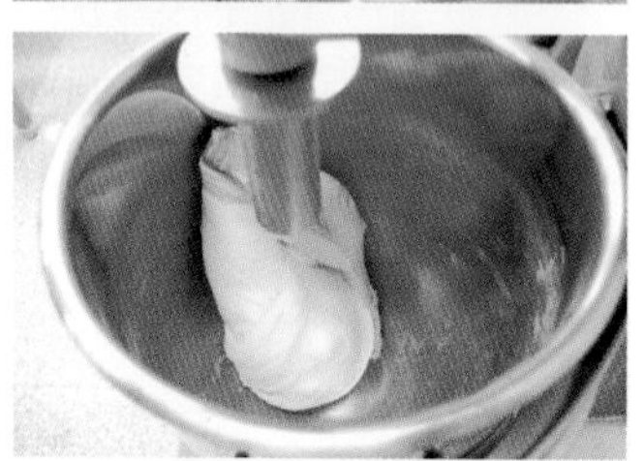

05 반죽의 일부를 떼어내어 양손으로 글루텐막 상태를 확인한다.

06 반죽 표면을 매끄럽게 정리해서 발효시킬 통에 넣어 반죽 온도를 측정한다(반죽 온도: 30 ℃).

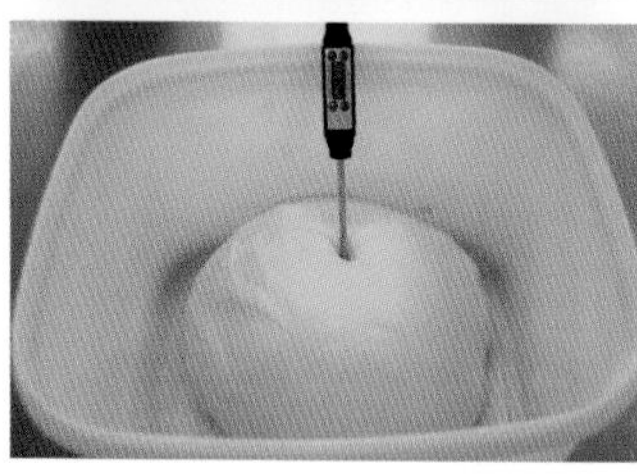

Point

비상스트레이트법 반죽은 일반 식빵보다 20~25% 늘려 최종 단계 후기에서 완료한다.

1차 발효-분할-둥글리기-중간 발효

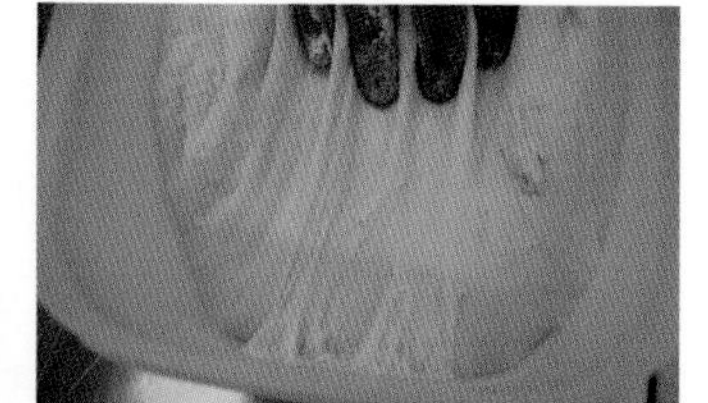

07 1차 발효 상태를 확인한다(1차 발효실 관리: 온도 27 ℃, 습도 75 ~ 80%).

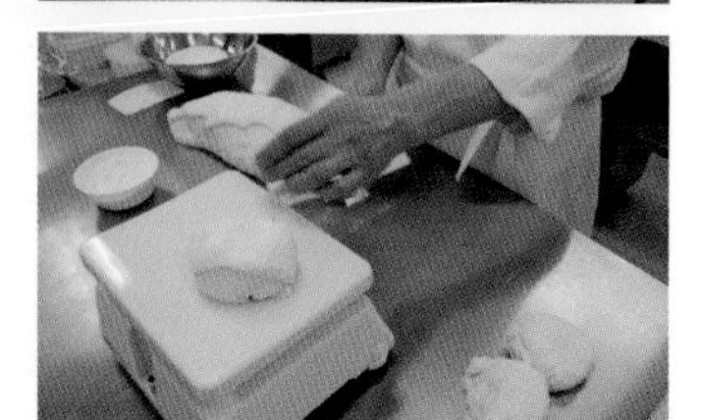

08 반죽을 꺼낸 후 분할한다.

09 170 g 씩 분할한다.

10 반죽의 둥글리기는 손으로 반죽 옆면을 가볍게 밀어 타원형을 만들어 준다.

11 두 손으로 감싸는 듯한 동작으로 표면을 매끄럽게 둥글리기 한다.

12 나무판 위에 배열하여 비닐을 덮어 표면이 마르지 않게 유의하면서 중간 발효시킨다.

Point

① 분할 시 스크레이퍼를 이용하여 반죽을 자를 때는 최대한 매끄러운 부분의 손상을 줄이면서 분할하는 것이 좋다.
② 유지 함량이 적은 반죽은 둥글리기 도중 표피가 찢어지기 쉬우므로 주의한다.

성형하기

13 반죽을 밀대를 사용하여 일정한 두께와 크기로 밀어 편다.

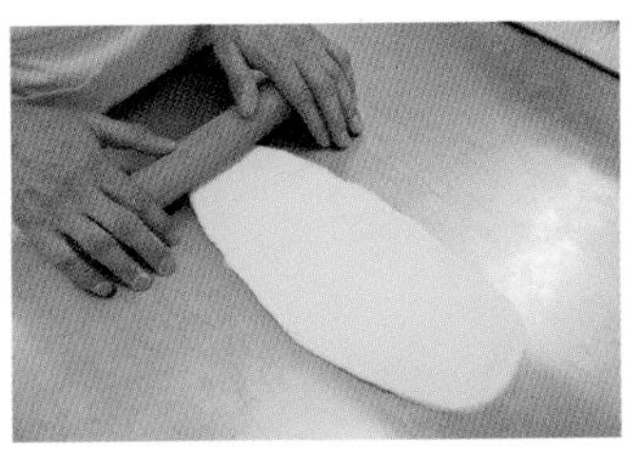

14 반죽의 바닥 면이 위로 가게 하여 3겹 접기를 한다.

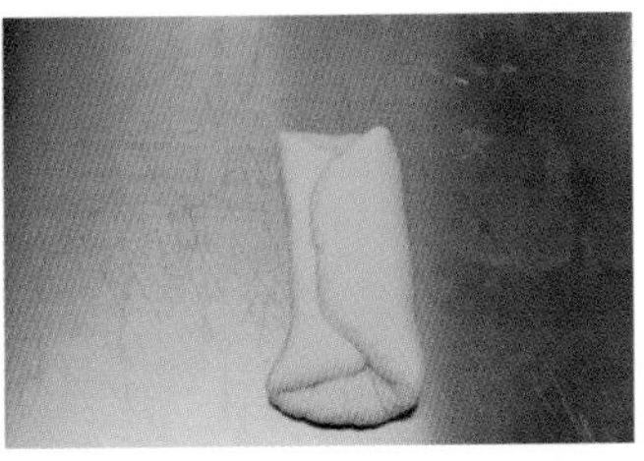

15 반죽을 손바닥으로 가볍게 누르면서 약간 늘려 준다.

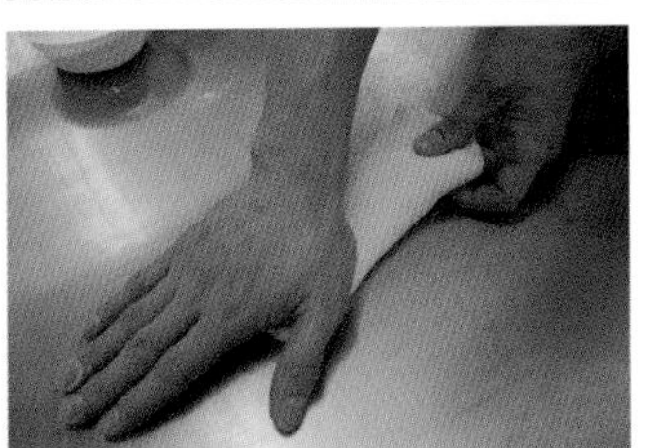

16 한쪽 끝을 삼각형 모양으로 양쪽에서 접은 후 살짝 당기듯 말아 준다.

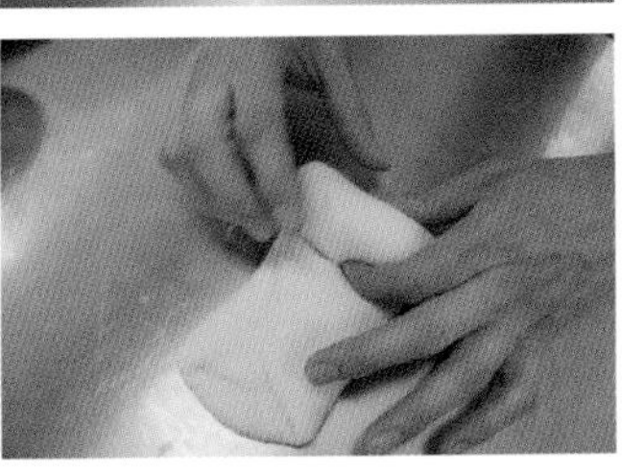

17 말기가 끝나면 끝부분을 손으로 눌러주어 이음매가 잘 붙도록 한다.

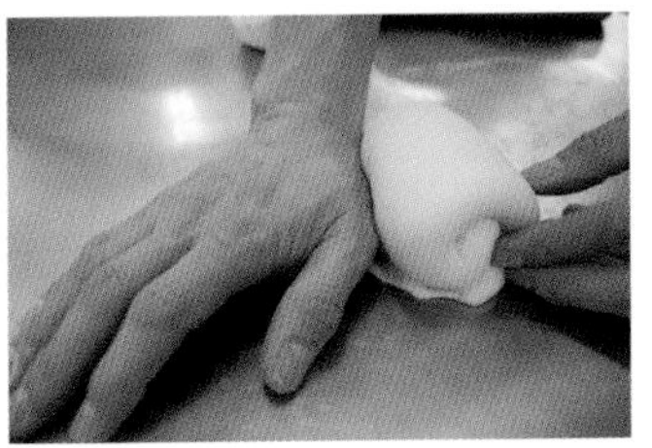

18 같은 팬에 들어가는 반죽은 좌우대칭이 되도록 한다.

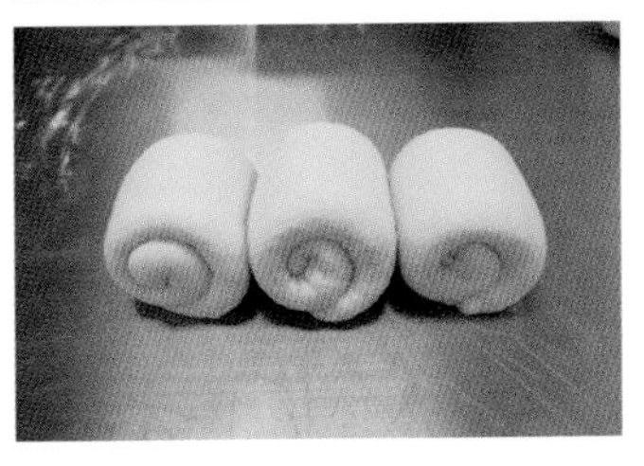

Point

① 성형 중에 작업대 위에 최소한의 덧가루를 사용하여 반죽의 끈적임을 방지한다.
② 과도한 덧가루의 사용은 식빵 내부에 줄무늬를 형성하고, 내상을 어둡게 하므로 적절히 사용한다.

팬닝-2차 발효-굽기-제출

19 이음매가 팬 바닥 쪽이 되도록 하여 팬닝한 후 손등으로 가볍게 눌러 준다(식빵 바닥이 움푹 들어가는 것을 방지한다).

20 2차 발효는 팬 위 0.5~1cm까지 발효시킨다.

21 식빵 윗면에 달걀물을 바른다(달걀물이 고이지 않도록 주의).

22 윗불 160 ℃/아랫불 180 ℃로 미리 예열된 오븐에 약 30분 굽는다.

23 오븐에서 뺀 후 식빵팬에서 바로 분리한다.

24 냉각팬에 일정하게 나열하여 제출하도록 한다.

Point

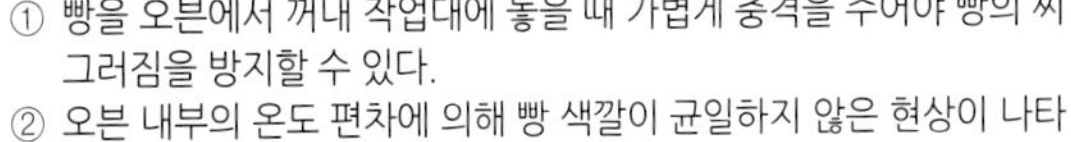

① 빵을 오븐에서 꺼내 작업대에 놓을 때 가볍게 충격을 주어야 빵의 찌그러짐을 방지할 수 있다.
② 오븐 내부의 온도 편차에 의해 빵 색깔이 균일하지 않은 현상이 나타나므로, 굽는 시간이 2/3 정도 경과된 후에 팬의 위치를 바꿔 주어야 한다.

세부컷

01 밀대를 사용하여 반죽을 일정한 두께로 밀어 편다.

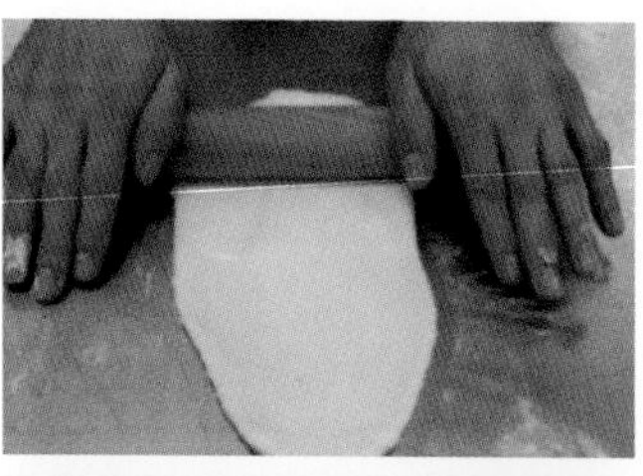

02 밀어 편 테두리 반죽의 기포를 손바닥으로 두들겨 제거한다.

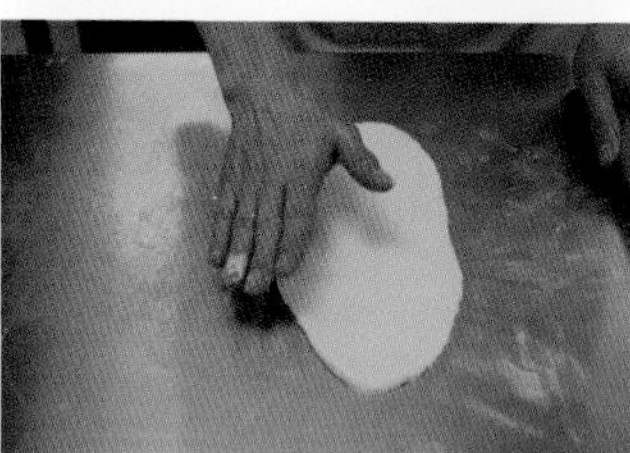

03 반죽의 바닥면을 위로 하여 1/3을 접어 준다.

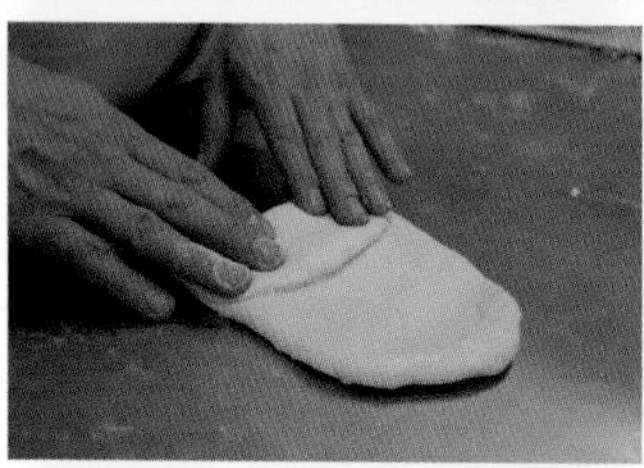

04 반죽을 3겹 접기를 한다.

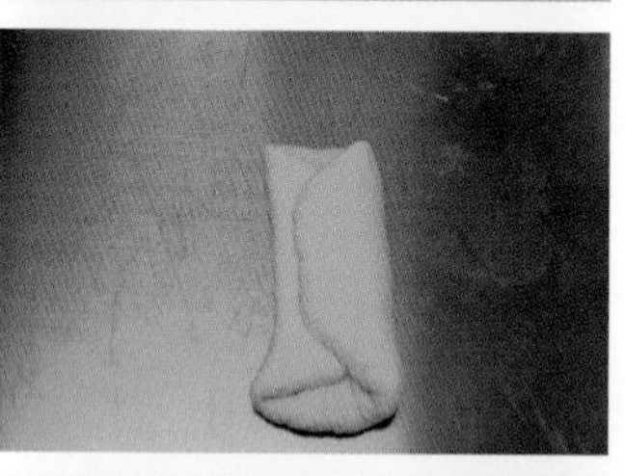

05 반죽을 손바닥으로 가볍게 누르면서 약간 늘려 준다.

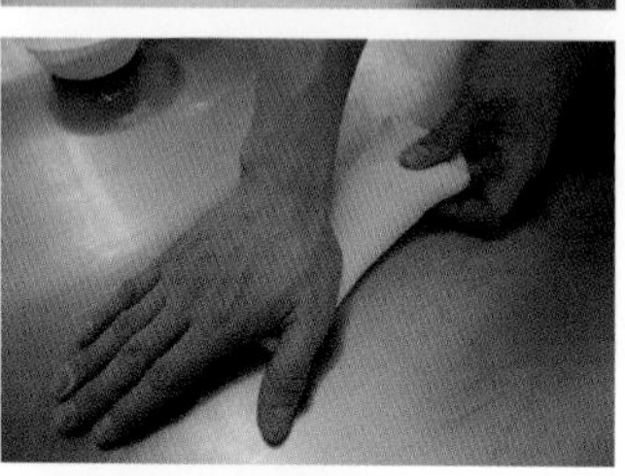

06 반죽 끝부분을 삼각형 모양으로 접는다.

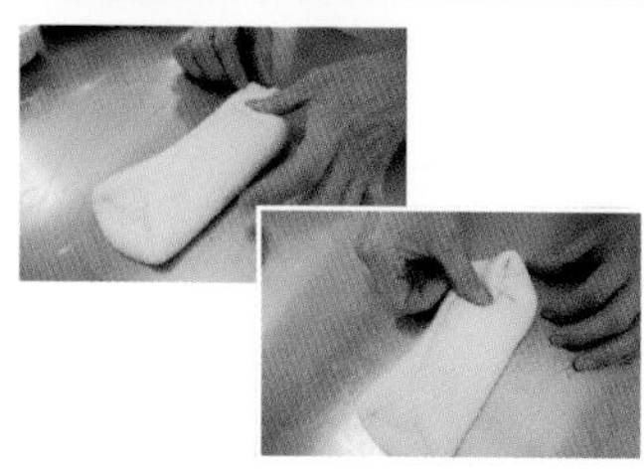

07 반죽을 살짝 당기듯이 말아 준다.

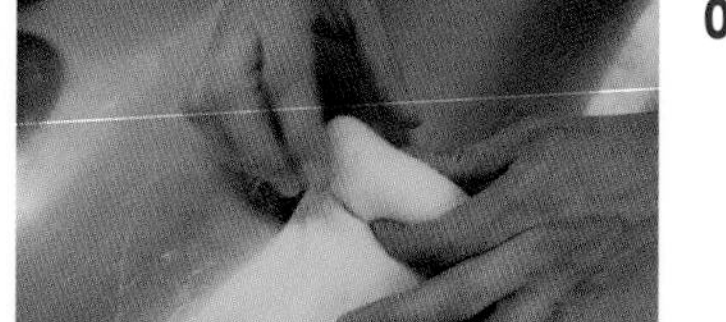

08 말린 반죽의 끝부분을 손으로 눌러 얇게 만든다.

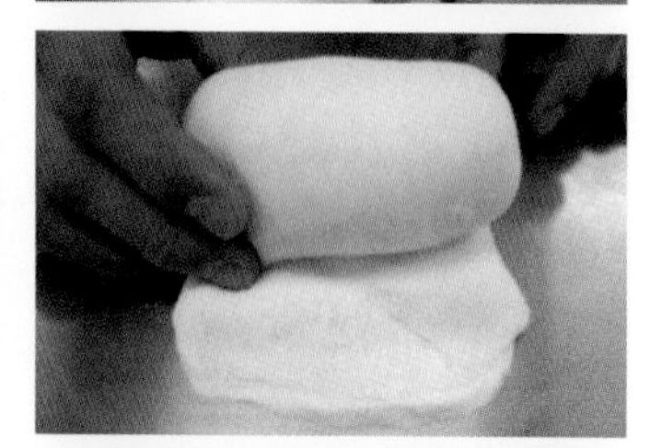

09 말린 반죽의 끝부분을 손으로 눌러 이음매가 잘 붙도록 한다.

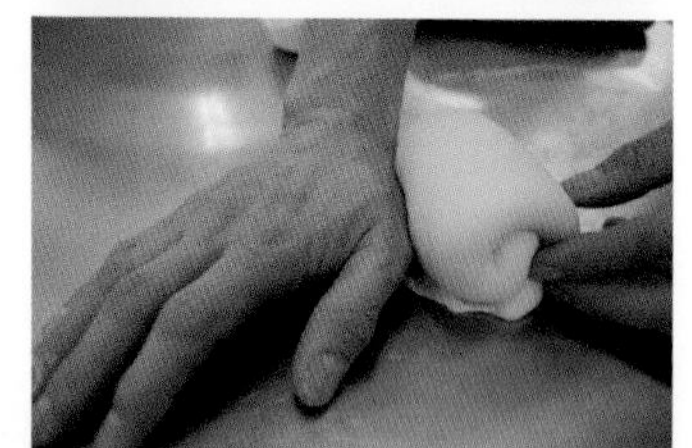

10 성형 완성

11 반죽은 좌우대칭이 되도록 한다.

비상스트레이트법 필수 조치 사항 6가지 및 발효 종료점

1. 비상스트레이트법 필수 조치 사항 6가지

① 이스트 : 25~50% 증가
② 설탕 : 1% 감소
③ 물 : 1% 증가
④ 반죽 시간 : 20~25% 증가
⑤ 반죽 온도 : 29~30 ℃
⑥ 1차 발효 시간 : 15~30분

2. 1차 발효 종료점

① 처음 부피의 2.5~3배 상태
② 손가락에 덧가루를 묻혀 찔러 보았을 때 반죽의 오므라드는 정도가 거의 없는 상태
③ 반죽 내부에 거미줄과 같은 섬유질 상태가 보일 때

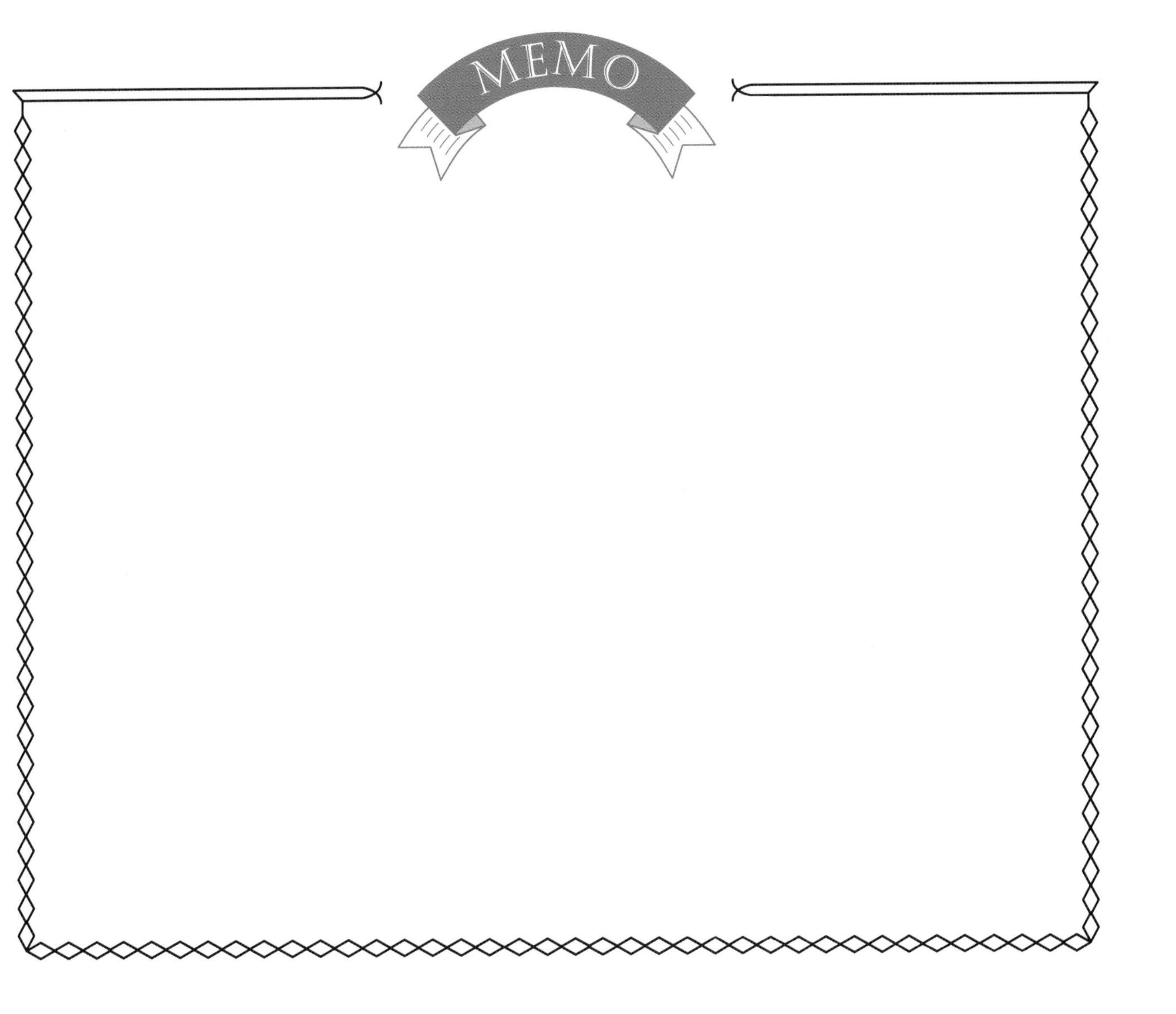

4

단팥빵(비상스트레이트법)

제품 평가

부피 분할 무게에 맞게 부피가 알맞고, 모양이 균일하다.

껍질 껍질이 부드럽고 고른 색깔이 나야 하며 반점, 줄무늬가 없어야 한다.

내상 팥앙금이 빵의 중앙에 위치하고 빵 껍질이나 바닥에 튀어 나오지 않아야 한다.

외부 균형 찌그러짐이 없고 균형이 잘 맞아야 한다.

맛과 향 팥앙금과 빵이 조화를 이루고 좋은 발효향이 나야 한다.

국가 기술 자격 실기 시험 문제

자격 종목	제빵기능사	작품명	단팥빵(비상스트레이트법)

◈ **시험시간** 3시간[표준시간: 3시간, 연장시간: 없음]

요구사항

단팥빵(비상스트레이트법)을 제조하여 제출하시오.

❶ 배합표의 각 재료를 계량하여 재료별로 진열하시오(9분).

- 재료 계량(재료당 1분) → [감독위원 계량 확인] → 작품 제조 및 정리 정돈(전체 시험시간 - 재료 계량시간)
- 재료 계량시간 내에 계량을 완료하지 못하여 시간이 초과된 경우 및 계량을 잘못한 경우는 추가의 시간 부여 없이 작품 제조 및 정리 정돈 시간을 활용하여 요구사항의 무게대로 계량
- 달걀의 계량은 감독위원이 지정하는 개수로 계량

❷ 반죽은 비상스트레이트법으로 제조하시오(단, 유지는 클린업 단계에 첨가하고, 반죽 온도는 30 ℃로 한다).

❸ 반죽 1개의 분할 무게는 50 g, 팥앙금 무게는 40 g으로 제조하시오.

❹ 반죽은 전량을 사용하여 성형하시오.

배합표

재료명	비율(%)	무게(g)
강력분	100	900
물	48	432
이스트	7	63(64)
제빵개량제	1	9(8)
소금	2	18
설탕	16	144
마가린	12	108
탈지분유	3	27(28)
달걀	15	135(136)
계	204	1,836(1,838)
통팥앙금	-	1,440

※ 충전용 재료는 계량시간에서 제외

재료 목록

번호	재료명	규격	단위	수량	비고
1	밀가루	강력분	g	990	1인용
2	설탕	정백당	g	150	1인용
3	소금	정제염	g	20	1인용
4	식용유	대두유	ml	50	1인용
5	이스트	생이스트	g	70	1인용
6	제빵개량제	제빵용	g	10	1인용
7	마가린	제빵용	g	120	1인용
8	탈지분유	제과제빵용	g	30	1인용
9	달걀	60 g (껍질 포함)	개	5	1인용
10	통팥앙금	가당	g	1,500	1인용
11	위생지	식품용(8절지)	장	10	1인용
12	제품 상자	제품포장용	개	1	5인 공용
13	얼음	식용	g	200	1인용 (겨울철 제외)

※ 국가기술자격 실기시험 지급 재료는 시험 종료 후(기권, 결시자 포함) 수험자에게 지급하지 않습니다.

재료 계량

반죽하기

01 믹서볼에 마가린과 팥앙금을 제외한 전 재료를 넣는다.

02 저속으로 믹싱하여 재료를 충분히 수화시킨다.

03 반죽 표면이 매끈해지는 클린업 단계가 되면 마가린을 넣어 준다.

04 중속과 고속으로 믹싱 속도를 조절하여 최종 단계까지 반죽한다.

05 반죽의 일부를 떼어내어 양손으로 글루텐막 상태를 확인한다.

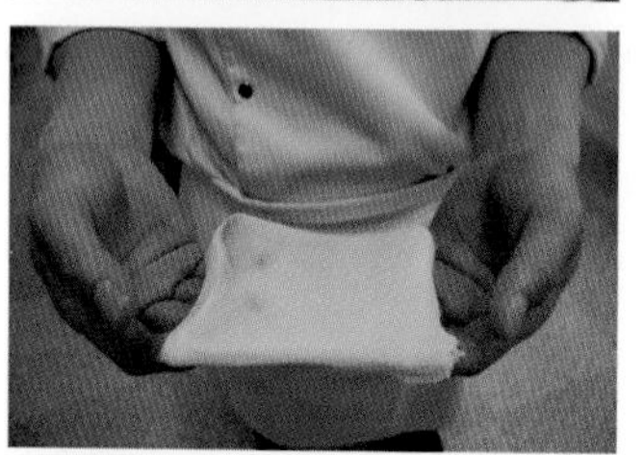

06 반죽 표면을 매끄럽게 정리해서 발효시킬 통에 넣어 반죽 온도를 측정한다(반죽 온도: 30 ℃).

Point

비상스트레이트법 제조법에 맞게 일반 단과자빵보다 20% 정도 더 믹싱하도록 한다.

07 1차 발효는 15~30분 정도이다(1차 발효실 관리: 온도 30 ℃, 습도 75~80%).

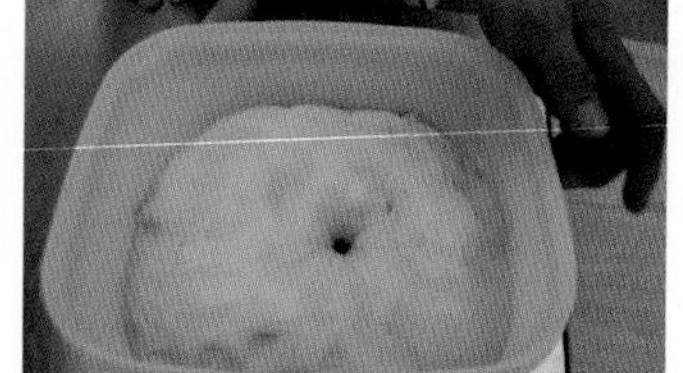

08 대강의 무게를 짐작하여 반죽을 손이나 스크레이퍼로 분할한다.

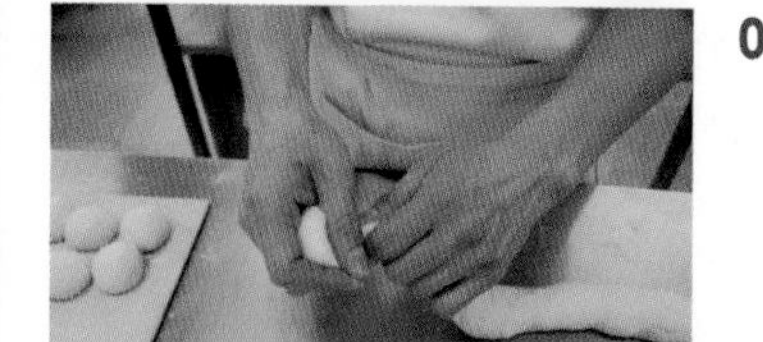

09 50 g씩 분할한다.

10 손바닥에 올려 반죽 표면이 매끄럽고 모양이 일정하도록 둥글리기 한다.

11 둥글리기 한 반죽을 나무판 위에 정리한다.

12 반죽 표면이 건조되지 않게 비닐로 덮어 중간 발효한다.

Point

① 1차 발효 시간은 15~30분 정도로 짧으므로 일반 단과자빵에 비해 어린 반죽 상태에서 발효를 완료한다.
② 둥글리기 한 순서에 맞게 나무판에 놓고 중간 발효시키며, 순서에 맞게 성형하도록 한다.

성형하기

13 손바닥으로 반죽을 작업대에 가볍게 두드려서 큰 가스를 뺀 후 반죽의 바닥 부분을 위로 하여 손바닥 위에 올려놓는다.

14 팥앙금 40 g을 분할한다.

15 손을 오므려 반죽이 앙금을 감싸도록 한 후 팥앙금의 중앙을 앙금주걱으로 누르면서 포앙한다.

16 앙금이 가능한 동그란 형태로 중앙에 위치하게 하여 오므린다.

17 매듭 부분의 반죽을 잘 봉하여 팥앙금이 나오지 않게 한다.

18 봉합 부분을 철판 바닥으로 두고 손바닥으로 가볍게 눌러 준다.

Point

① 앙금주걱으로 반죽에 있는 앙금을 힘주어 누르면 앙금이 윗면으로 몰리게 되어 윗면은 얇고, 바닥면의 반죽은 두꺼워진다.
② 반죽의 정중앙 부위에 앙금이 위치하도록 포앙한다.

팬닝-2차 발효-굽기-제출

19 일정한 간격으로 팬닝된 반죽을 달걀이나 앙금누르개를 이용하여 눌러 준다.

20 성형 완성

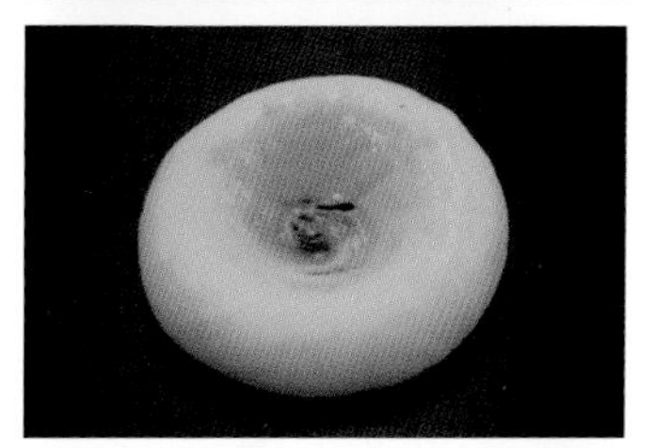

21 2차 발효된 모습

22 반죽 중앙 부분에 달걀물이 고이지 않도록 발라 준다.

23 윗불 180 ℃/아랫불 160 ℃ 오븐에 약 12~15분 정도 굽는다.

24 단면 사진

Point

앙금누르개로 반죽 중앙 부분이 뜨지 않도록 눌러 준 후 앙금주걱을 이용하여 중앙 부분에 일자로 두 줄을 그어 준다.

5

그리시니

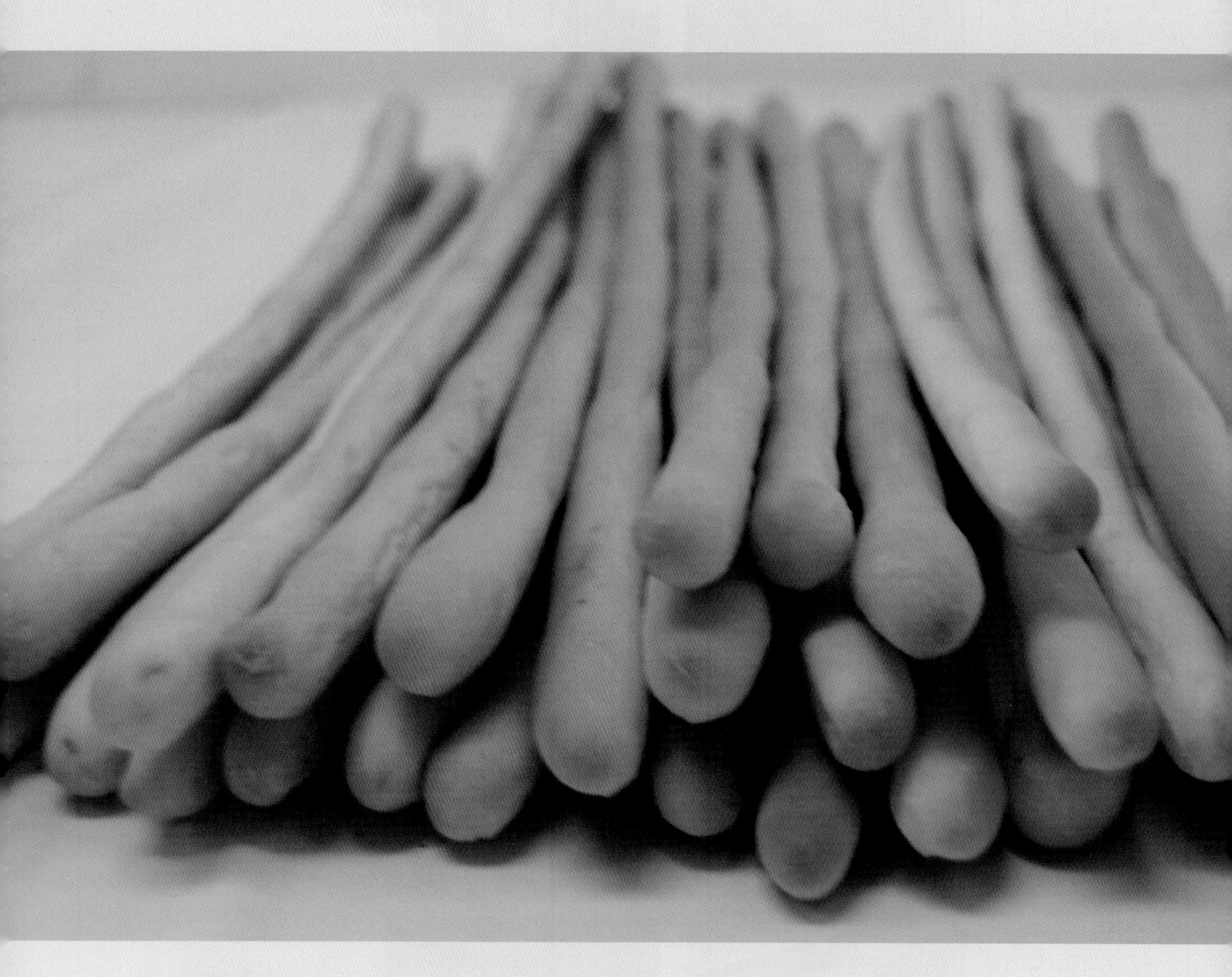

제품 평가

부피 분할 무게에 맞게 부피가 알맞고, 모양이 균일하다.
빵이 옆으로 퍼지지 않고 도톰해야 한다.

껍질 전면에 갈색이 고루 나야 한다.

내상 조직이 조밀하거나 큰 기공이 없이 밝은 갈색을 띠어야 한다.

외부 균형 스틱 모양이 일정하고 균형이 잘 맞아야 한다.

맛과 향 바삭하고 부드러운 식감과 구수한 향이 어울려야 한다.

국가 기술 자격 실기 시험 문제

자격 종목	제빵기능사	작품명	그리시니

◈ **시험시간** 2시간 30분[표준시간: 2시간 30분, 연장시간: 없음]

요구사항

그리시니를 제조하여 제출하시오.

❶ 배합표의 각 재료를 계량하여 재료별로 진열하시오(8분).

- 재료 계량(재료당 1분) → [감독위원 계량 확인] → 작품 제조 및 정리 정돈(전체 시험시간 - 재료 계량시간)
- 재료 계량시간 내에 계량을 완료하지 못하여 시간이 초과된 경우 및 계량을 잘못한 경우는 추가의 시간 부여 없이 작품 제조 및 정리 정돈 시간을 활용하여 요구사항의 무게대로 계량
- 달걀의 계량은 감독위원이 지정하는 개수로 계량

❷ 전 재료를 동시에 투입하여 믹싱하시오(스트레이트법).

❸ 반죽 온도는 27 ℃를 표준으로 하시오.

❹ 분할 무게는 30 g, 길이는 35~40 cm로 성형하시오.

❺ 반죽은 전량을 사용하여 성형하시오.

재료 목록

번호	재료명	규격	단위	수량	비고
1	밀가루	강력분	g	770	1인용
2	설탕	정백당	g	8	1인용
3	버터	무염	g	90	1인용
4	소금	정제염	g	16	1인용
5	이스트	생이스트	g	25	1인용
6	건조 로즈마리		g	2	1인용
7	식용유	올리브유	ml	16	1인용 (대두유 대체 가능)
8	위생지	식품용(8절지)	장	10	1인용
9	제품 상자	제품포장용	개	1	5인 공용
10	얼음	식용	g	200	1인용 (겨울철 제외)

※ 국가기술자격 실기시험 지급 재료는 시험 종료 후(기권, 결시자 포함) 수험자에게 지급하지 않습니다.

배합표

재료명	비율(%)	무게(g)
강력분	100	700
설탕	1	7(6)
건조 로즈마리	0.14	1(2)
소금	2	14
이스트	3	21(22)
버터	12	84
올리브유	2	14
물	62	434
계	182.14	1,275(1,276)

재료 계량

반죽하기

01 버터를 제외한 전 재료를 믹서볼에 넣어 저속으로 믹싱한다.

02 클린업 단계까지 믹싱 후 버터를 넣는다.

03 반죽 표면이 약간 매끄러운 상태인 발전 단계 중기까지 믹싱한다.

04 반죽 온도를 측정한다 (27 ℃).

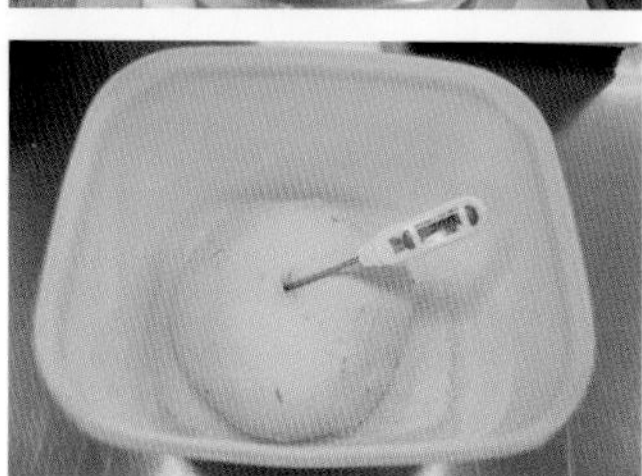

1차 발효, 중간 발효

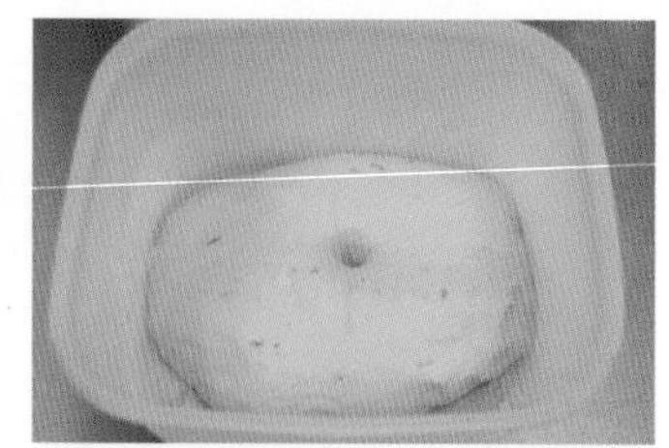

05 1차 발효를 확인한다 (온도 27 ℃, 습도 75~80%).

06 30 g씩 분할한다.

07 손바닥 위에 반죽을 올려 둥글리기 한다.

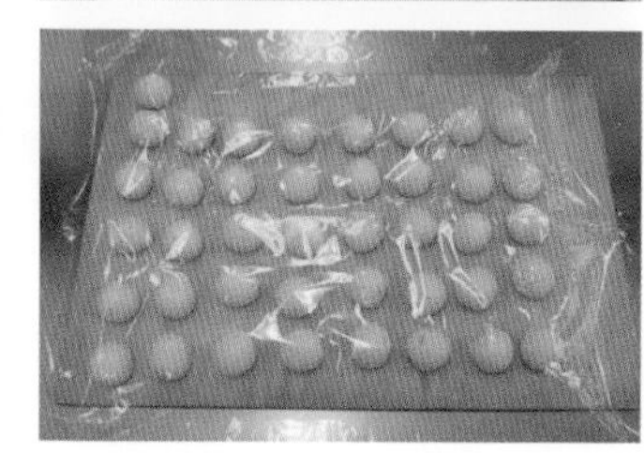

08 나무판 위에 둥글리기 된 반죽을 놓고 중간 발효시킨다.

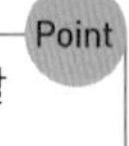

Point

스크래퍼를 사용하여 반죽을 길게 절단 후 가급적 짧은 시간 내에 분할한다.

성형하기

09 손바닥으로 반죽을 일자형 모양으로 밀어 준다(10 cm 정도).

10 순서에 맞게 나무판에 나열하여 놓는다.

11 양손바닥 전체로 굴려 주며 위로 올릴 때는 손바닥에 힘을 주고 내릴 때는 힘을 빼어 반죽이 탄력 있게 밀어 준다.

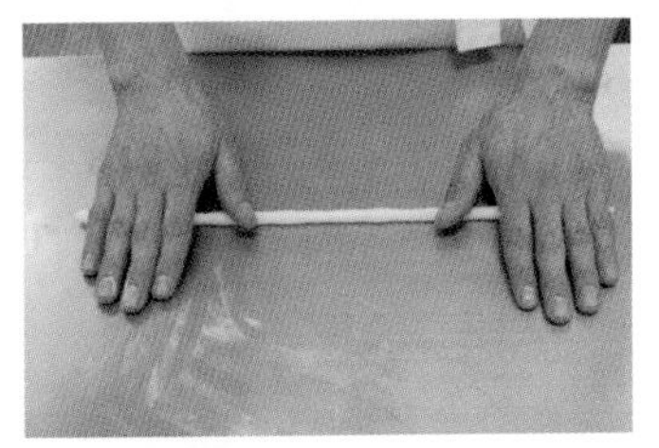

12 35~40 cm로 밀어 편다.

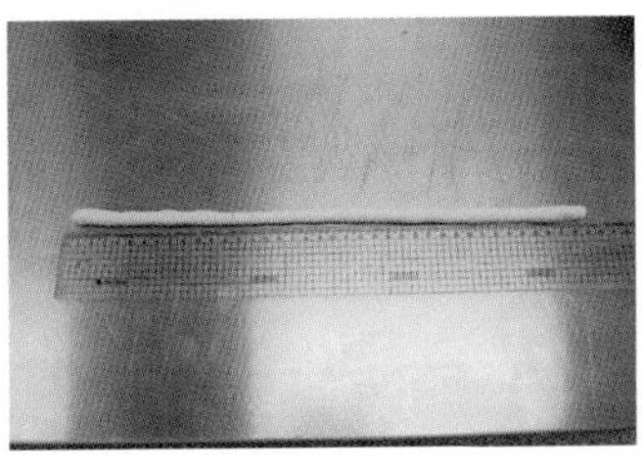

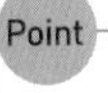

Point

① 덧가루 사용을 최소화한다.
② 밀어 펴기 시 젖은 행주와 마른 행주를 모두 준비해 놓고 반죽 표면이 말라 잘 밀리지 않으면 손에 젖은 행주로 물기를 주며 밀면 잘 밀린다(혹은 젖은 행주로 중간 발효된 반죽 위를 덮어 놓고 밀어도 된다).

팬닝-2차 발효-굽기-제출

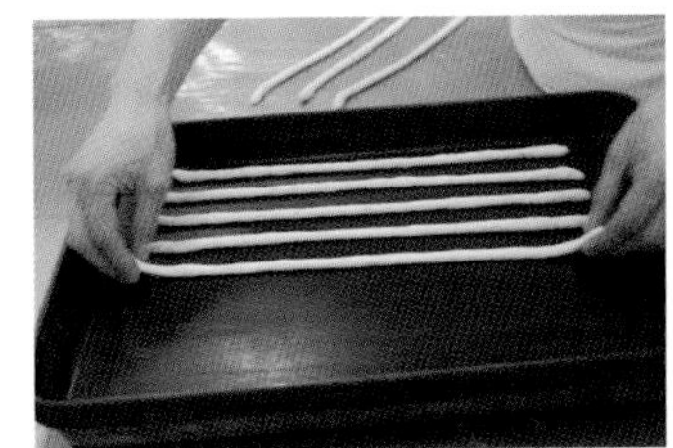

13 평철판에 8개씩 일정한 간격으로 팬닝한다.

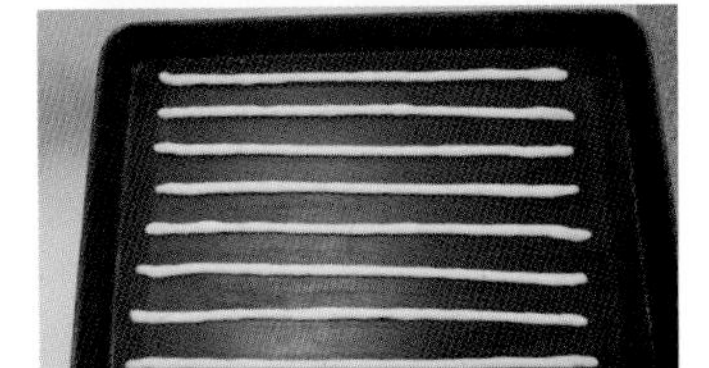

14 2차 발효 후 달걀물을 바른다.

15 윗불 200 ℃/아랫불 150 ℃에서 20~25분 정도 굽는다.

16 구워진 제품을 냉각판에 나열하여 제출한다.

Point

① 반죽의 2배 정도 팽창하도록 발효시킨다.
② 제품의 색이 균일하고 표면이 건조한 상태까지 굽는다.

그리시니(Grissini)

가는 막대 모양의 이탈리아 전통 빵으로 수분 함량이 적어 딱딱하고 담백한 빵이다. 14세기 토리노(Turin) 지방의 제빵사 안토니오브루네로가 처음 만들어 사보이가에 바쳤던 것에서 유래되었다. 씹는 느낌이 한국의 건빵과 비슷하며 프랑스의 나폴레옹이 즐겨 먹어 '나폴레옹의 지팡이'라는 애칭도 있다.

6

밤 식빵

제품 평가

부피 분할 무게에 맞게 부피가 알맞고, 모양이 균일하여야 한다.
껍질 토핑물의 두께와 색깔이 일정해야 한다.
내상 기공과 조직이 고르고 밤의 분포가 균일해야 한다.
외부 균형 찌그러짐이 없고 균형이 잘 맞아야 한다.
맛과 향 토핑물의 고소함과 밤의 식감이 좋아야 한다.
끈적임, 탄 냄새 등이 없어야 한다.

국가 기술 자격 실기 시험 문제

자격 종목	제빵기능사	작품명	밤 식빵

◈ **시험시간** 3시간 40분[표준시간: 3시간 40분, 연장시간: 없음]

요구사항

밤 식빵을 제조하여 제출하시오.

❶ 반죽 재료를 계량하여 재료별로 진열하시오(10분).

- 재료 계량(재료당 1분) → [감독위원 계량 확인] → 작품 제조 및 정리 정돈 (전체 시험시간 - 재료 계량시간)
- 재료 계량시간 내에 계량을 완료하지 못하여 시간이 초과된 경우 및 계량을 잘못한 경우는 추가의 시간 부여 없이 작품 제조 및 정리 정돈 시간을 활용하여 요구사항의 무게대로 계량
- 달걀의 계량은 감독위원이 지정하는 개수로 계량

❷ 반죽은 스트레이트법으로 제조하시오.

❸ 반죽 온도는 27 ℃를 표준으로 하시오.

❹ 분할 무게는 450 g으로 하고, 성형 시 450 g의 반죽에 80 g의 통조림 밤을 넣고 정형하시오(한 덩이: one loaf).

❺ 토핑물을 제조하여 굽기 전에 토핑하고 아몬드를 뿌리시오.

❻ 반죽은 전량을 사용하여 성형하시오.

배합표

【반죽】

재료명	비율(%)	무게(g)
강력분	80	960
중력분	20	240
물	52	624
이스트	4.5	54
제빵개량제	1	12
소금	2	24
설탕	12	144
버터	8	96
탈지분유	3	36
달걀	10	120
계	192.5	2,310

【토핑】

재료명	비율(%)	무게(g)
마가린	100	100
설탕	60	60
베이킹파우더	2	2
달걀	60	60
중력분	100	100
아몬드 슬라이스	50	50
계	372	372
밤다이스(시럽 제외)	35	420

※충전용·토핑 재료는 계량시간에서 제외

재료 목록

번호	재료명	규격	단위	수량	비고
1	밀가루	강력분	g	1,060	1인용
2	밀가루	중력분	g	380	1인용
3	설탕	정백당	g	230	1인용
4	이스트	생이스트	g	60	1인용
5	탈지분유	제빵용	g	40	1인용
6	버터	무염	g	110	1인용
7	소금	정제염	g	30	1인용
8	제빵개량제	제빵용	g	14	1인용
9	밤(다이스)	당조림	g	900	1인용 (시럽 포함)
10	달걀	60 g (껍질 포함)	개	4	1인용
11	마가린	제과제빵용	g	120	1인용
12	베이킹파우더	제과빵용	g	3	1인용
13	아몬드슬라이스	제과제빵용	g	60	1인용
14	얼음	식용	g	220	1인용 (겨울철 제외)
15	위생지	식품용(8절지)	장	10	1인용
16	제품 상자	제품포장용	개	1	5인 공용

※ 국가기술자격 실기시험 지급 재료는 시험 종료 후(기권, 결시자 포함) 수험자에게 지급하지 않습니다.

재료 계량

반죽하기

01 믹서볼에 버터를 제외한 전 재료를 넣는다.

02 저속으로 믹싱하여 재료를 충분히 수화시킨다.

03 반죽 표면이 매끈해지는 클린업 단계가 되면 버터를 넣어 준다.

04 중속과 고속으로 믹싱 속도를 조절하여 최종 단계까지 반죽한다.

05 반죽의 일부를 떼어 내어 양손으로 펼쳐보아 글루텐막 상태를 확인한다.

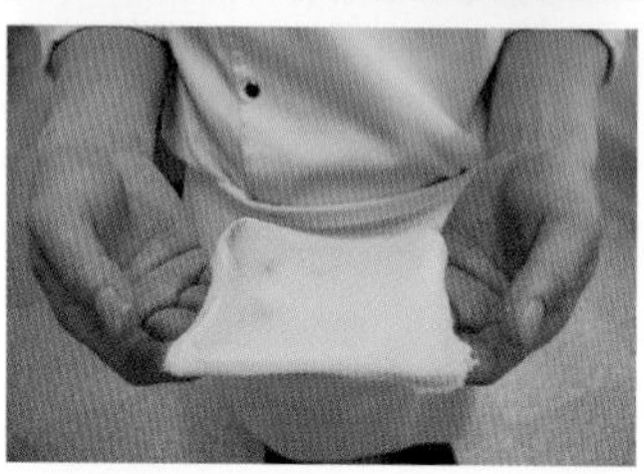

06 반죽 표면을 매끄럽게 정리해서 발효시킬 통에 넣어 반죽 온도를 측정한다(반죽 온도: 27 ℃).

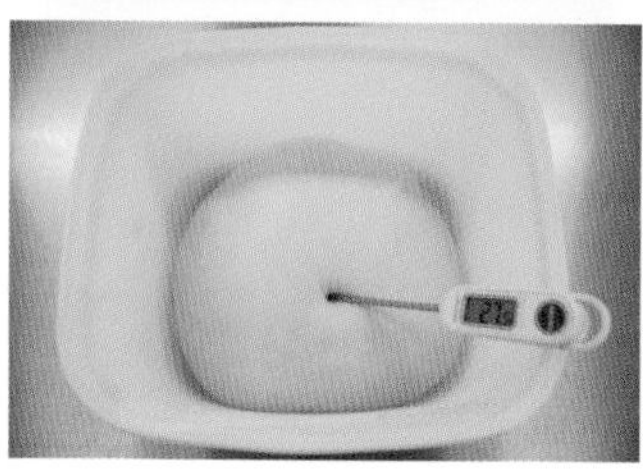

Point

① 반죽 온도 조절을 위해 물 온도를 조정하여 사용하여야 한다(겨울철: 온수, 여름철: 냉수).
② 글루텐막이 얇게 늘어나고 매끄러운 상태가 될 때까지 믹싱한다.

1차 발효-분할-둥글리기-중간 발효

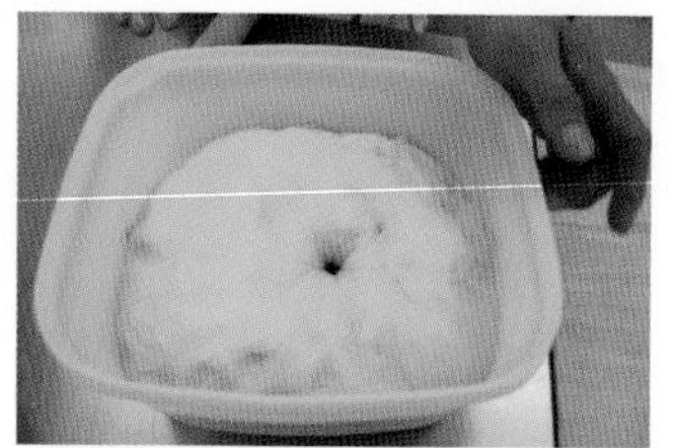

07 1차 발효점을 확인한다(1차 발효실 관리: 온도 27 ℃, 습도 75~80%).

08 반죽을 450 g씩 분할한다.

09 두 손으로 가볍게 둥글리기 한다.

10 나무판에 올려 중간 발효한다(비닐을 덮어 주어 반죽 표면이 마르지 않게 한다).

성형하기

11 중간 발효가 끝난 반죽의 양 옆을 살짝 눌러 타원형으로 만든다.

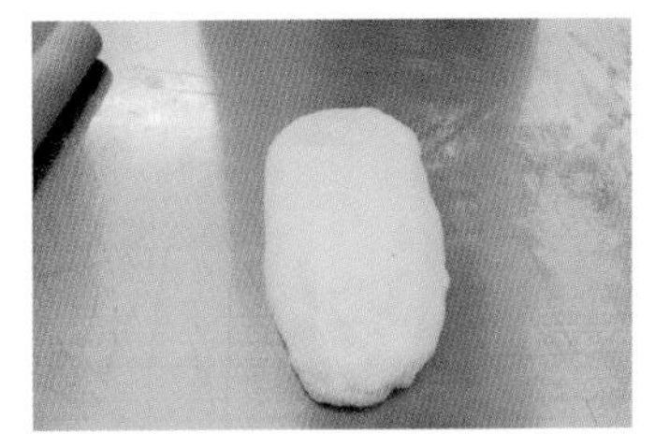

12 밀대를 이용하여 반죽의 중심에서 양쪽 가장자리로 밀어 펴서 타원형으로 만든다(30~35 cm 정도).

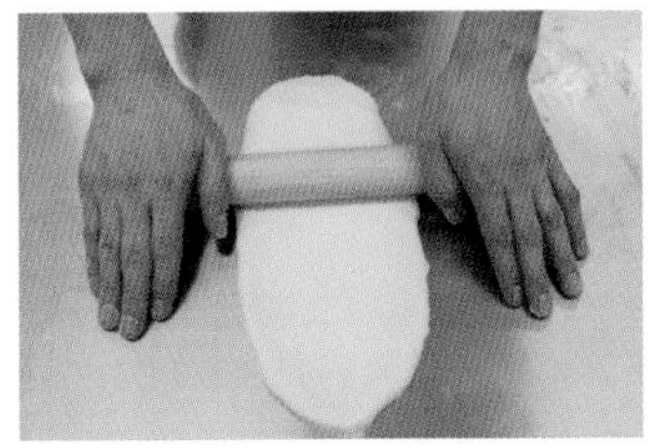

13 반죽 바닥면을 뒤집어 밤 80 g을 반죽 전체에 골고루 펴 준다.

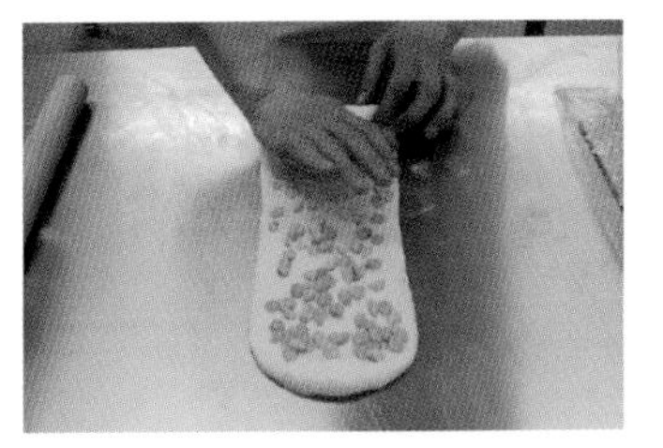

14 반죽을 약간 당기듯 말아 준다(원로프 식빵). (반죽과 밤 사이에 빈 공간이 생기지 않도록 말아 준다)

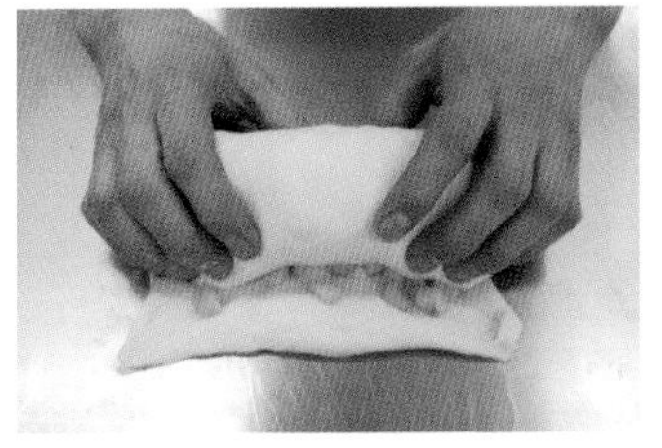

15 반죽 끝부분의 이음매가 일자가 되도록 손가락으로 매듭을 잘 봉하여 준다.

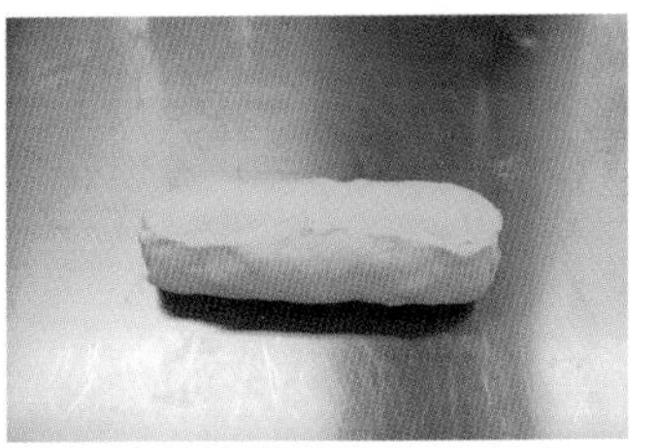

16 완성 사진(반죽이 너무 길게 성형되지 않도록 주의한다).

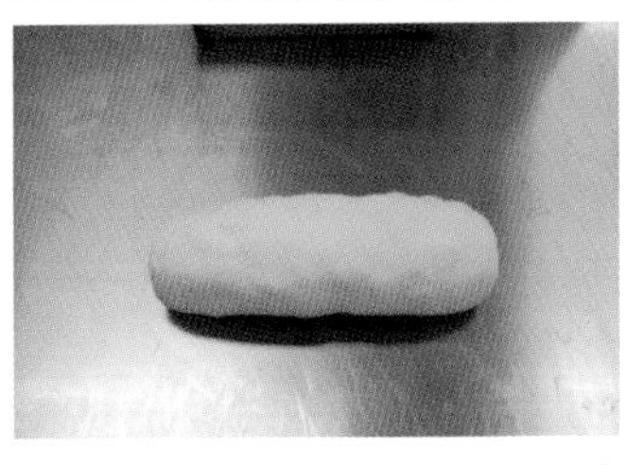

Point

① 반죽을 밀어 펼 때 너무 얇지 않도록 한다(굽기 중에 밤이 튀어 나올 수 있다).
② 당절임된 통조림 밤은 물로 한번 씻어 낸 후 체에 받쳐 물기 제거 후에 밤을 가장자리까지 골고루 펼쳐 주고 팽팽하게 말아야 빵 속에 빈 공간이 생기지 않는다.

팬닝-2차 발효-토핑짜기-굽기-제출

17 성형된 반죽의 이음매가 바닥에 가도록 팬닝한 후 손등으로 한두 번 눌러 준다.

18 2차 발효(온도 35~38 ℃, 습도 80~85%)가 완료되면 토핑물을 살짝 겹치듯 짜 주며, 틀과의 사이엔 약간의 여유를 두고 짜 준다.

19 토핑 윗면에 아몬드 슬라이스를 올려준다.

20 윗불 160 ℃/아랫불 180 ℃ 오븐에 약 30~35분 정도 윗색과 옆색이 노릇하게 구워지도록 한다.

21 빵이 구워지면 틀에서 바로 분리하도록 한다.

22 냉각판에 나열하여 제출한다.

Point

① 토핑을 짤 때에는 팬에서 1 cm 정도의 여유를 주어야 토핑물이 옆으로 흐르는 것을 방지할 수 있다.
② 윗면에 아몬드 슬라이스를 올릴 때에는 토핑물 중앙 부위에 골고루 올려주면 구운 후 토핑이 흐르면서 아몬드 슬라이스도 고루 흘러가게 된다.

세부컷

01 버터를 부드럽게 푼다(포마드 상태).

02 설탕을 넣고 크림화한다.

03 달걀을 넣고 크림화한다(연한 아이보리색).

04 크림을 완성한다.

05 체질한 중력분과 베이킹 파우더를 넣어 섞어준다.

06 톱날깍지를 끼운 짤주머니에 토핑물을 담는다.

참조

1차 발효 중에 주로 토핑물을 제조하지만 시간 상으로 여유가 없을 때는 2차 발효 중에 만들어 사용하여도 무방하다.

MEMO

7

베이글

제품 평가

부피 분할 무게에 맞게 부피가 알맞고, 모양이 균일하며, 가벼워야 한다.
껍질 껍질이 얇고 부서지기 쉬우며 부위별로 고른 색깔이 나고 윤기가 나야 한다.
내상 기공과 조직이 고르고 내상이 밝아야 한다.
외부 균형 찌그러짐이 없고 균형이 잘 맞아야 한다.
맛과 향 껍질이 바삭거리고 내부는 부드러운 식감이 나며, 온화한 발효향이 나야 한다.

국가 기술 자격 실기 시험 문제

자격 종목	제빵기능사	작품명	베이글

◈ **시험시간** 3시간 30분[표준시간: 3시간 30분, 연장시간: 없음]

요구사항

베이글을 제조하여 제출하시오.

❶ 배합표의 각 재료를 계량하여 재료별로 진열하시오(7분).

- 재료 계량(재료당 1분) → [감독위원 계량 확인] → 작품 제조 및 정리 정돈 (전체 시험시간 - 재료 계량시간)
- 재료 계량시간 내에 계량을 완료하지 못하여 시간이 초과된 경우 및 계량을 잘못한 경우는 추가의 시간 부여 없이 작품 제조 및 정리 정돈 시간을 활용하여 요구사항의 무게대로 계량
- 달걀의 계량은 감독위원이 지정하는 개수로 계량

❷ 반죽은 스트레이트법으로 제조하시오.

❸ 반죽 온도는 27 ℃를 표준으로 하시오.

❹ 1개당 분할 무게는 80 g으로 하고 링 모양으로 정형하시오.

❺ 반죽은 전량을 사용하여 성형하시오.

❻ 2차 발효 후 끓는 물에 데쳐 패닝하시오.

❼ 팬 2개에 완제품 16개를 구어 제출하시오.

재료 목록

번호	재료명	규격	단위	수량	비고
1	밀가루	강력분	g	1,000	1인용
2	설탕	정백당	g	20	1인용
3	소금	정제염	g	25	1인용
4	이스트	생이스트	g	35	1인용
5	제빵개량제	제빵용	g	11	1인용
6	식용유		ml	35	1인용
7	위생지	식품용(8절지)	장	10	1인용
8	제품 상자	제품포장용	개	1	5인 공용
9	얼음	식용	g	200	1인용 (겨울철 제외)

※ 국가기술자격 실기시험 지급 재료는 시험 종료 후(기권, 결시자 포함) 수험자에게 지급하지 않습니다.

배합표

재료명	비율(%)	무게(g)
강력분	100	800
물	55~60	440~480
이스트	3	24
제빵개량제	1	8
소금	2	16
설탕	2	16
식용유	3	24
계	166~171	1,328~1,368

재료 계량

반죽하기

01 믹서볼에 가루 재료를 한꺼번에 넣고 물과 식용유를 넣는다.

02 저속으로 믹싱하여 재료를 충분히 수화시킨다.

03 중속에서 고속으로 믹싱 속도를 조절하여 최종 단계까지 반죽한다.

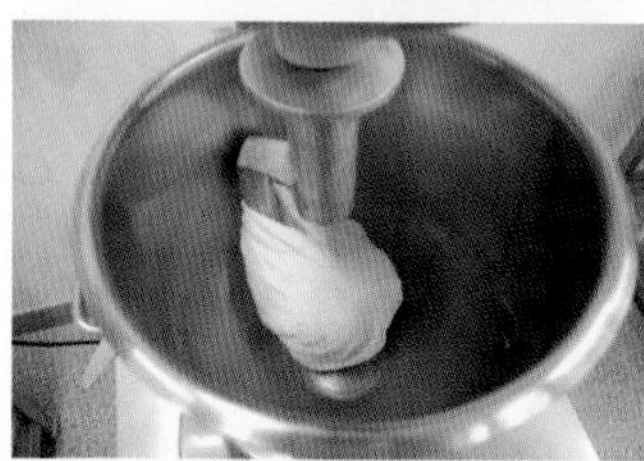

04 반죽 표면을 매끄럽게 정리하여 발효통에 넣어 반죽 온도를 측정한다(27 ℃).

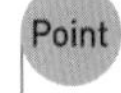

모양 유지를 위해 일반 빵보다 믹싱을 짧게 한다.

1차 발효-분할-중간 발효

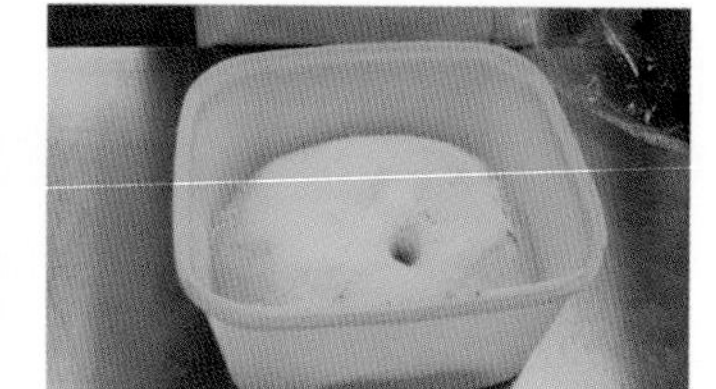

05 1차 발효 상태를 확인한다(온도 27 ℃, 습도 75~80%).

06 80 g씩 분할한다.

07 둥글리기 한다.

08 둥글리기 한 반죽을 나무판에 나열한다.

09 약 12 cm 정도 밀어 편다.

10 나무판에 순서대로 나열하여 비닐을 씌운 후 중간 발효시킨다.

반죽 표면이 매끄럽고 모양이 일정하게끔 신속히 둥글리기 한다.

성형하기

11 반죽을 눌러 가스를 뺀다.

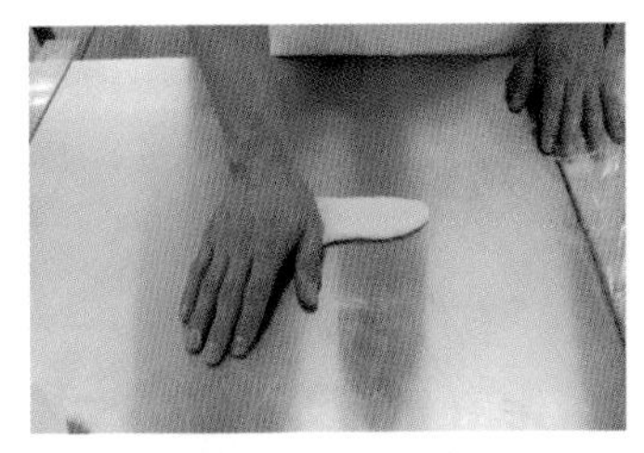

12 3번 접어 20~25 cm 정도 길이의 막대형으로 만든다.

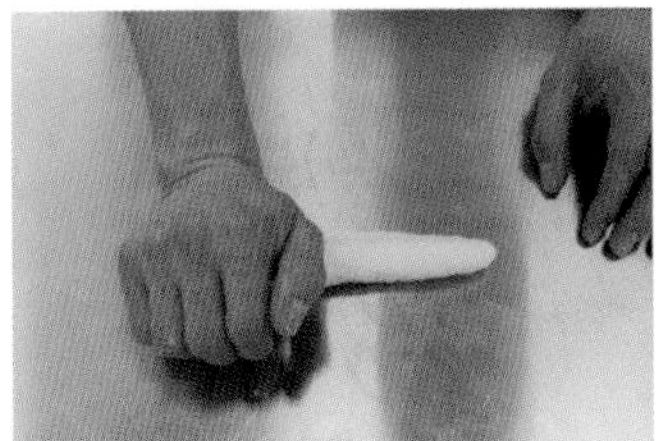

13 반죽 한쪽 끝부분을 밀대로 납작하게 밀어 편다.

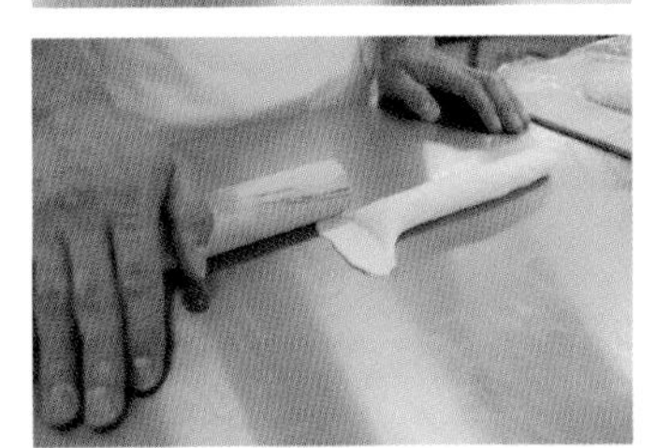

14 밀어 편 부분에 다른 한쪽 끝부분을 올린다.

15 납작하게 밀어 편 부분으로 감싸 준다.

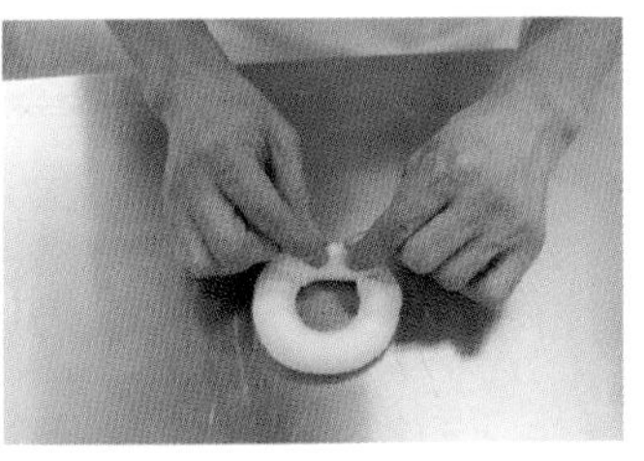

16 성형 완성

Point

반죽의 이음매가 위로 오도록 밀어 펴 주면 성형 시 이음매가 반죽 안쪽으로 들어가게 된다.

팬닝-2차 발효-데치기-굽기

17 평철판에 일정한 간격으로 팬닝하여 2차 발효시킨다(일반 빵 반죽에 비해 약간 덜 시키는 것이 좋다).

18 끓인 물에 발효시킨 반죽을 넣고 앞, 뒷면을 살짝 데쳐 낸다.

19 나무주걱으로 건져서 냉각팬에 놓고 물기를 충분히 뺀다.

20 평철판에 다시 옮겨 팬닝 후 5분 정도 발효시킨다.

21 윗불 200 ℃/아랫불 170 ℃에서 15~20분 정도 굽는다.

22 완제품(호화된 껍질은 오븐에서 팽창되지 않기 때문에 빡빡한 조직감이 생겨 쫄깃한 식감이 나오게 된다).

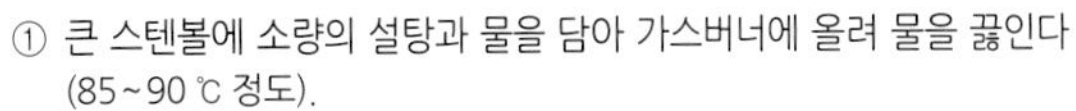

① 큰 스텐볼에 소량의 설탕과 물을 담아 가스버너에 올려 물을 끓인다(85~90 ℃ 정도).
② 끓인 물에 넣고 앞·뒤 40초에서 1분 정도로 데쳐 준다.

세부컷

01 물을 85~90 ℃까지 끓인다.

02 반죽의 바닥면이 위로 가게 해서 넣어 준다.

03 뒤집어 준다.

04 튀김망으로 건져 냉각팬에 놓아 물기를 빼 준다.

05 철판에 팬닝한다.

잠깐

① 끓인 물에 설탕(소금, 물엿도 가능)을 넣는 이유는?
끓는점을 높이고 표면의 색상을 좋게 한다.

② 끓는 물에 살짝 데치는 것은?
반죽 표면의 전분을 호화시켜 껍질을 익히고 광택을 내기 위해서이다.

베이글(Bagel)

1610년 폴란드의 어느 문서에 출산 후의 여성에게 베이글을 선물했다고 게재되어 있지만 베이글이 어떤 것인지에 대해서는 확실치 않다.
가장 널리 알려진 이야기는 뉴욕식 베이글로, 1683년 오스트리아가 터키와 전쟁을 하면서 전세가 불리해지자 폴란드에 구원병을 요청해 기마병의 지원을 받았고, 이로 인해 오스트리아가 승리하게 되었다. 오스트리아 왕은 빵 기술자에게 등자(기수가 말을 타고 앉아 두 발로 디디게 되어 있는 물건) 모양의 빵을 만들게 하여 폴란드 왕에게 감사의 뜻을 전했는데 이것이 바로 베이글이다.

MEMO

8

스위트롤

제품 평가

부피 분할 무게에 맞게 부피가 알맞고, 모양이 균일하여야 한다.

껍질 껍질이 부드럽고 고른 색깔이 나야 하며 반점, 줄무늬가 없어야 한다. 충전물이 흘러나와 껍질에 묻지 않아야 한다.

내상 기공과 조직이 고르고 내상이 밝아야 한다.

외부 균형 찌그러짐이 없고 균형이 잘 맞아야 한다.

맛과 향 충전물의 맛과 좋은 발효향이 잘 어울려야 한다.

국가 기술 자격 실기 시험 문제

자격 종목	제빵기능사	작품명	스위트롤

◈ **시험시간** 3시간 30분[표준시간: 3시간 30분, 연장시간: 없음]

요구사항

스위트롤을 제조하여 제출하시오.

❶ 배합표의 각 재료를 계량하여 재료별로 진열하시오(9분).

- 재료 계량(재료당 1분) → [감독위원 계량 확인] → 작품 제조 및 정리 정돈 (전체 시험시간 - 재료 계량시간)
- 재료 계량시간 내에 계량을 완료하지 못하여 시간이 초과된 경우 및 계량을 잘못한 경우는 추가의 시간 부여 없이 작품 제조 및 정리 정돈 시간을 활용하여 요구사항의 무게대로 계량
- 달걀의 계량은 감독위원이 지정하는 개수로 계량

❷ 반죽은 스트레이트법으로 제조하시오(단, 유지는 클린업 단계에 첨가하시오).

❸ 반죽 온도는 27 ℃를 표준으로 사용하시오.

❹ 야자잎형 12개, 트리플리프(세잎새형) 9개를 만드시오.

❺ 계피설탕은 각자가 제조하여 사용하시오.

❻ 성형 후 남은 반죽은 감독위원의 지시에 따라 별도로 제출하시오.

배합표

재료명	비율(%)	무게(g)
강력분	100	900
물	46	414
이스트	5	45(46)
제빵개량제	1	9(10)
소금	2	18
설탕	20	180
쇼트닝	20	180
탈지분유	3	27(28)
달걀	15	135(136)
계	212	1,908(1,912)
충전용 설탕	15	135(136)
충전용 계피가루	1.5	13.5(14)

※ 충전용 재료는 계량시간에서 제외

재료 목록

번호	재료명	규격	단위	수량	비고
1	밀가루	강력분	g	990	1인용
2	쇼트닝	제과제빵용	g	200	1인용
3	설탕	정백당	g	350	1인용
4	소금	정제염	g	20	1인용
5	이스트	생이스트	g	50	1인용
6	제빵개량제	제빵용	g	12	1인용
7	계피가루		g	15	1인용
8	탈지분유	제과제빵용	g	30	1인용
9	달걀	60 g (껍질 포함)	개	3	1인용
10	식용유	대두유	ml	50	1인용
11	얼음	식용	g	200	1인용 (겨울철 제외)
12	위생지	식품용(8절지)	장	10	1인용
13	제품 상자	제품포장용	개	1	5인 공용

※ 국가기술자격 실기시험 지급 재료는 시험 종료 후(기권, 결시자 포함) 수험자에게 지급하지 않습니다.

재료 계량

반죽하기

01 믹서볼에 쇼트닝을 제외한 전 재료를 넣는다.

02 저속으로 믹싱하여 재료를 충분히 수화시킨다.

03 반죽 표면과 볼이 깨끗해지는 클린업 단계가 되면 쇼트닝을 넣어 준다.

04 중속에서 고속으로 믹싱 속도를 조절하여 최종 단계까지 반죽한다.

05 반죽의 일부를 떼어 양손으로 글루텐막 상태를 확인한다.

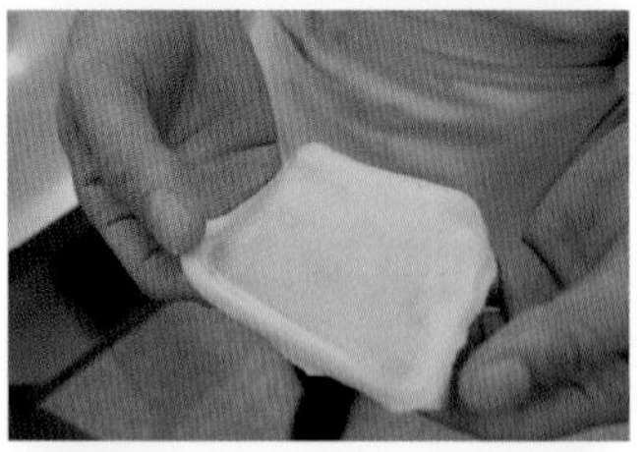

06 완성된 반죽을 2등분한 후 발효통에 넣어 반죽 온도를 측정한다(반죽 온도: 27 ℃).

Point

① 반죽 전량을 한 번에 작업대에서 밀어 완성하기가 힘들기 때문에 반죽 후 처음부터 2등분하여 비닐에 싸서 1차 발효시킨 후 2회에 걸쳐 말기를 완성한다.
② 믹싱이 오버되면 성형 후 모양 유지가 어렵게 되므로 주의한다.

1차 발효-밀기-말기

07 1차 발효하여 상태를 확인한다(1차 발효실 관리: 온도 27 ℃, 습도 75~80%).

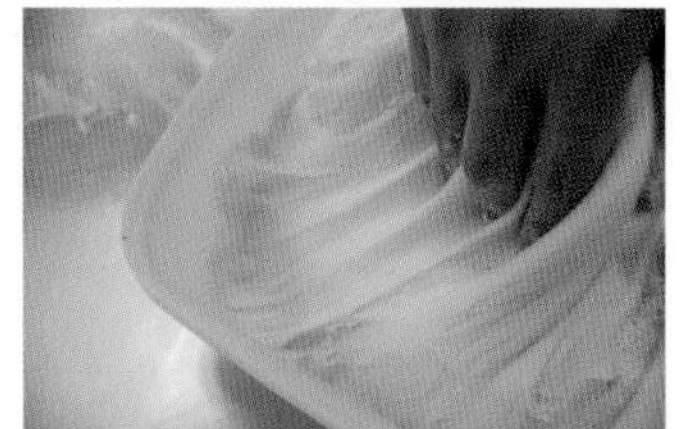

08 세로를 30 cm 밀대 길이에 맞춘 후 두께 0.3~0.4 cm 정도로 하여 옆으로 밀어 준다.

09 이음매가 될 부분은 손으로 미리 눌러 잘 붙게 한다(가장자리 부분 1 cm 정도).

10 녹인 버터를 이음매 부분을 제외하고 얇게 붓으로 발라 준다.

11 충전물인 계피설탕을 골고루 뿌린 후 살짝 당기듯 말아 준다.

12 말기 완성

Point

① 발효가 오버되면 밀어 펴기 과정이 좋지 않으므로 1차 발효 상태를 확인한다.
② 말기가 느슨하면 구웠을 때 말린 부분에 빈 공간이 생기고 충전물이 흘러 나오며, 말기가 너무 세면 말린 반죽 부분이 위로 솟는다.
③ 성형에 들어가기 전에 녹인 버터를 준비한다.

성형하기

13 스크레이퍼로 길이를 맞춘 후 반죽 1/4 부분만 남기고 사이를 잘라 준다.

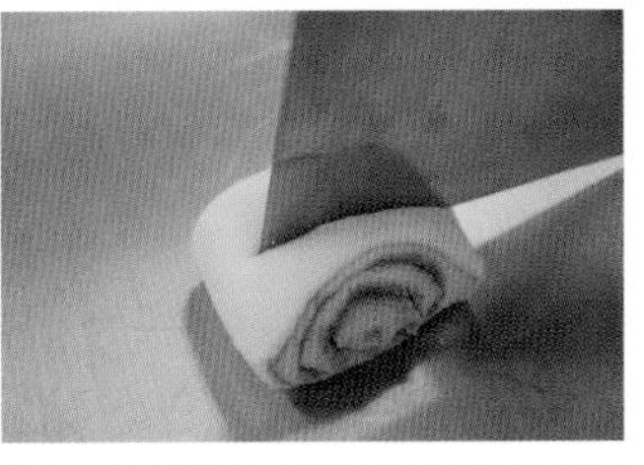

14 야자잎형(두잎) 성형 완성 모습

15 세잎은 두잎 자르기가 하나 더 길어진 형태로, 자르는 요령은 같다.

16 트피플 리프형(세잎 자르기) 완성 모습

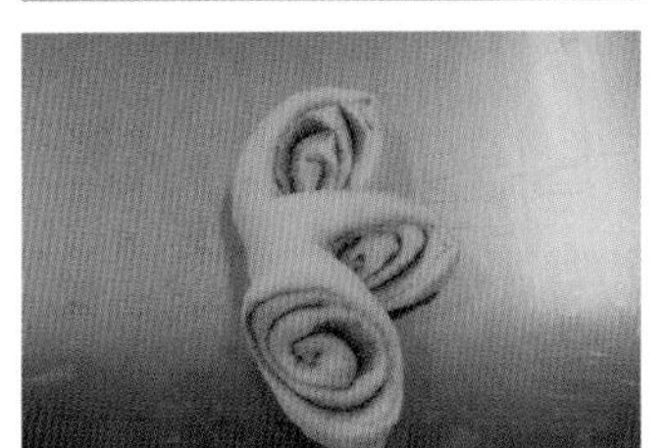

17 나비-젓가락이나 스크레이퍼의 뒤쪽을 이용하여 반죽 중심 부분을 바닥까지 눌러 준다.

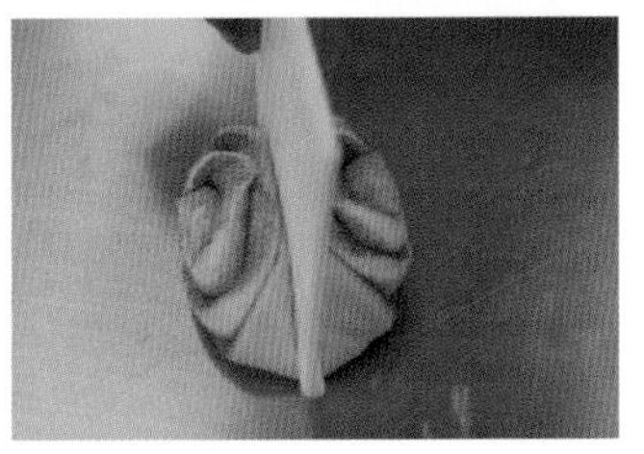

18 장미형-가위를 세워 십자형으로 잘라준다.

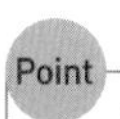

폭은 약 1.5 cm 정도이나 말린 반죽의 두께에 따라, 어울리게 2~3군데를 자르는 것이 더 중요하다.

팬닝-2차 발효-굽기-제출

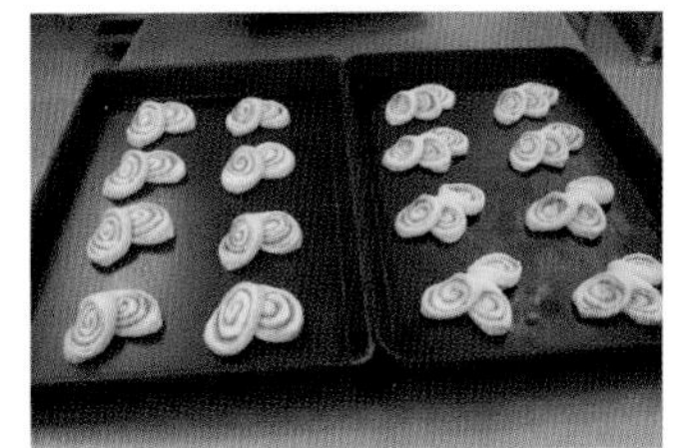

19 모양과 크기가 같은 것끼리 한 철판에 일정한 간격으로 팬닝하여 2차 발효시킨다.

20 종류별 성형된 모습

21 윗불 190 ℃/아랫불 140 ℃로 예열된 오븐에 넣어 약 12~15분 황갈색이 나도록 구워 낸다.

22 완제품

Point

① 일정 시간이 경과한 후 철판의 위치를 바꾸어 전체 색깔을 균일하게 유지해 준다.
② 구운 후 뜨거울 때 제품을 옮겨야 충전물이 철판에 들러붙는 것을 방지할 수 있다.

세부컷

말발굽형 성형하기

01 폭이 약 15~20 cm가 되도록 자른다.

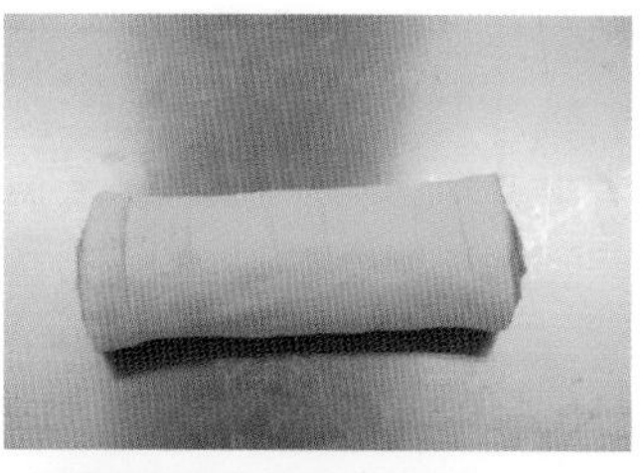

03 같은 방향으로 벌려 U자형이 되게 한다.

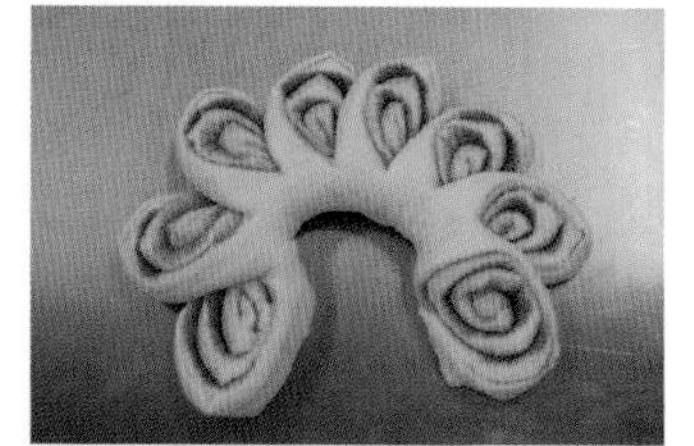

02 8~10등분한다.

04 윗불 190 ℃/아랫불 150 ℃로 예열된 오븐에 약 15~20분 정도 황갈색으로 구워 낸다.

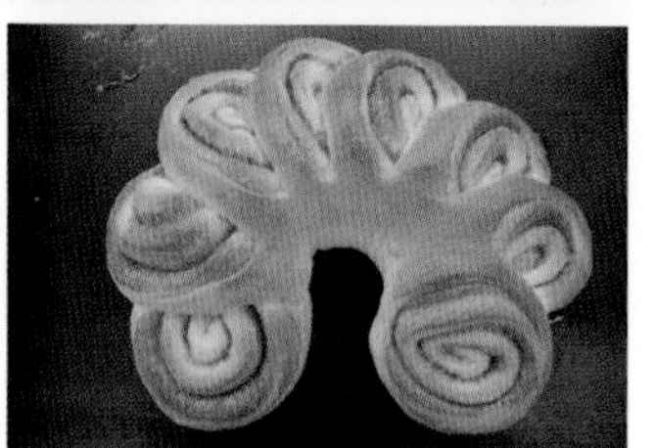

밀어 펴기 및 말기 과정

01 작업대에 덧가루를 뿌린 후 손으로 반죽을 가볍게 눌러 준다.

05 이음매 부분을 제외하고 붓으로 용해 버터를 발라 준다.

02 세로 30 cm 정도 밀대 길이에 맞춘 후 0.3~0.4 cm 두께로 밀어 편다.

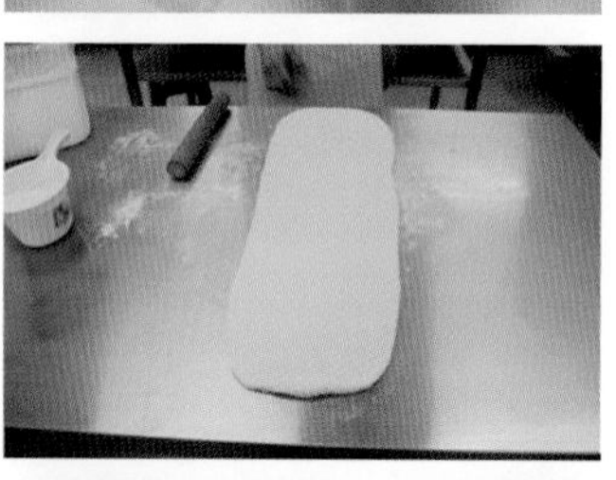

06 계피설탕을 골고루 뿌려 준다.

03 밀대로 반죽을 말아서 가로로 펴 준다.

07 반죽을 살짝 당기듯이 말아 준다.

04 이음매 부분을 손으로 눌러(1 cm 정도)준 후 물칠을 한다.

08 두께를 일정하게 말아 준다.

MEMO

9

우유 식빵

제품 평가

부피 분할 무게에 맞게 부피가 알맞고, 모양이 균일하여야 한다.
껍질 껍질이 부드럽고 고른 색깔이 나야 하며 반점, 줄무늬가 없어야 한다.
내상 기공과 조직이 고르고 내상이 밝아야 한다.
외부 균형 찌그러짐이 없고 균형이 잘 맞아야 한다.
맛과 향 부드러운 우유 맛과 좋은 발효향이 나야 한다.

국가 기술 자격 실기 시험 문제

자격 종목	제빵기능사	작품명	우유 식빵

◈ **시험시간** 3시간 40분[표준시간: 3시간 40분, 연장시간: 없음]

요구사항

우유 식빵을 제조하여 제출하시오.

❶ 배합표의 각 재료를 계량하여 재료별로 진열하시오(7분).

- 재료 계량(재료당 1분) → [감독위원 계량 확인] → 작품 제조 및 정리 정돈 (전체 시험시간 - 재료 계량시간)
- 재료 계량시간 내에 계량을 완료하지 못하여 시간이 초과된 경우 및 계량을 잘못한 경우는 추가의 시간 부여 없이 작품 제조 및 정리 정돈 시간을 활용하여 요구사항의 무게대로 계량
- 달걀의 계량은 감독위원이 지정하는 개수로 계량

❷ 반죽은 스트레이트법으로 제조하시오(단, 유지는 클린업 단계에 첨가하시오).

❸ 반죽 온도는 27 ℃를 표준으로 하시오.

❹ 표준 분할 무게는 180 g으로 하고, 제시된 팬의 용량을 감안하여 결정하시오(단, 분할 무게×3을 1개의 식빵으로 함).

❺ 반죽은 전량을 사용하여 성형하시오.

재료 목록

번호	재료명	규격	단위	수량	비고
1	밀가루	강력분	g	1,320	1인용
2	쇼트닝	제과제빵용	g	53	1인용
3	설탕	정백당	g	66	1인용
4	소금	정제염	g	26	1인용
5	이스트	생이스트	g	55	1인용
6	제빵개량제	제빵용	g	15	1인용
7	우유	시유	ml	520	1인용
8	식용유	대두유	ml	50	1인용
9	얼음	식용	g	200	1인용 (겨울철 제외)
10	위생지	식품용(8절지)	장	10	1인용
11	제품 상자	제품포장용	개	1	5인 공용

※ 국가기술자격 실기시험 지급 재료는 시험 종료 후(기권, 결시자 포함) 수험자에게 지급하지 않습니다.

배합표

재료명	비율(%)	무게(g)
강력분	100	1,200
우유	40	480
물	29	348
이스트	4	48
제빵개량제	1	12
소금	2	24
설탕	5	60
쇼트닝	4	48
계	185	2,220

재료 계량

반죽하기

01 믹서볼에 쇼트닝을 제외한 전 재료를 넣는다.

02 저속으로 믹싱하여 재료를 충분히 수화시킨다.

03 반죽 표면이 매끈해지는 클린업 단계가 되면 쇼트닝을 넣어 준다.

04 중속과 고속으로 믹싱 속도를 조절하여 최종 단계까지 반죽한다.

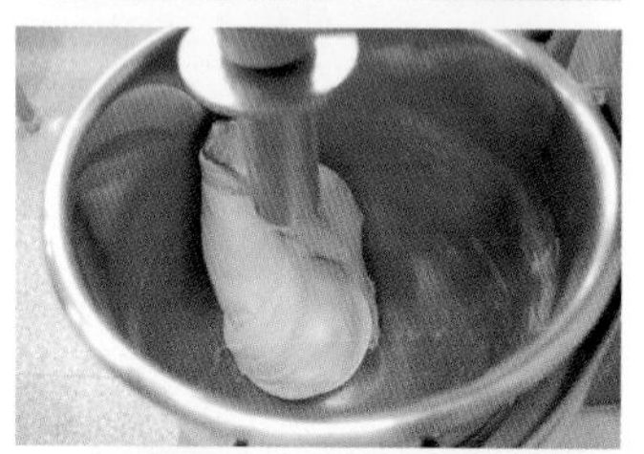

05 반죽의 일부를 떼어내어 양손으로 펼쳐보아 글루텐막 상태를 확인한다.

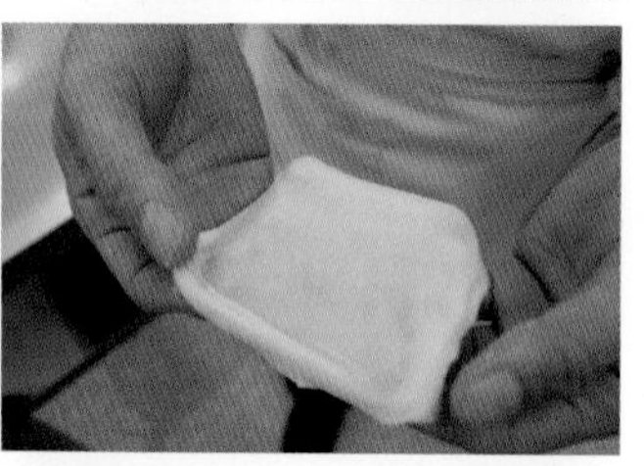

06 반죽 표면을 매끄럽게 정리해서 발효시킬 통에 넣어 반죽 온도를 측정한다(반죽 온도: 27 ℃).

겨울철에는 우유를 데워서 반죽 온도가 낮지 않도록 온도 조절한다.

1차 발효-분할-둥글리기-중간 발효

07 1차 발효시킨 후 상태를 확인하여 발효를 종료한다(1차 발효 관리: 온도 27 ℃, 습도 75~80%).

08 반죽을 꺼낸 후 신속하게 분할한다(180 g).

09 반죽 밑면과 작업대가 닿는 부분을 손으로 밀어 준다.

10 반죽의 둥글리기는 양손을 사용하여 윗면을 매끄럽게 해 준다.

11 나무판에 순서대로 배열하여 놓는다.

12 비닐을 덮어 표면이 마르지 않게 유의하면서 중간 발효시킨다.

Point

① 실내 온도가 낮을 때에는 중간 발효 시간이 길어지므로 발효실에서, 실내 온도가 높을 때에는 중간 발효 시간이 짧아지므로 실온에서 하도록 한다.
② 분할 시 스크레이퍼를 이용하여 반죽을 자르고 최대한 매끄러운 부분의 손상을 줄이면서 분할하는 것이 좋다.

성형하기

13 중간 발효가 된 반죽을 밀대를 사용하여 일정한 두께와 크기로 가볍게 밀어 준다.

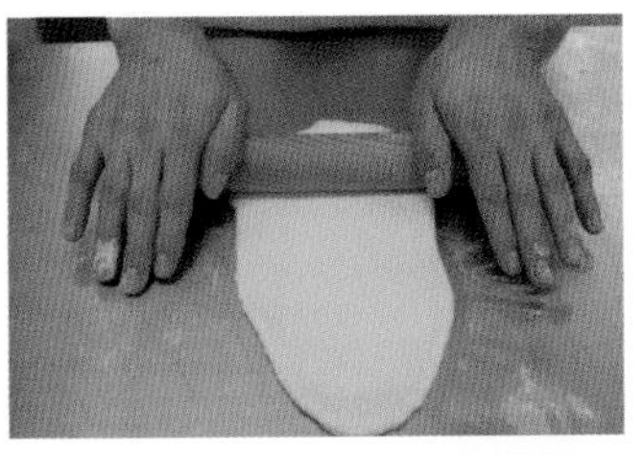

14 반죽의 거친 면을 위로 하여 3겹 접기를 한다.

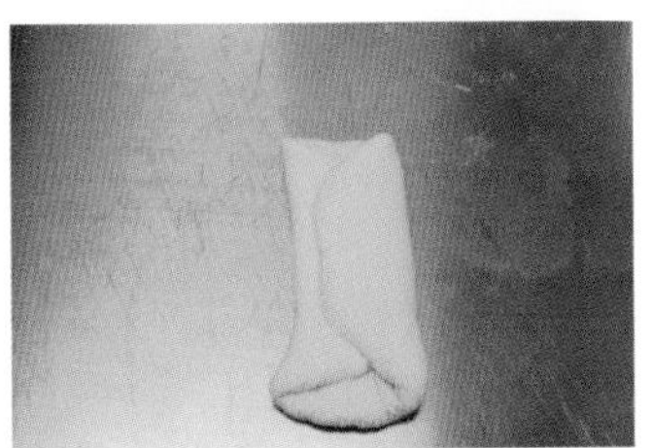

15 겹쳐진 반죽을 손바닥으로 가볍게 누르면서 늘려 준다.

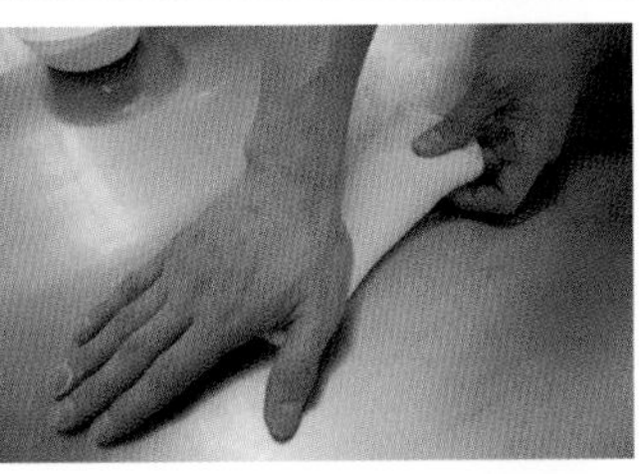

16 한쪽 끝을 삼각형 모양으로 양쪽에서 접은 후 살짝 당기듯 말아 준다.

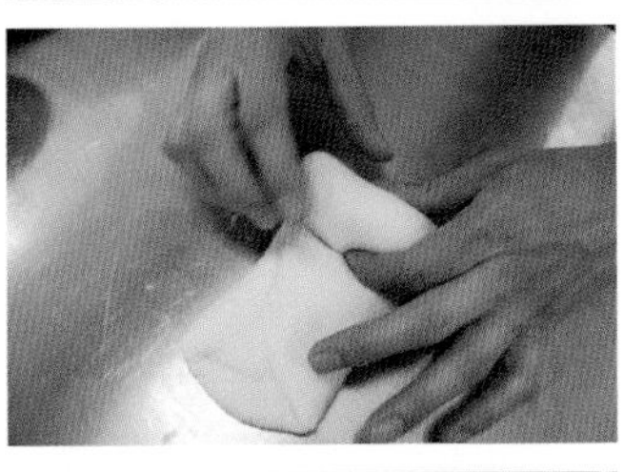

17 말기가 끝나면 끝부분을 손으로 눌러 주어 이음매가 잘 붙도록 한다.

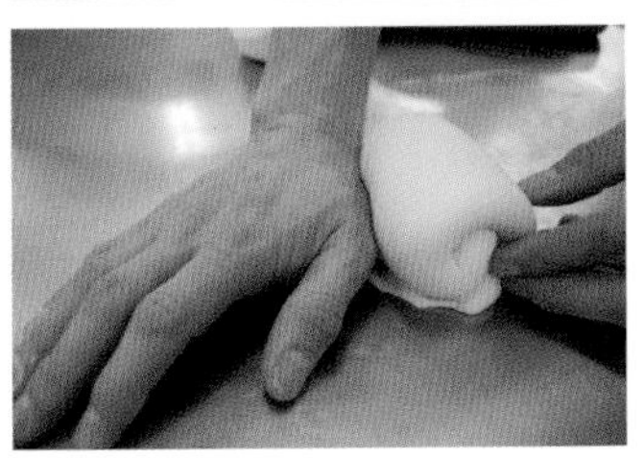

18 같은 팬에 들어가는 반죽은 좌우대칭이 되도록 한다(말아진 반죽 방향이 같도록 팬닝한다).

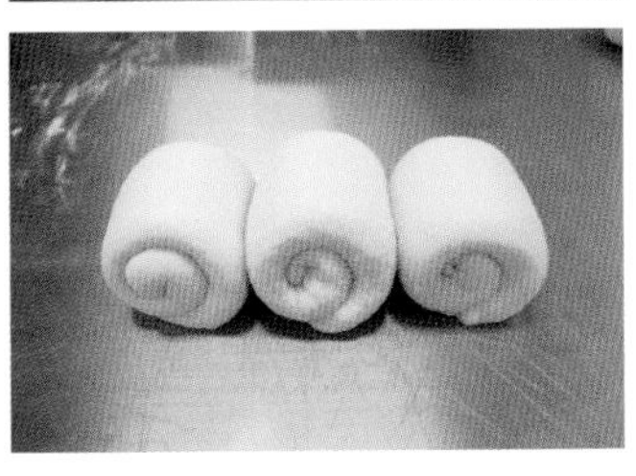

Point

반죽을 말아 줄 때 너무 세게 말지 않도록 한다.

팬닝-2차 발효-굽기-제출

19 이음매를 팬 바닥 쪽으로 하여 팬닝한 후 손등으로 가볍게 눌러 준다.

20 2차 발효는 팬 위 0.5~1 cm까지 발효시킨다.

21 식빵 윗면에 달걀물을 바른다.

22 윗불 160 ℃/아랫불 180 ℃로 미리 예열된 오븐에 약 30~35분 굽는다.

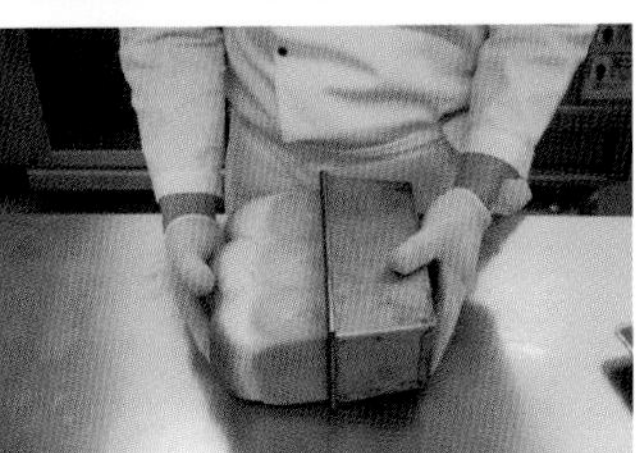

23 오븐에서 뺀 후 틀에서 바로 빼도록 한다.

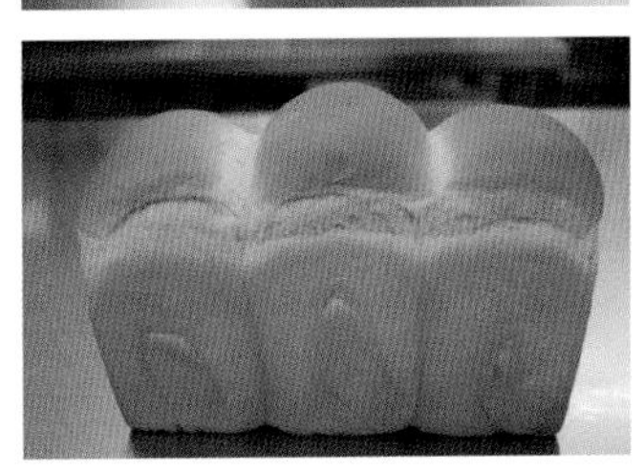

24 완제품(빵을 오븐에서 빼내어 작업대에 놓으면서 가볍게 충격을 준다→빵의 찌그러짐 방지).

Point

오븐에 넣고 10분 정도 지난 후 윗불을 10 ℃ 정도 내려 윗면 색이 진하지 않게 주의한다(유당에 의해 윗면 껍질 색이 진하게 나올 수 있으므로 온도 조절에 주의한다).

10

단과자빵(트위스트형)

제품 평가

부피 분할 무게에 맞게 부피가 알맞고, 모양이 균일하여야 한다.
껍질 껍질이 부드럽고 고른 색깔이 나야 하며 반점, 줄무늬가 없어야 한다.
내상 기공과 조직이 고르고 내상이 밝아야 한다.
외부 균형 찌그러짐이 없고 균형이 잘 맞아야 한다.
맛과 향 부드러운 식감과 좋은 발효향이 나야 한다.

국가 기술 자격 실기 시험 문제

자격 종목	제빵기능사	작품명	단과자빵(트위스트형)

◈ **시험시간** 3시간 30분[표준시간: 3시간 30분, 연장시간: 없음]

요구사항

단과자빵(트위스트형)을 제조하여 제출하시오.

❶ 배합표의 각 재료를 계량하여 재료별로 진열하시오(9분).

- 재료 계량(재료당 1분) → [감독위원 계량 확인] → 작품 제조 및 정리 정돈 (전체 시험시간 - 재료 계량시간)
- 재료 계량시간 내에 계량을 완료하지 못하여 시간이 초과된 경우 및 계량을 잘못한 경우는 추가의 시간 부여 없이 작품 제조 및 정리 정돈 시간을 활용하여 요구사항의 무게대로 계량
- 달걀의 계량은 감독위원이 지정하는 개수로 계량

❷ 반죽은 스트레이트법으로 제조하시오(단, 유지는 클린업 단계에 첨가하시오).

❸ 반죽 온도는 27 ℃를 표준으로 하시오.

❹ 반죽 분할 무게는 50 g이 되도록 하시오.

❺ 모양은 8자형, 달팽이형 2가지 모양으로 만드시오.

❻ 완제품 24개를 성형하여 제출하고, 남은 반죽은 감독위원의 지시에 따라 별도로 제출하시오.

재료 목록

번호	재료명	규격	단위	수량	비고
1	밀가루	강력분	g	990	1인용
2	설탕	정백당	g	120	1인용
3	쇼트닝	제과제빵용	g	100	1인용
4	소금	정제염	g	20	1인용
5	이스트	생이스트	g	38	1인용
6	제빵개량제	제빵용	g	10	1인용
7	탈지분유	제과제빵용	g	30	1인용
8	달걀	60 g (껍질 포함)	개	5	1인용
9	식용유	대두유	ml	50	1인용
10	얼음	식용	g	200	1인용 (겨울철 제외)
11	위생지	식품용(8절지)	장	10	1인용
12	제품 상자	제품포장용	개	1	5인 공용

※ 국가기술자격 실기시험 지급 재료는 시험 종료 후(기권, 결시자 포함) 수험자에게 지급하지 않습니다.

배합표

재료명	비율(%)	무게(g)
강력분	100	900
물	47	422
이스트	4	36
제빵개량제	1	8
소금	2	18
설탕	12	108
쇼트닝	10	90
분유	3	26
달걀	20	180
계	199	1,788

재료 계량

반죽하기

01 믹서볼에 쇼트닝을 제외한 전 재료를 넣는다.

02 전 재료가 잘 섞이고 밀가루가 충분히 수화되도록 한다.

03 재료가 충분히 섞여 믹서볼과 반죽이 한 덩어리가 되면 쇼트닝을 넣고 반죽한다.

04 반죽 표면이 매끈하고 윤기가 흐르는 최종 단계에서 반죽을 완성한다.

05 반죽의 일부를 떼어내어 글루텐막 상태를 확인한다.

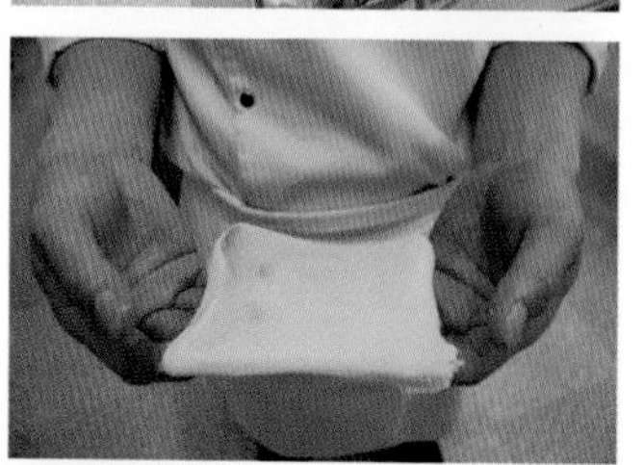

06 반죽 표면을 매끄럽게 정리해서 발효시킬 통에 넣어 반죽 온도를 측정한다(반죽 온도: 27 ℃).

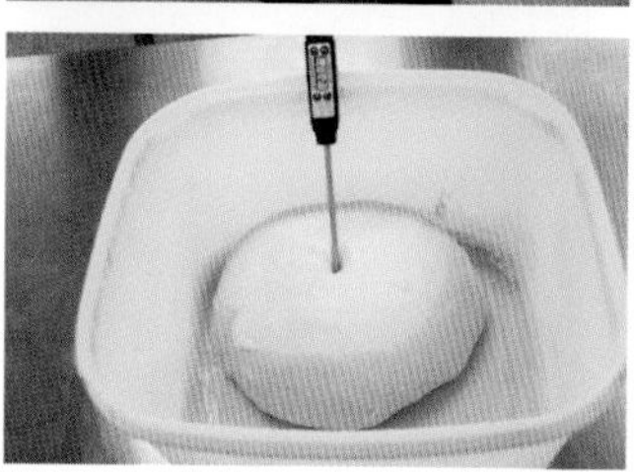

> **Point**
> 반죽 온도 조절을 위해 물 온도를 조정하여 사용하여야 한다(겨울철: 온수, 여름철: 냉수).

1차 발효-분할-중간 발효

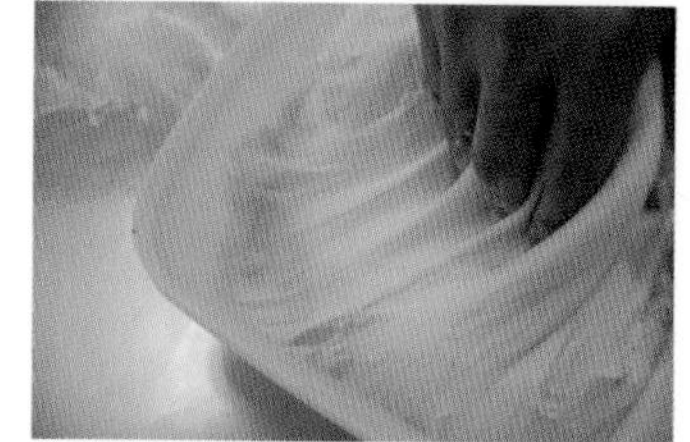

07 1차 발효된 상태를 확인한다(1차 발효실 관리: 온도 27 ℃, 습도 75~80%).

08 작은 빵을 분할할 때는 스크레이퍼를 이용하여 반죽을 자른 후 일정한 두께로 만들어 준다.

09 스크레이퍼와 손 분할 모두 가능하다.

10 50 g씩 분할한다.

11 분할한 반죽을 손바닥에 올려 반죽 표면이 매끄러워지도록 둥글리기 한다.

12 나무판 위에 배열하고 표면이 마르지 않도록 비닐을 덮어 중간 발효한다.

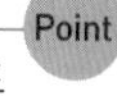

> **Point**
> 작은 빵은 개수가 많아 분할과 둥글리기까지 시간이 지연되며, 분할 도중에도 발효가 진행되므로 빠른 시간 내에 분할을 완료하도록 한다(특히 여름철에는 신속히 하도록 한다).

성형하기

13 중간 발효된 반죽을 재 둥글리기 한 후 가볍게 밀어주면서 일자형으로 만들어 놓는다.

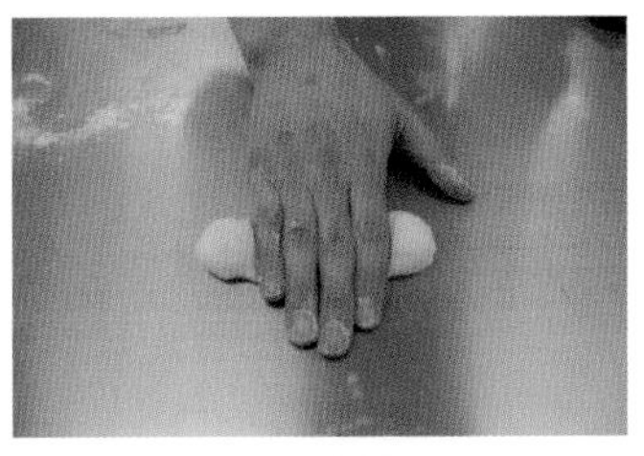

14 손바닥으로 가운데부터 밀어준 후 어느 정도 가늘어지면 양손으로 밀면서 원하는 길이로 밀어 편다.

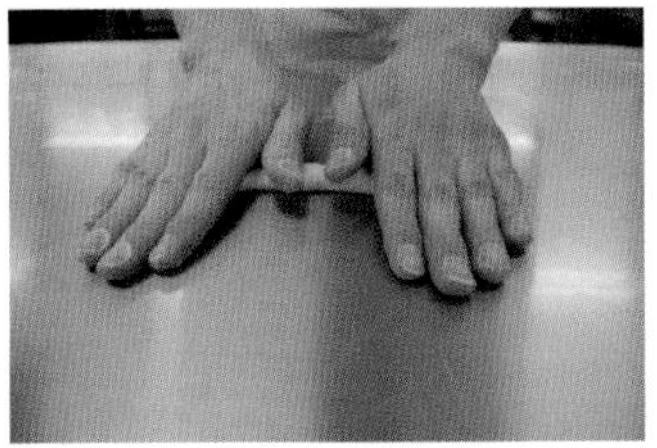

15 8자 말기(25 cm 정도)

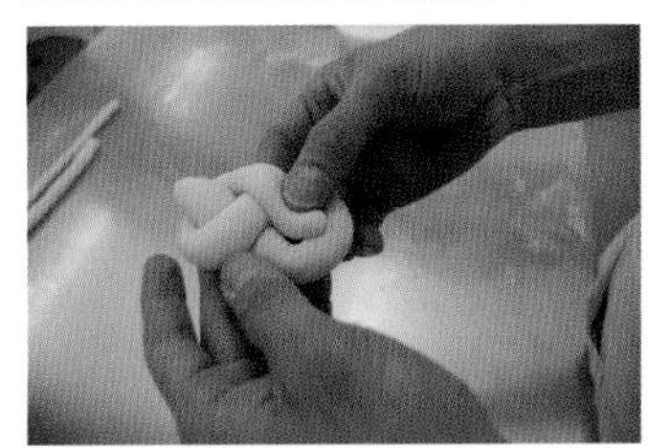

16 달팽이형 말기(30 cm 정도)

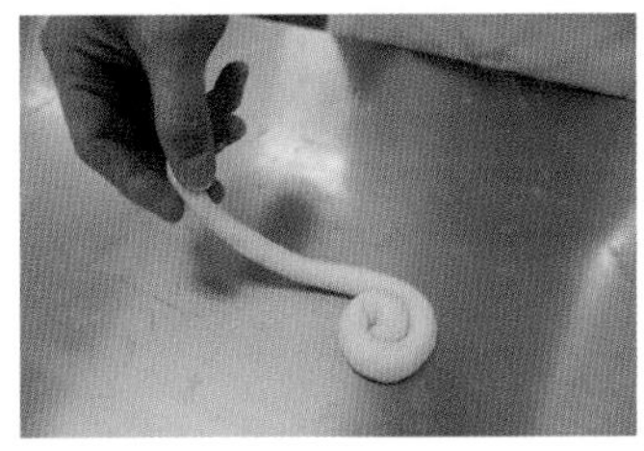

17 8자형, 달팽이형 성형 완성

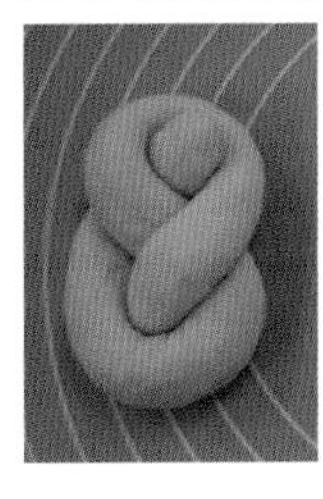

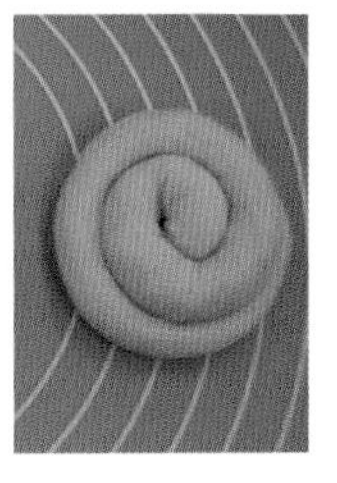

Point

① 한 손의 손바닥으로 가운데부터 밀기 시작한다. 가운데 부분이 가늘어지면 양손으로 반죽을 밀어, 올라갈 때는 힘을 주고 내릴 때는 힘없이 그냥 내려오는 힘 조절이 필요하다.
② 덧가루가 너무 과도하면 반죽이 미끄러워서 밀어지지 않고, 덧가루가 적으면 반죽이 끈적이고 표면이 거칠어진다.

팬닝-2차 발효-굽기-제출

18 기름칠한 평철판에 12개씩 팬닝한다.

19 2차 발효 상태를 확인한다(2차 발효실 관리: 온도 35~40 ℃, 습도 85~90%).

20 반죽에 달걀물이 고이거나 흐르지 않게 발라 준다.

21 윗불 190 ℃/아랫불 140 ℃로 예열된 오븐에서 12~15분 정도 굽는다(8자형).

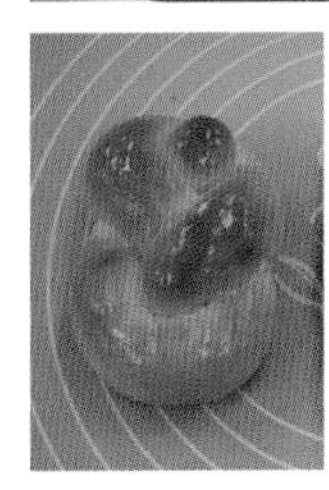

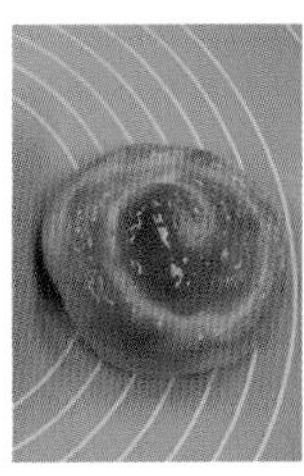

22 완제품

Point

가스 보유력이 최대인 상태까지 2차 발효시킨다(유백색).

세부컷

01 8자형(❶~❼) : 약 25 cm 밀어 성형한다.

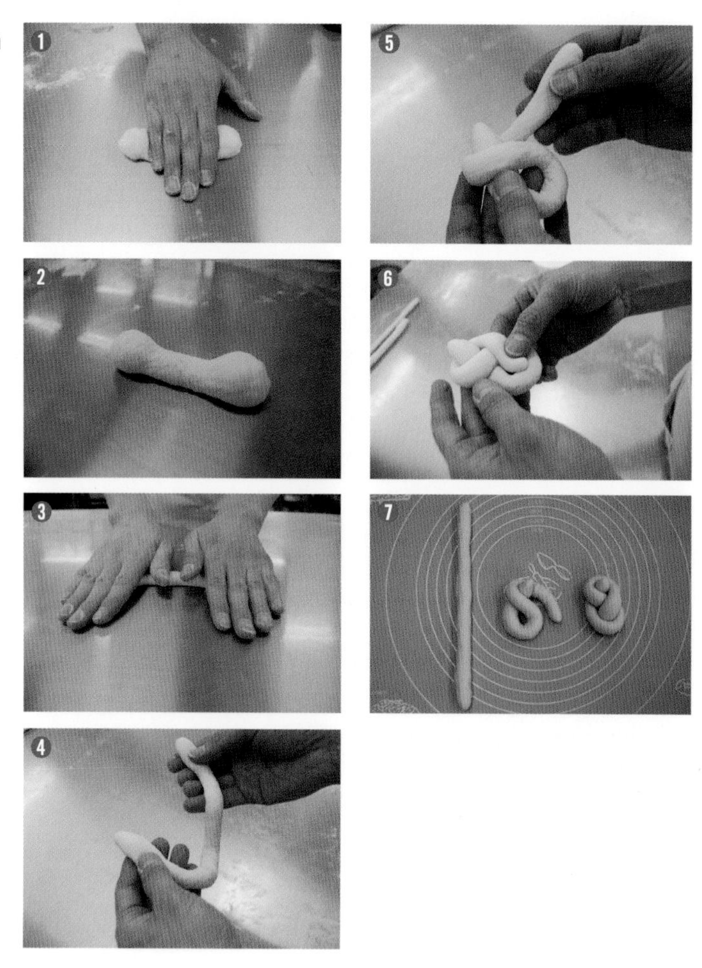

02 달팽이형(❶~❹)

❶ 1.5 cm 정도 밀어 펴서 약간 휴지를 시킨다.

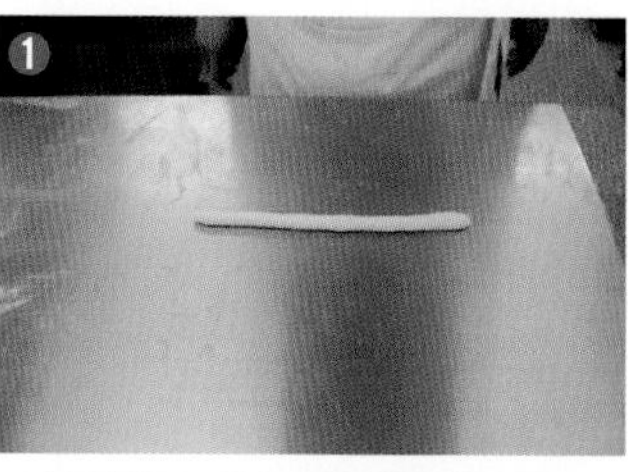

❷ 약 30 cm 길이로 한쪽 끝부분만 가늘게 밀어 준다.

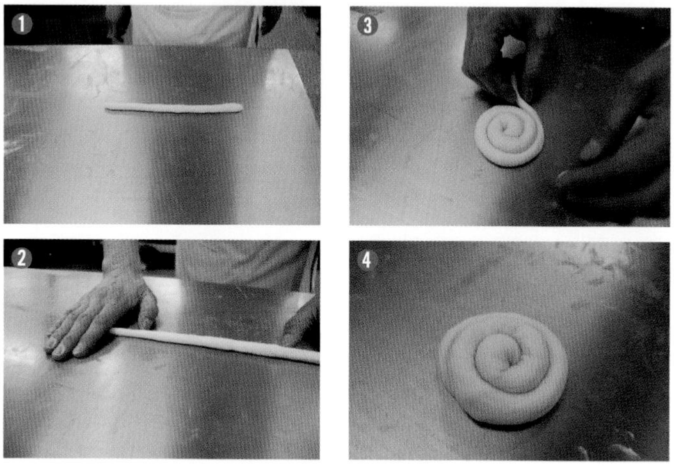

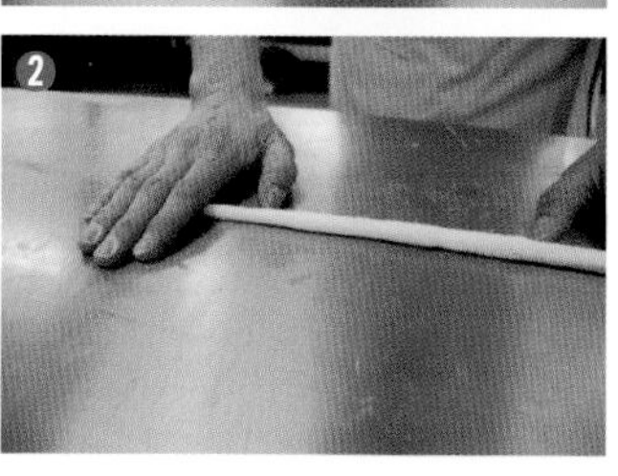

❸ 뾰족한 부분의 반죽을 잡고 원을 그리며 말아 주고 끝부분 반죽은 바닥 부분에 붙여 준다.

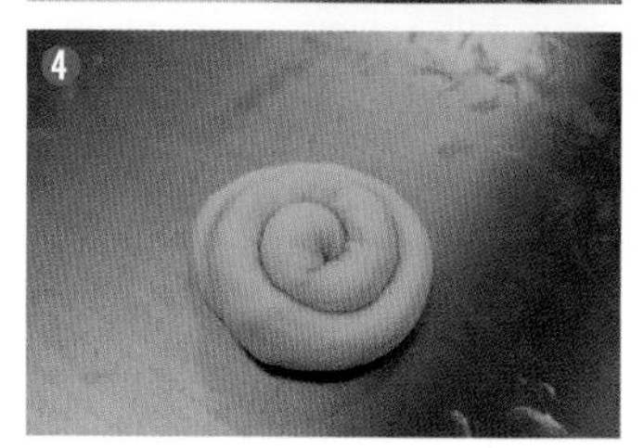

❹ 성형 후 중앙 부분을 약간 눌러 준다(위로 튀어 올라오는 것을 방지).

MEMO

11

단과자빵(크림빵)

제품 평가

부피 분할 무게에 맞게 부피가 알맞고, 모양이 균일하여야 한다.

껍질 껍질이 부드럽고 고른 색깔이 나야 하며 반점, 줄무늬가 없어야 한다.

내상 크림이 빵 정중앙에 위치하고 기공과 조직이 고르며 내상이 밝아야 한다.

외부 균형 찌그러짐이 없고 균형이 잘 맞아야 한다. 반달형이 대칭을 이뤄야 한다.

맛과 향 크림과 빵의 풍미가 어우러져 식감이 좋아야 한다.

국가 기술 자격 실기 시험 문제

자격 종목	제빵기능사	작품명	단과자빵(크림빵)

◈ **시험시간** 3시간 30분[표준시간: 3시간 30분, 연장시간: 없음]

요구사항

단과자빵(크림빵)을 제조하여 제출하시오.

❶ 배합표의 각 재료를 계량하여 재료별로 진열하시오(9분).

- 재료 계량(재료당 1분) → [감독위원 계량 확인] → 작품 제조 및 정리 정돈(전체 시험시간 - 재료 계량시간)
- 재료 계량시간 내에 계량을 완료하지 못하여 시간이 초과된 경우 및 계량을 잘못한 경우는 추가의 시간 부여 없이 작품 제조 및 정리 정돈 시간을 활용하여 요구사항의 무게대로 계량
- 달걀의 계량은 감독위원이 지정하는 개수로 계량

❷ 반죽은 스트레이트법으로 제조하시오(단, 유지는 클린업 단계에 첨가하시오.).

❸ 반죽 온도는 27 ℃를 표준으로 하시오.

❹ 반죽 1개의 분할 무게는 45 g, 1개당 크림 사용량은 30 g으로 제조하시오.

❺ 제품 중 12개는 크림을 넣은 후 굽고, 12개는 반달형으로 크림을 충전하지 말고 제조하시오.

❻ 남은 반죽은 감독위원의 지시에 따라 별도로 제출하시오.

배합표

재료명	비율(%)	무게(g)
강력분	100	800
물	53	424
이스트	4	32
제빵개량제	2	16
소금	2	16
설탕	16	128
쇼트닝	12	96
탈지분유	2	16
달걀	10	80
계	201	1,608
커스터드 크림	65(1개당 30 g)	360

재료 목록

번호	재료명	규격	단위	수량	비고
1	밀가루	강력분	g	880	1인용
2	설탕	정백당	g	150	1인용
3	쇼트닝	제과제빵용	g	110	1인용
4	소금	정제염	g	20	1인용
5	이스트	생이스트	g	40	1인용
6	제빵개량제	제빵용	g	20	1인용
7	탈지분유	제과제빵용	g	20	1인용
8	달걀	60 g (껍질 포함)	개	2	1인용
9	커스터드 크림	커스터드 파우더로 제조한 것	g	400	1인용
10	식용유	대두유	ml	50	1인용
11	얼음	식용	g	200	1인용 (겨울철 제외)
12	위생지	식품용(8절지)	장	10	1인용
13	제품 상자	제품포장용	개	1	5인 공용

※ 국가기술자격 실기시험 지급 재료는 시험 종료 후(기권, 결시자 포함) 수험자에게 지급하지 않습니다.

재료 계량

반죽하기

01 믹서볼에 쇼트닝을 제외한 전 재료를 넣는다.

02 저속으로 믹싱하여 재료를 충분히 수화시킨다.

03 반죽 표면과 볼이 깨끗해지는 클린업 단계가 되면 쇼트닝을 넣어준다.

04 중속에서 고속으로 믹싱 속도를 조절하여 최종 단계까지 반죽한다.

05 반죽의 일부를 떼어 양손으로 펼쳐서 글루텐막 상태를 확인한다.

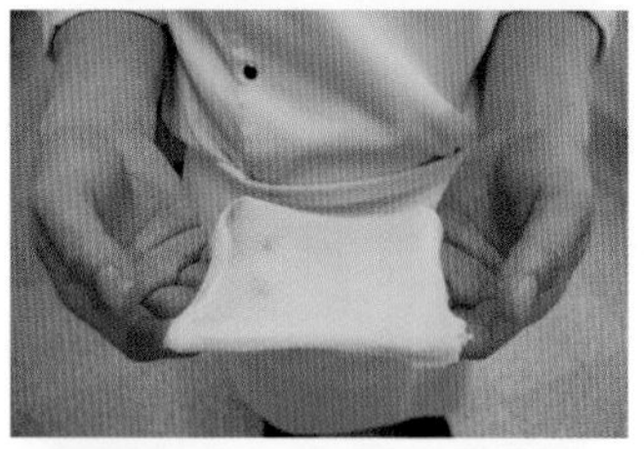

06 반죽 표면을 매끄럽게 정리하여 발효통에 넣어 반죽 온도를 측정한다(반죽 온도: 27 ℃).

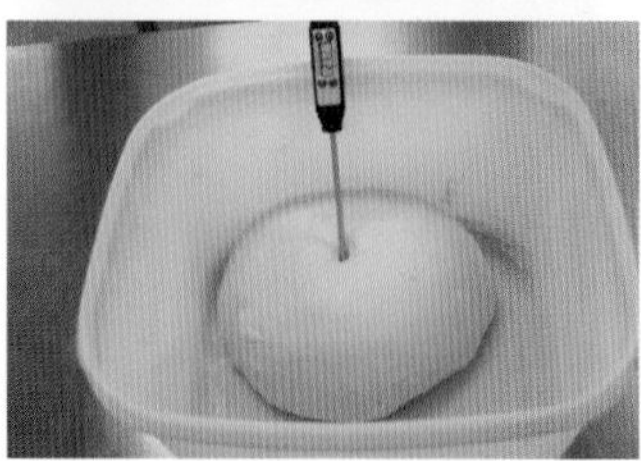

Point

손가락 지문이 보일 정도의 얇고 매끄러운 반투명한 막이 생겨야 한다.

1차 발효-분할-중간 발효

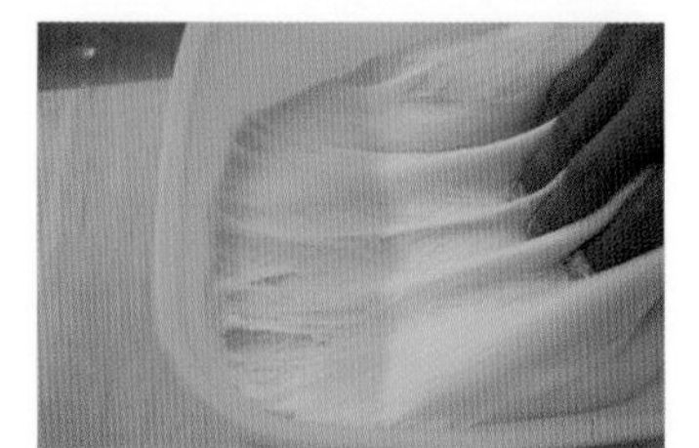

07 1차 발효 상태를 확인한다(1차 발효 관리: 온도 27 ℃, 습도 75~80%).

08 45 g씩 분할한다.

09 손바닥 위에 놓고 둥글리기 한다.

10 나무판에 둥글리기 순서에 맞게 나열한다.

11 손바닥으로 반죽을 한 번씩 밀어 타원형으로 밀어준다.

12 나무판에 순서에 맞게 나열한 후 비닐을 덮어 중간 발효시킨다.

Point

① 둥글리기 한 순서에 맞게 중간 발효시키며, 순서에 맞게 성형하도록 한다.
② 타원형으로 미리 모양을 만들어 놓으면 성형과정에서 밀어 펴기가 쉬워진다.

성형하기

13 작업대에 적당히 덧가루를 뿌려가며 밀대로 반죽을 타원형으로 민다.

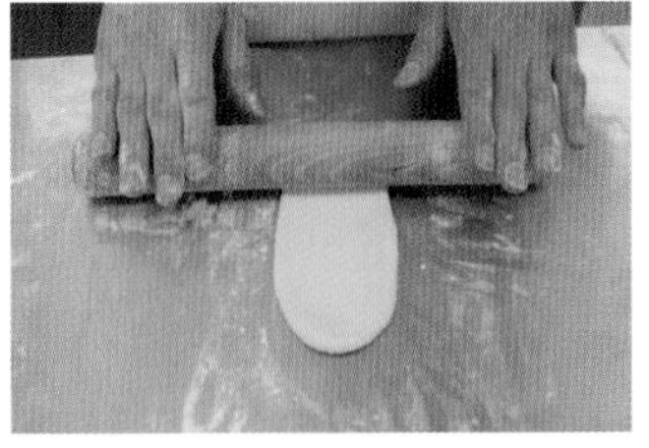

14 손바닥에 올려 1/2 지점을 표시한다.

15 1/2 지점 안쪽으로 크림 30 g을 올린다.

16 손바닥에 반죽을 올린다.

17 남은 반을 접어 덮어 가장자리를 눌러 붙여 준다.

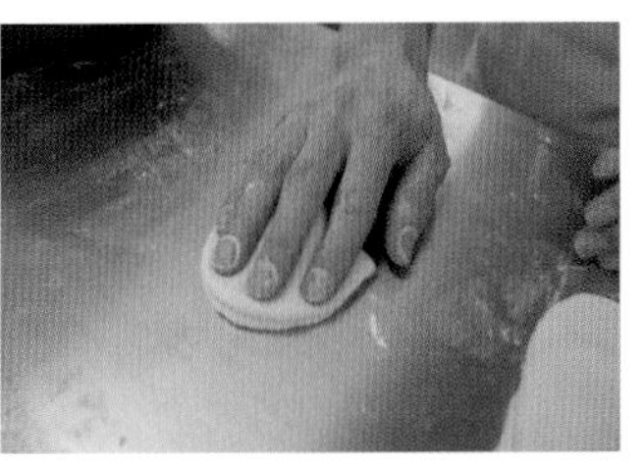

18 스크레이퍼 끝으로 눌러 칼집을 내준다(보통 5개의 칼집, 1.5 cm 정도 깊이로 잘라 준다).

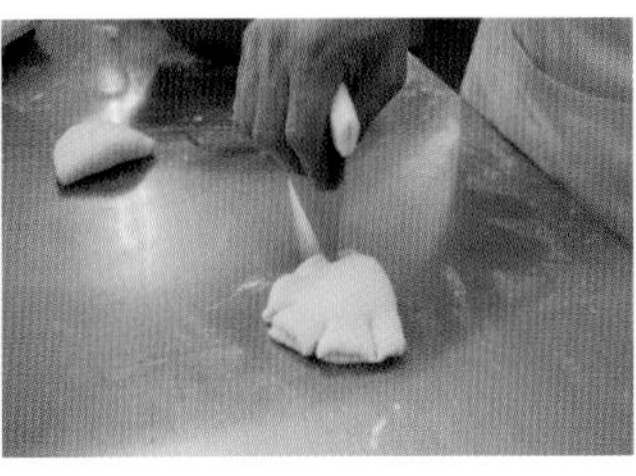

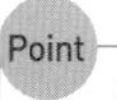

Point

밀어 펴기 중에는 작업대 위에 최소한의 덧가루를 뿌려 작업대와 반죽이 붙지 않도록 하고, 반죽 윗면과 밀대에 덧가루를 사용하여 끈적임을 방지한다.

팬닝-2차 발효-굽기-제출

19 평철판에 12개씩 간격이 일정하게 팬닝한다.

20 달걀물을 바른다.

21 2차 발효시킨다.

22 윗불 190 ℃/아랫불 140 ℃로 예열된 오븐에 약 12~15분 정도 굽는다.

23 비충전형 빵은 구워낸 후 크림을 충전한다.

24 완제품

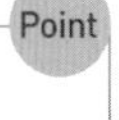

Point

발효실 습도가 높아 반죽 표면에 수분이 고여 있으면 미리 꺼내어 표면을 건조시킨 후 굽는다.

세부컷

01 커스터드 크림 파우더 400 g + 물 1000 g을 섞어 준다.

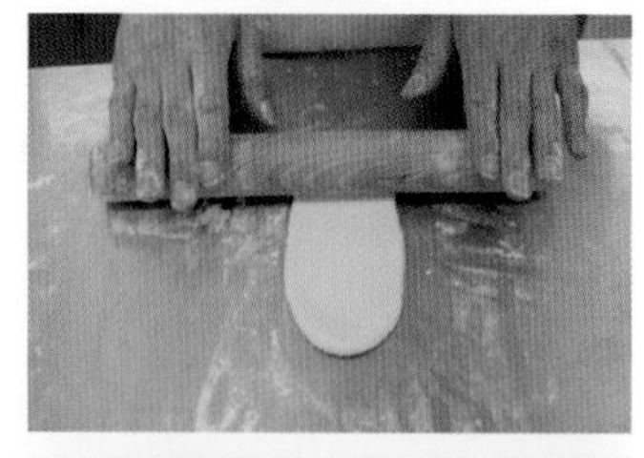

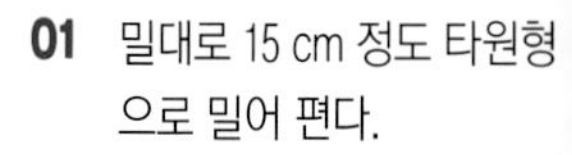

01 밀대로 15 cm 정도 타원형으로 밀어 편다.

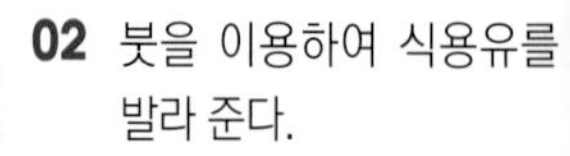

02 붓을 이용하여 식용유를 발라 준다.

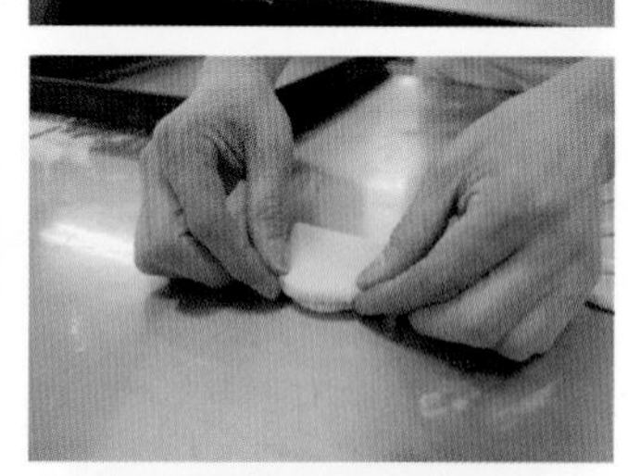

03 반죽을 1/2을 접어 준다.

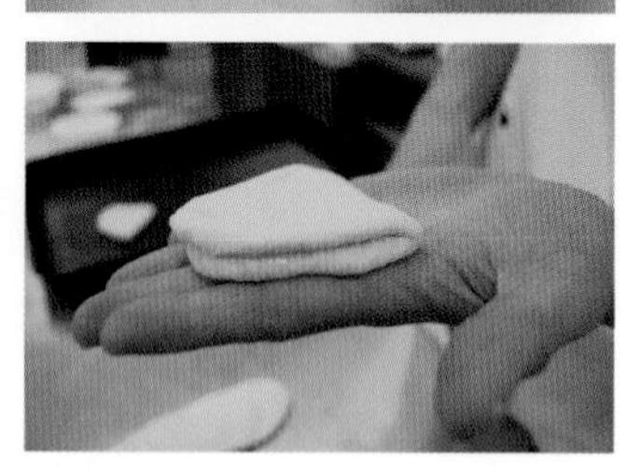

04 윗면 반죽이 아래 반죽보다 약간 나오게 접어 준다.

MEMO

12

풀만 식빵

제품 평가

부피 분할 무게에 맞게 부피가 알맞고, 모양이 균일하여야 한다.
껍질 껍질이 부드럽고 고른 색깔이 나야 하며 반점, 줄무늬가 없어야 한다.
내상 기공과 조직이 고르고 내상이 밝아야 한다.
외부 균형 찌그러짐이 없고 균형이 잘 맞아야 한다.
맛과 향 식감이 부드럽고 좋은 발효향이 나야 한다.

국가 기술 자격 실기 시험 문제

자격 종목	제빵기능사	작품명	풀만 식빵

◈ **시험시간** 3시간 40분[표준시간: 3시간 40분, 연장시간: 없음]

요구사항

풀만 식빵을 제조하여 제출하시오.

❶ 배합표의 각 재료를 계량하여 재료별로 진열하시오(9분).

- 재료 계량(재료당 1분) → [감독위원 계량 확인] → 작품 제조 및 정리 정돈 (전체 시험시간 - 재료 계량시간)
- 재료 계량시간 내에 계량을 완료하지 못하여 시간이 초과된 경우 및 계량을 잘못한 경우는 추가의 시간 부여 없이 작품 제조 및 정리 정돈 시간을 활용하여 요구사항의 무게대로 계량
- 달걀의 계량은 감독위원이 지정하는 개수로 계량

❷ 반죽은 스트레이트법으로 제조하시오(단, 유지는 클린업 단계에 첨가하시오).

❸ 반죽 온도는 27 ℃를 표준으로 하시오.

❹ 표준 분할 무게는 250 g으로 하고, 제시된 팬의 용량을 감안하여 결정하시오(단, 분할 무게×2를 1개의 식빵으로 함).

❺ 반죽은 전량을 사용하여 성형하시오.

재료 목록

번호	재료명	규격	단위	수량	비고
1	밀가루	강력분	g	1,540	1인용
2	설탕	정백당	g	92	1인용
3	쇼트닝	제과(빵)용	g	62	1인용
4	소금	정제염	g	31	1인용
5	이스트	생이스트	g	65	1인용
6	제빵개량제	제빵용	g	15	1인용
7	탈지분유	제과제빵용	g	46	1인용
8	달걀	60 g (껍질 포함)	개	2	1인용
9	식용유	대두유	ml	50	1인용
10	얼음	식용	g	200	1인용 (겨울철 제외)
11	위생지	식품용(8절지)	장	10	1인용
12	제품 상자	제품포장용	개	1	5인 공용

※ 국가기술자격 실기시험 지급 재료는 시험 종료 후(기권, 결시자 포함) 수험자에게 지급하지 않습니다.

배합표

재료명	비율(%)	무게(g)
강력분	100	1,400
물	58	812
이스트	4	56
제빵개량제	1	14
소금	2	28
설탕	6	84
쇼트닝	4	56
달걀	5	70
분유	3	42
계	183	2,562

재료 계량

반죽하기

01 믹서볼에 쇼트닝을 제외한 전 재료를 넣는다.

02 저속으로 믹싱하여 재료를 충분히 수화시킨다.

03 반죽 표면과 볼이 깨끗해지는 클린업 단계가 되면 쇼트닝을 넣어준다.

04 중속에서 고속으로 믹싱 속도를 조절하여 최종 단계까지 반죽한다.

05 반죽의 일부를 떼어 양손으로 글루텐막 상태를 확인한다.

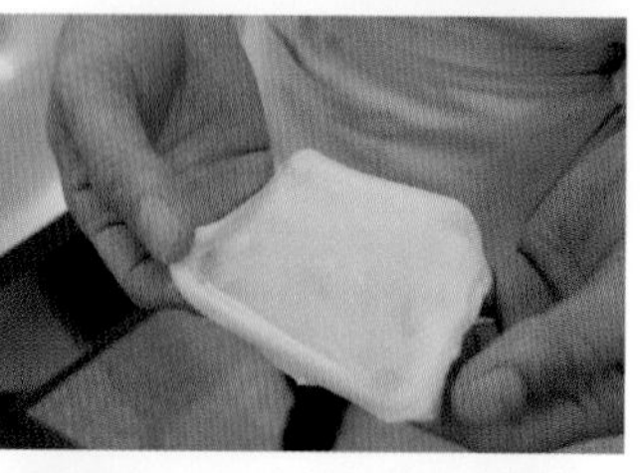

06 반죽 표면을 매끄럽게 정리하여 발효통에 넣어 반죽 온도를 측정한다(반죽 온도: 27 ℃).

Point

반죽 온도 조절을 위해 물 온도를 조정하여 사용하여야 한다(겨울철: 온수, 여름철: 냉수).

1차 발효-분할-중간 발효

07 1차 발효를 확인한다(처음 부피의 2.5~3배 상태, 1차 발효실 관리: 온도 27 ℃, 습도 75~80%).

08 발효된 반죽을 신속하게 분할한다.

09 250 g씩 분할한다.

10 두 손으로 가볍게 둥글리기하여 표면을 정리한다.

11 덧가루를 나무판에 가볍게 뿌린 후 둥글리기 된 반죽을 나열한다.

12 비닐을 덮어 중간 발효시킨다.

Note

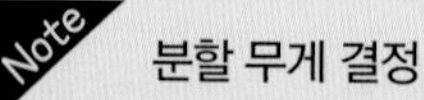

분할 무게 결정

반죽 무게 = 팬용적 ÷ 비용적(팬용적과 한 개 틀에 몇 개의 반죽을 넣을 것인가에 따라 분할 무게가 달라진다)

성형하기

13 밀대로 가스를 빼 주며 타원형을 만든다.

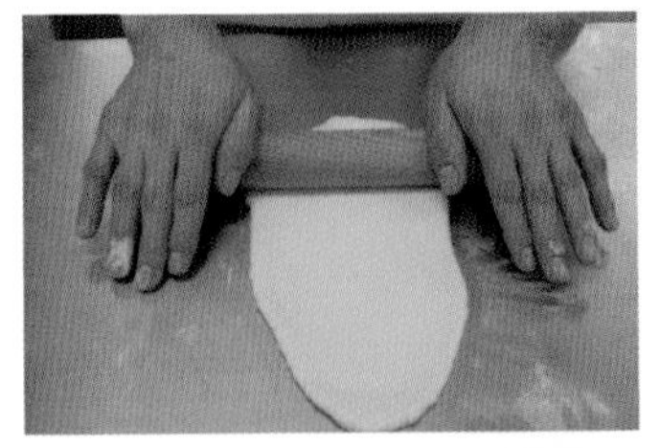

14 양쪽 가장자리를 접어 가운데가 겹치도록 3절 접기를 한다.

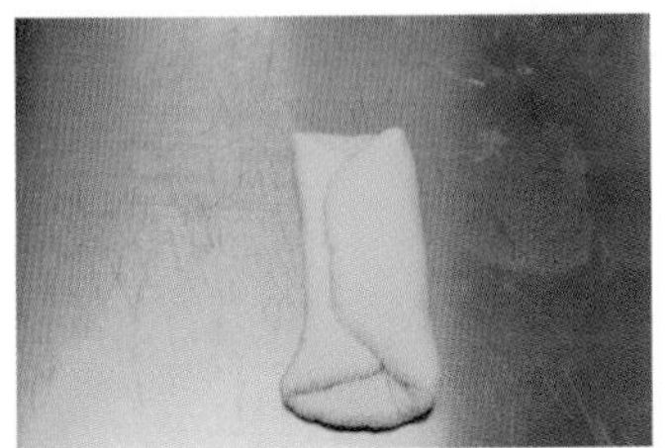

15 겹친 부분을 약간 누르면서 늘려 준다.

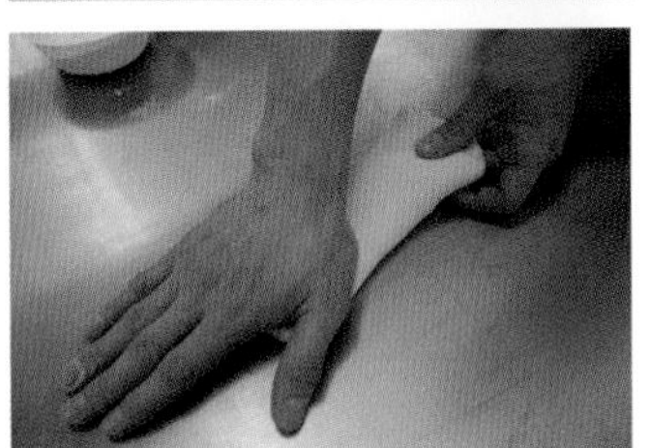

16 끝부분을 삼각형으로 접어 준다.

17 살짝 당기듯 말아준다.

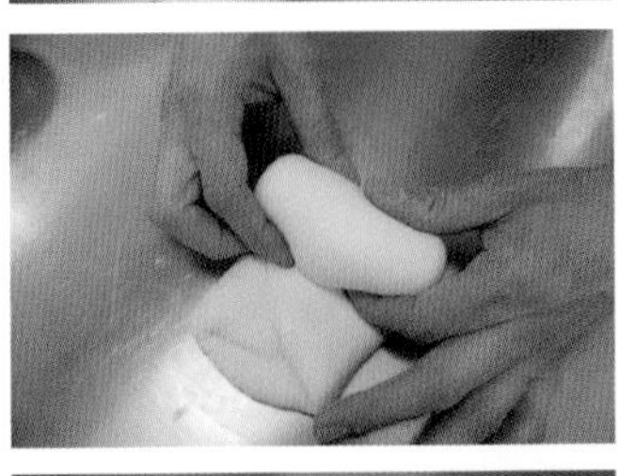

18 성형이 완성되면 말린 부분의 방향이 같도록 맞춰 준다.

Point

풀만 식빵의 팬이 일반 산형 식빵 팬보다 크므로 반죽이 너무 작지 않도록 성형한다.

팬닝-2차 발효-굽기-제출

19 식빵 팬에 두 덩어리를 넣어 주고 손등으로 가볍게 눌러 준다.

20 2차 발효 시킨다(2차 발효실 관리: 온도 35~38 ℃, 습도 80~85%).

21 뚜껑을 덮는다.

22 윗불 180 ℃/아랫불 180 ℃ 오븐에 약 35분~40분 구워 낸다.

23 황갈색으로 구워진 빵을 틀에서 뺀다.

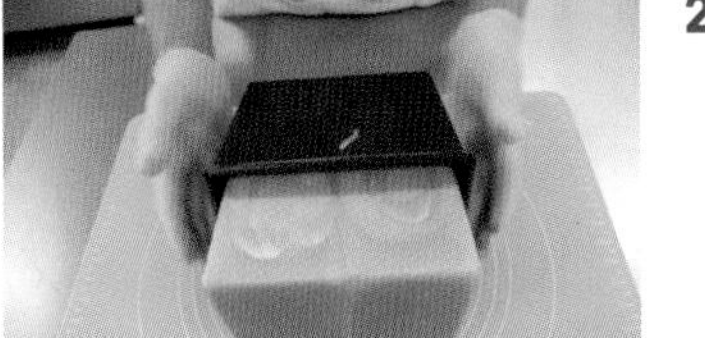

24 완제품

Point

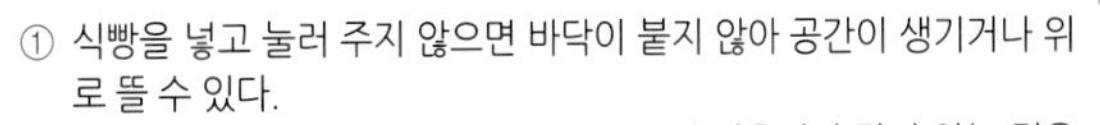

① 식빵을 넣고 눌러 주지 않으면 바닥이 붙지 않아 공간이 생기거나 위로 뜰 수 있다.
② 팬 밑 1 cm가 적절하나, 두 덩어리 반죽의 발효점이 맞지 않는 경우엔 더 발효된 쪽으로 맞춰 뚜껑을 덮은 후 더 두었다 오븐에 넣는다.

13

단과자빵(소보로빵)

제품 평가

부피 분할 무게에 맞게 부피가 알맞고, 모양이 균일하여야 한다.

껍질 소보로가 윗면에 적당량 묻어 있어야 하고, 반점, 줄무늬가 없어야 한다.

내상 기공과 조직이 고르고 내상이 밝아야 한다.

외부 균형 찌그러짐이 없고 균형이 잘 맞아야 한다.

맛과 향 고소한 소보로의 식감이 빵의 풍미와 조화를 이뤄야 한다.

국가 기술 자격 실기 시험 문제

자격 종목	제빵기능사	작품명	단과자빵(소보로빵)

◈ **시험시간** 3시간 30분[표준시간: 3시간 30분, 연장시간: 없음]

요구사항

단과자빵(소보로빵)을 제조하여 제출하시오.

❶ 빵 반죽 재료를 계량하여 재료별로 진열하시오(9분).

- 재료 계량(재료당 1분) → [감독위원 계량 확인] → 작품 제조 및 정리 정돈 (전체 시험시간 - 재료 계량시간)
- 재료 계량시간 내에 계량을 완료하지 못하여 시간이 초과된 경우 및 계량을 잘못한 경우는 추가의 시간 부여 없이 작품 제조 및 정리 정돈 시간을 활용하여 요구사항의 무게대로 계량
- 달걀의 계량은 감독위원이 지정하는 개수로 계량

❷ 반죽은 스트레이트법으로 제조하시오(단, 유지는 클린업 단계에 첨가하시오).

❸ 반죽 온도는 27 ℃를 표준으로 하시오.

❹ 반죽 1개의 분할 무게는 50 g씩, 1개당 소보로 사용량은 약 30 g씩으로 제조하시오.

❺ 토핑용 소보로는 배합표에 따라 직접 제조하여 사용하시오.

❻ 반죽은 25개를 성형하여 제조하고, 남은 반죽은 감독위원의 지시에 따라 별도로 제출하시오.

배합표

【빵반죽】

재료명	비율(%)	무게(g)
강력분	100	900
물	47	423(422)
이스트	4	36
제빵개량제	1	9(8)
소금	2	18
마가린	18	162
탈지분유	2	18
달걀	15	135(136)
설탕	16	144
계	205	1,845 (1,844)

【토핑용 소보로】

재료명	비율(%)	무게(g)
중력분	100	300
설탕	60	180
마가린	50	150
땅콩버터	15	45(46)
달걀	10	30
물엿	10	30
탈지분유	3	9(10)
베이킹파우더	2	6
소금	1	3
계	251	753

※ 충전용 재료는 계량시간에서 제외

재료 목록

번호	재료명	규격	단위	수량	비고
1	밀가루	강력분	g	990	1인용
2	밀가루	중력분	g	330	1인용
3	설탕	정백당	g	400	1인용
4	마가린	제과제빵용	g	400	1인용
5	소금	정제염	g	25	1인용
6	이스트	생이스트	g	45	1인용
7	제빵개량제	제빵용	g	11	1인용
8	탈지분유	제과제빵용	g	40	1인용
9	달걀	60 g (껍질 포함)	개	4	1인용
10	땅콩버터	제과용	g	55	1인용
11	물엿	이온엿, 제과용	g	50	1인용
12	베이킹파우더	제과제빵용	g	10	1인용
13	식용유	대두유	ml	50	1인용
14	얼음	식용	g	200	1인용 (겨울철 제외)
15	위생지	식품용(8절지)	장	10	1인용
16	제품 상자	제품포장용	개	1	5인 공용

※ 국가기술자격 실기시험 지급 재료는 시험 종료 후(기권, 결시자 포함) 수험자에게 지급하지 않습니다.

재료 계량

반죽하기

01 믹서볼에 마가린를 제외한 전 재료를 넣는다.

02 저속으로 믹싱하여 재료를 충분히 수화시킨다.

03 반죽 표면과 볼이 깨끗해지는 클린업 단계가 되면 마가린를 넣어준다.

04 중속에서 고속으로 믹싱 속도를 조절하여 최종 단계까지 반죽한다.

05 반죽의 일부를 떼어 글루텐막 상태를 확인한다.

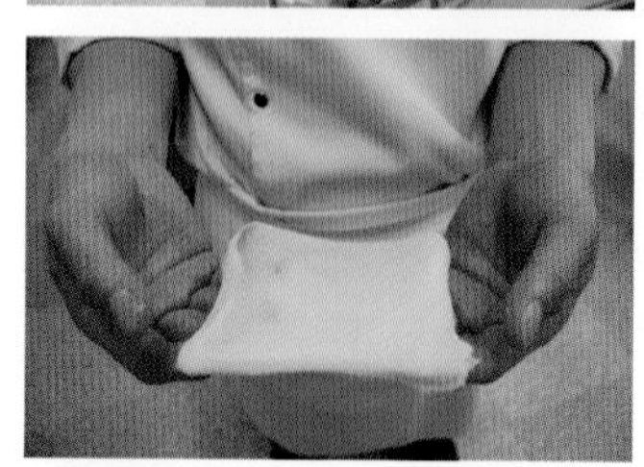

06 반죽 표면을 매끄럽게 정리하여 발효통에 넣어 반죽 온도를 측정한다(반죽 온도: 27 ℃).

1차 발효-분할-중간 발효

07 1차 발효 상태를 확인한다(1차 발효 관리: 온도 27 ℃, 습도 75~80%).

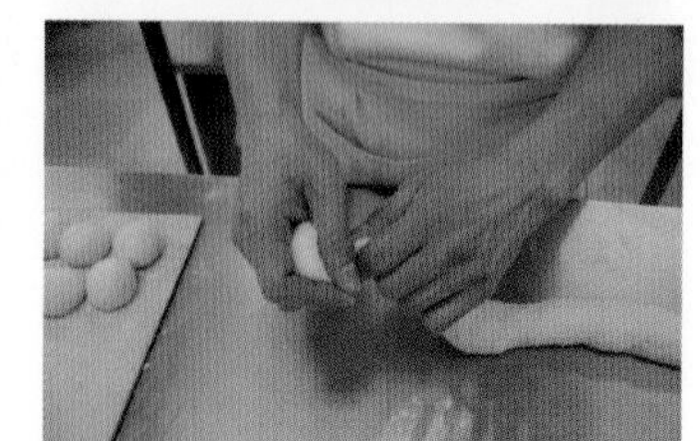

08 스크레이퍼나 손으로 분할한다.

09 50 g씩 분할한다.

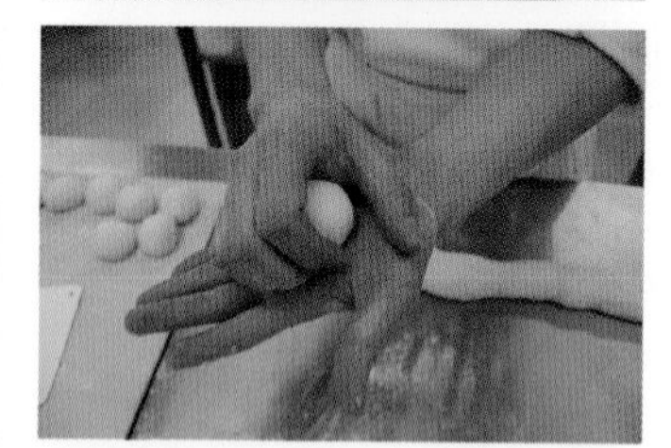

10 둥글리기 한다.

11 둥글리기 한 순서에 맞게 나무판에 소량의 덧가루를 뿌린 후 순서에 맞게 정리한다.

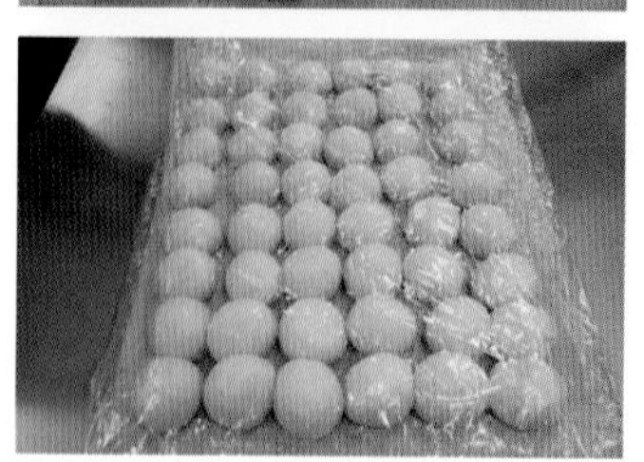

12 중간 발효 중 반죽이 마르지 않게 비닐을 덮는다.

Point

① 1차 발효 시간을 이용하여 소보로 토핑물을 제조한다.
② 분할 도중에도 발효가 진행되므로 빠른 시간 내에 분할을 완료하도록 한다(특히 여름철에는 신속히 하도록 한다).

성형하기

13 중간 발효된 반죽을 손바닥에 올려 재둥글리기 한다.

14 반죽의 바닥 부분을 봉해 준다.

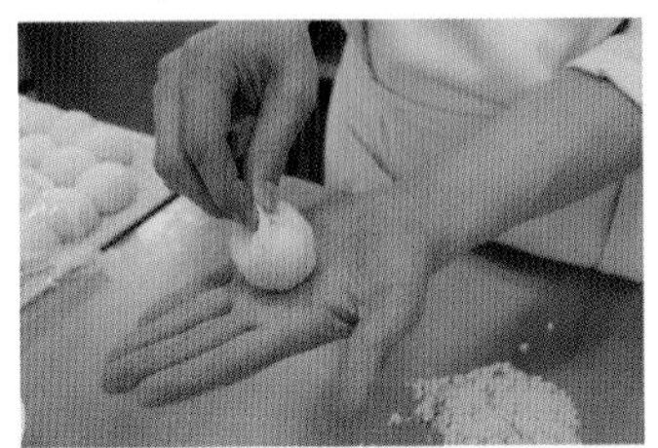

15 바닥 부분을 손으로 잡고, 물에 반죽을 2/3 정도를 묻혀 준다.

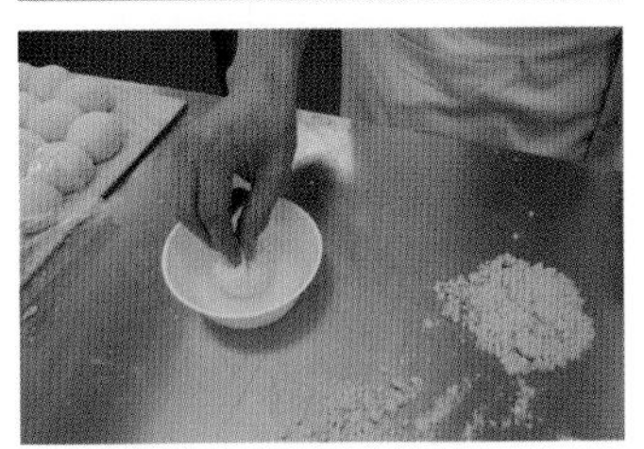

16 30 g 소보로 토핑 위에 물을 묻힌 반죽을 놓고 두 손을 포개 눌러 찍어 낸다.

17 소보로 토핑의 두께와 찍는 힘 조절이 일정하도록 한다.

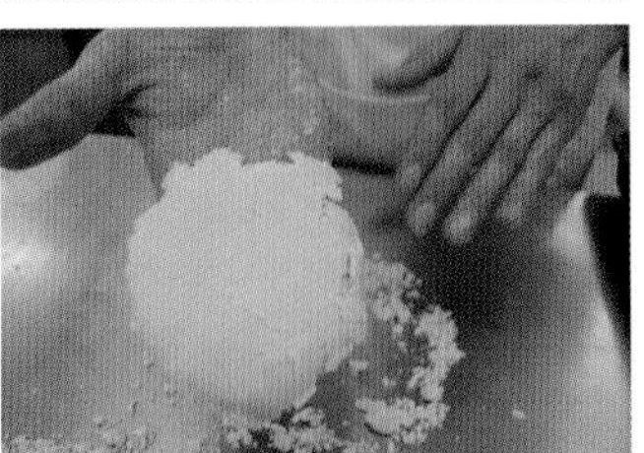

18 찍어낸 소보로 반죽을 손으로 옮겨 철판에 놓는다.

Point

① 둥글리기를 너무 세게 하면 2차 발효가 늦게 되므로 가볍게 큰 가스만 빼도록 한다.
② 소보로 양이 다르면 완제품 색깔에 차이가 심하므로 일정량을 찍어 내도록 한다.

팬닝-2차 발효-굽기-제출

19 팬닝 후 소보로 토핑 윗부분을 손바닥으로 약간 눌러 준다.

20 평철판에 12개씩 팬닝한다.

21 2차 발효된 소보로는 실온에서 약간 건조시켜 준다(습기가 많을 경우).

22 윗불 190 ℃/아랫불 140 ℃로 예열된 오븐에서 약 15분 정도 굽는다.

23 냉각판으로 옮긴다.

24 완제품

Point

① 오븐에서 나온 빵은 작업대에 가볍게 내려쳐서 뜨거운 공기를 빠져나가게 해야 빵이 주저앉는 것을 방지할 수 있다.
② 반죽 윗면에 소보로 토핑이 있기 때문에 2차 발효를 너무 오버시키면 주저앉기 쉬우므로 다른 단과자빵에 비해 약간 적게 발효시킨다(80% 정도).

세부컷

01 완성된 소보로 토핑을 주먹으로 가볍게 쥐어서 뭉친 소보로 토핑을 다른 손으로 풀어 주면 고슬고슬 떨어지는 정도의 되기로 제조한다.

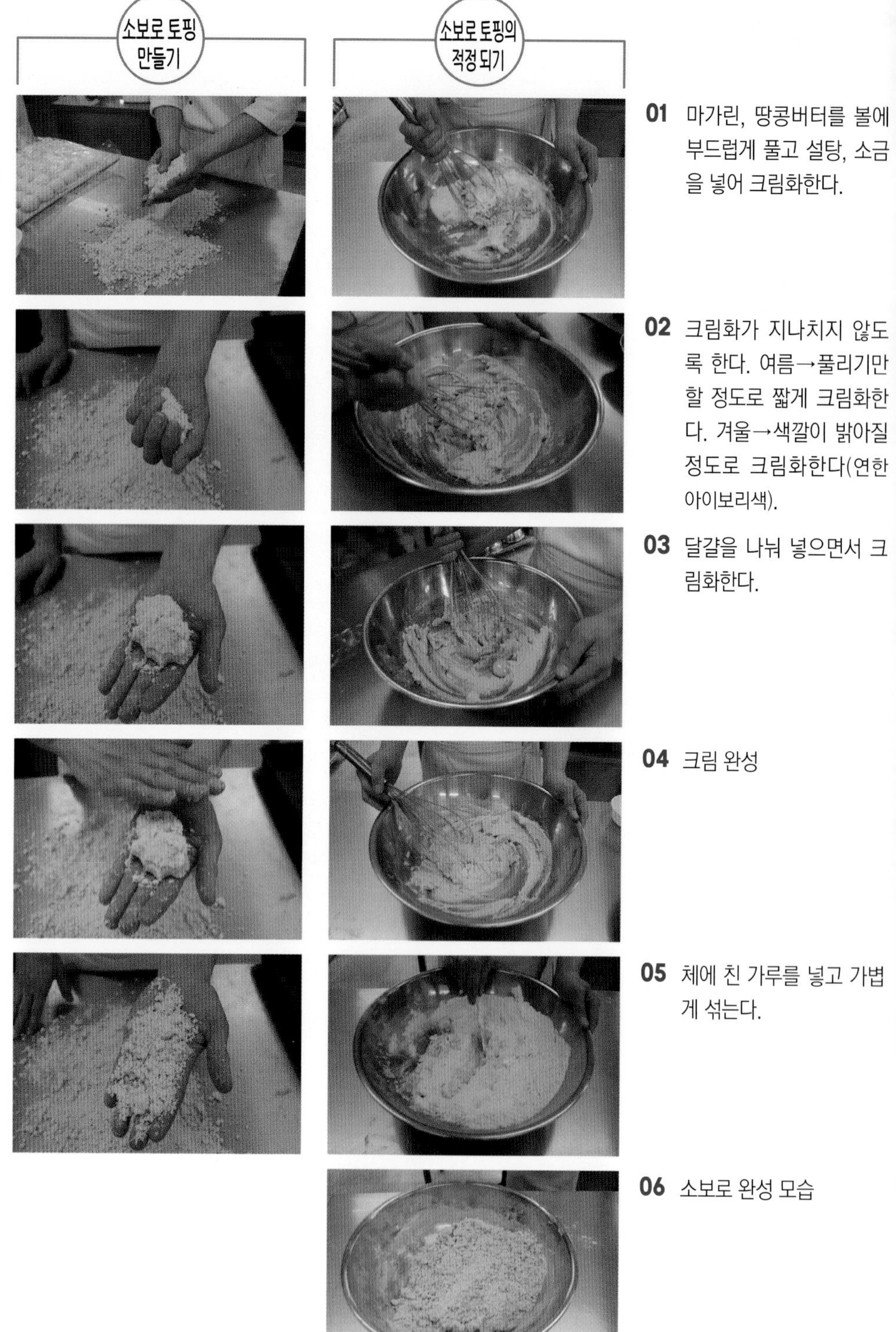

01 마가린, 땅콩버터를 볼에 부드럽게 풀고 설탕, 소금을 넣어 크림화한다.

02 크림화가 지나치지 않도록 한다. 여름→풀리기만 할 정도로 짧게 크림화한다. 겨울→색깔이 밝아질 정도로 크림화한다(연한 아이보리색).

03 달걀을 나눠 넣으면서 크림화한다.

04 크림 완성

05 체에 친 가루를 넣고 가볍게 섞는다.

06 소보로 완성 모습

둥글리기 요령

① 양손에 덧가루를 살짝 묻힌 상태에서 왼쪽 손바닥 위에 분할한 반죽을 올린다.
② 오른손 손바닥 전체로 반죽을 살짝 움켜쥐고, 오른손을 시계 방향으로 움직이면서 손안에 든 반죽의 가장자리 부분과 왼손바닥을 같이 문지르듯 돌려 가면서 둥글리기 한다.

14

더치빵

제품 평가

부피 무게에 맞게 부피가 알맞고, 모양이 균일하여야 한다.

껍질 토핑용 비스킷의 갈라짐이 일정하고, 빵 표면에 균일하게 붙어 있어야 한다.
빵 전체가 고른 색깔이 나야 하고 반점, 줄무늬가 없어야 한다.

내상 기공과 조직이 고르고 내상이 밝아야 한다.

외부 균형 찌그러짐이 없고 균형이 잘 맞아야 한다.

맛과 향 토핑물의 고소한 맛과 온화한 발효향이 어우러져야 한다.

국가 기술 자격 실기 시험 문제

자격 종목	제빵기능사	작품명	더치빵

◈ **시험시간** 3시간 30분[표준시간: 3시간 30분, 연장시간: 없음]

요구사항

더치빵을 제조하여 제출하시오.

❶ 더치빵 반죽 재료를 계량하여 재료별로 진열하시오(9분).

- 재료 계량(재료당 1분) → [감독위원 계량 확인] → 작품 제조 및 정리 정돈(전체 시험시간 - 재료 계량시간)
- 재료 계량시간 내에 계량을 완료하지 못하여 시간이 초과된 경우 및 계량을 잘못한 경우는 추가의 시간 부여 없이 작품 제조 및 정리 정돈 시간을 활용하여 요구사항의 무게대로 계량
- 달걀의 계량은 감독위원이 지정하는 개수로 계량

❷ 반죽은 스트레이트법으로 제조하시오.(단, 유지는 클린업 단계에 첨가하시오.)

❸ 반죽 온도는 27 ℃를 표준으로 하시오.

❹ 빵 반죽에 토핑할 시간을 맞추어 발효시키시오.

❺ 빵 반죽은 1개당 300 g씩 분할하시오.

❻ 반죽은 전량을 사용하여 성형하시오.

배합표

【반죽】

재료명	비율(%)	무게(g)
강력분	100	1,100
물	60~65	660~715
이스트	4	44
제빵개량제	1	11(12)
소금	1.8	20
설탕	2	22
쇼트닝	3	33(34)
탈지분유	4	44
흰자	3	33(34)
계	178.8 ~183.8	1,967 ~2,025

【토핑】

재료명	비율(%)	무게(g)
멥쌀가루	100	200
중력분	20	40
이스트	2	4
설탕	2	4
소금	2	4
물	(85)	(170)
마가린	30	60
계	241	482

※ 토핑 재료는 계량시간에서 제외
(토핑 제조 시 물량 조절 가능)

재료 목록

번호	재료명	규격	단위	수량	비고
1	밀가루	강력분	g	1,200	1인용
2	밀가루	중력분	g	50	1인용
3	설탕	정백당	g	30	1인용
4	마가린	제과제빵용	g	75	1인용
5	소금	정제염	g	30	1인용
6	이스트	생이스트	g	50	1인용
7	제빵개량제	제빵용	g	14	1인용
8	탈지분유	제과제빵용	g	53	1인용
9	달걀	60 g (껍질 포함)	개	1	1인용
10	쇼트닝	제과제빵용	g	40	1인용
11	멥쌀가루	습식쌀가루	g	220	1인용
12	식용유	대두유	ml	50	1인용
13	얼음	식용	g	200	1인용
14	위생지	식품용(8절지)	장	10	1인용
15	제품 상자	제품포장용	개	1	5인 공용

※ 국가기술자격 실기시험 지급 재료는 시험 종료 후(기권, 결시자 포함) 수험자에게 지급하지 않습니다.

재료 계량

반죽하기

01 믹서볼에 쇼트닝을 제외한 전 재료를 넣는다.

02 저속으로 믹싱하여 충분히 재료를 수화시킨다.

03 반죽 표면과 볼이 깨끗해지는 클린업 단계가 되면 쇼트닝을 넣어준다.

04 중속에서 고속으로 믹싱 속도를 조절하여 최종 단계 초기까지 반죽한다.

05 반죽의 일부를 떼어 양손으로 글루텐막 상태를 확인한다.

06 반죽 표면을 매끄럽게 정리하여 발효통에 넣어 반죽 온도를 측정한다(반죽 온도: 27 ℃).

Point

① 반죽 온도 조절을 위해 물 온도를 조정하여 사용한다(겨울철: 온수, 여름철: 수돗물 사용).
② 1차 발효가 끝날 때쯤 토핑을 제조한다.

1차 발효-분할-중간 발효

07 1차 발효 상태를 확인한다(1차 발효실 관리: 온도 27 ℃, 습도 75~80 %).

08 발효된 반죽의 표면을 손상시키지 않으면서 분할한다.

09 300 g씩 분할한다.

10 손으로 반죽 옆면을 가볍게 밀어 타원형을 만들어 준다.

11 두 손으로 감아쥐듯이 둥글리기 한다.

12 나무판 위에 놓고 반죽 표면이 마르지 않게 비닐로 덮는다.

Point

중간 발효 시 실내 온도가 높을 경우에는 짧게, 낮을 경우에는 길게 한다(반죽 상태를 확인하면서).

성형하기

13 작업대 위에 적당히 덧가루를 뿌려 가며 밀대로 가스를 빼며 밀어 준다.

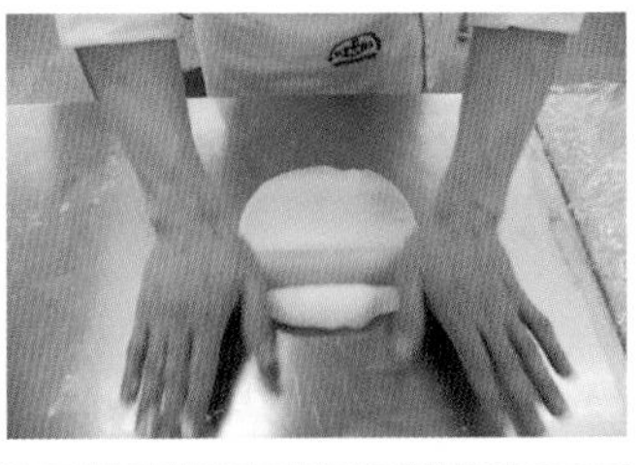

14 타원형의 모양으로 이음매 부분이 더 커지는 형태가 좋다.

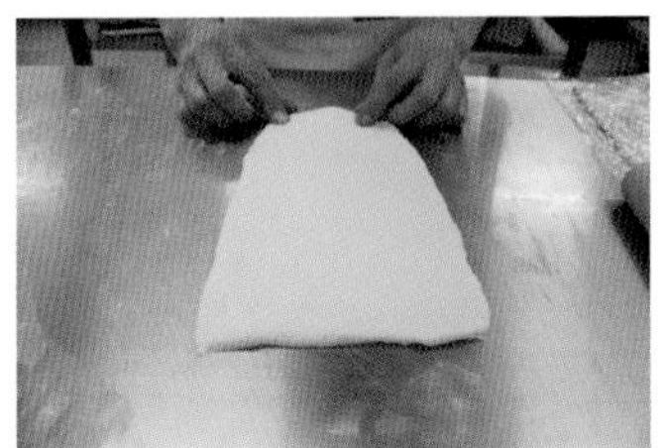

15 좁은 쪽부터 일자 형태가 되도록 살짝 당기듯 말아 간다(원로프형).

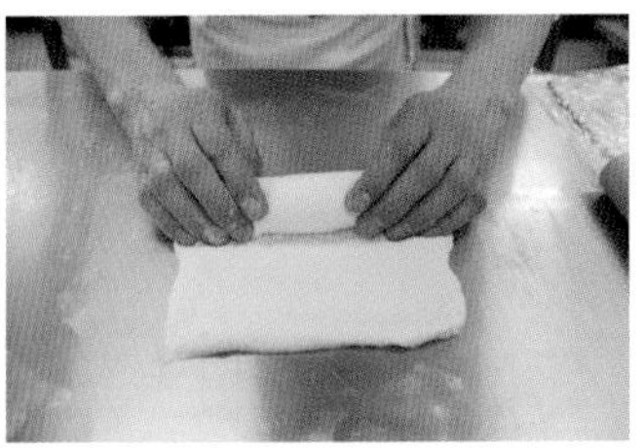

16 이음매 부분까지 말아 손으로 누르듯 붙여 준다.

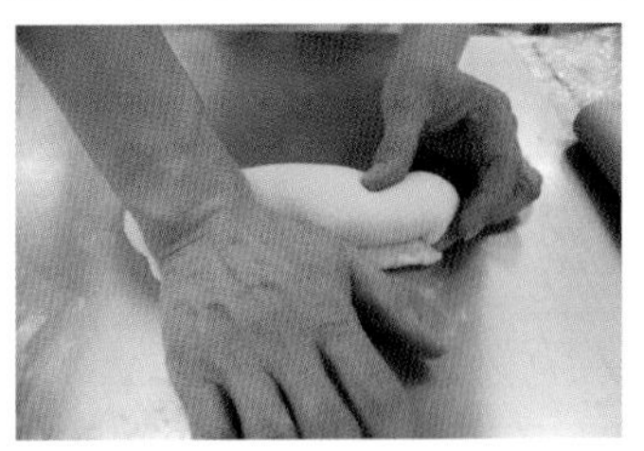

17 이음매가 일자가 되도록 다시 한 번 봉해 준다.

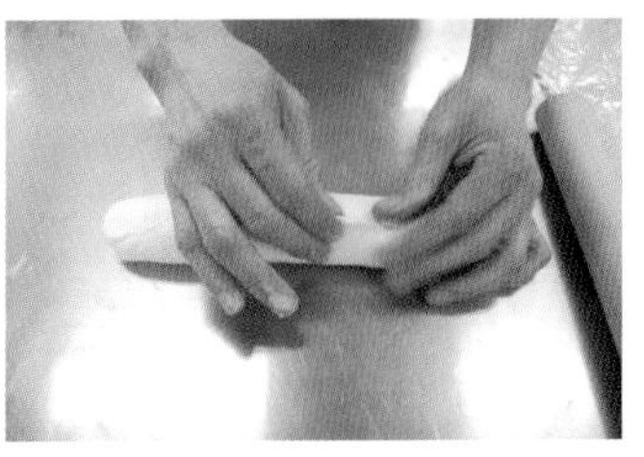

18 원로프형 완성

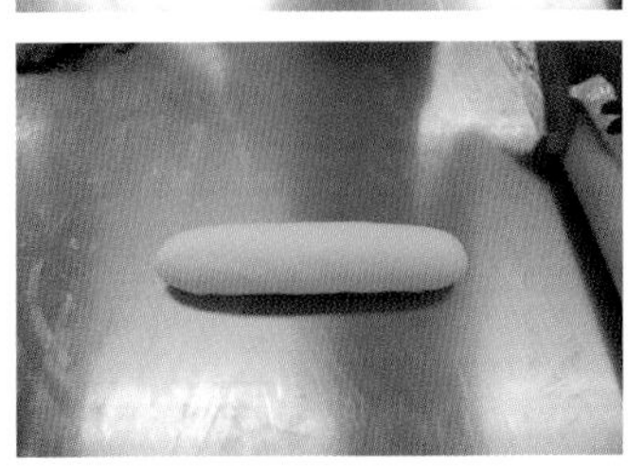

Point
반죽의 두께와 모양을 일정하게 밀어 주며, 성형 시 단단하게 말아 준다.

팬닝-2차 발효-토핑-굽기

19 평철판에 3개씩 간격을 일정하게 팬닝하여 2차 발효시킨다.

20 미리 만들어 놓은 토핑물의 되기를 확인한다.

21 2차 발효가 끝난 반죽에 토핑물을 스패튜라나 붓을 이용하여 바른다.

22 토핑물의 두께가 일정하고 균일하게 마무리한다.

23 윗불 180 ℃/아랫불 160 ℃로 예열된 오븐에 약 30분 정도 구워 낸다.

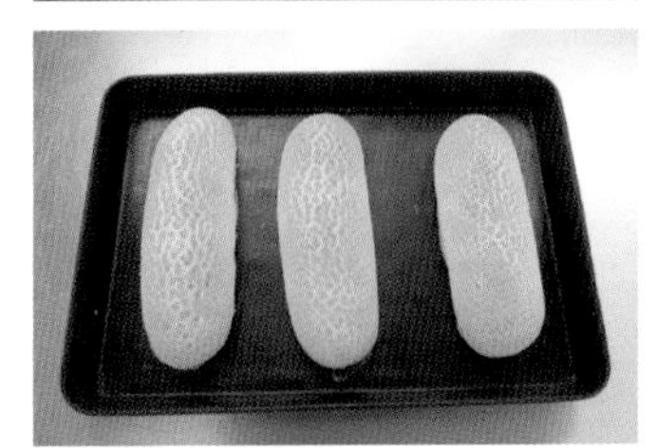

24 완제품

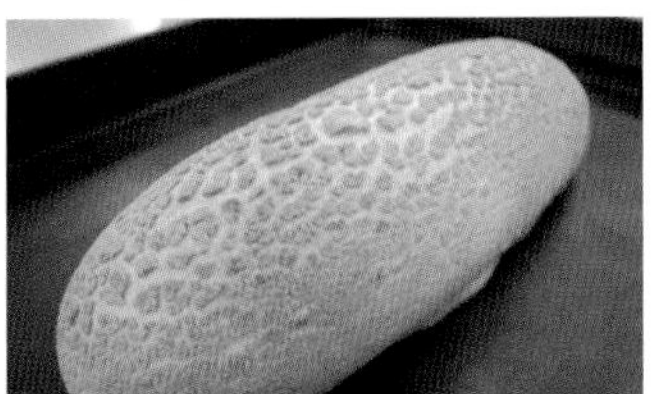

Point
토핑물을 바르는 시간이 걸리므로 발효가 조금 부족한 상태에서 토핑을 발라준다.

세부컷

토핑용 비스킷 만들기

01 반스텐볼에 마가린을 제외한 전 재료를 넣는다.

02 물을 부어 가볍게 혼합한다(멥쌀가루의 수분 상태에 따라 물량이 차이가 있으므로 물을 조금 남겨 되기를 맞춘다).

03 용해 마가린을 넣고 섞는다.

04 반죽을 완성한다.

05 비닐을 덮어 발효실에서 1차 발효시킨 후 토핑물의 되기를 확인하여 사용한다(반죽이 너무 질지 않도록 주의한다).

토핑 바르기 Tip

01 토핑용 반죽은 적당한 두께로 발라야 갈라짐이 좋다.
- 두꺼운 경우: 오븐에서 색이 잘 나지 않고 갈라짐이 크게 생성된다.
- 얇은 경우: 오븐에서 색이 빨리 나고 갈라짐이 적다.

02 토핑용 비스킷이 반죽 전체를 덮도록 발라 준다.

03 토핑용 비스킷의 되기가 너무 묽으면 흘러내리므로 붓을 이용하여 2~3회 정도 발라준다.

MEMO

15

호밀빵

제품 평가

부피 분할 무게에 맞게 부피가 알맞고, 모양이 균일하여야 한다.

껍질 호밀가루의 특징 상 표면이 약간 거칠 수 있다. 고른 색깔이 나야 하고, 반점, 줄무늬가 없어야 한다.

내상 기공과 조직이 고르고 호밀가루의 색깔이 반죽 전체에서 나야 한다.

외부 균형 찌그러짐이 없고 균형이 잘 맞아야 한다.

맛과 향 호밀가루 특유한 맛과 발효향이 잘 어울려야 한다.

국가 기술 자격 실기 시험 문제

자격 종목	제빵기능사	작품명	호밀빵

◈ **시험시간** 3시간 30분[표준시간: 3시간 30분, 연장시간: 없음]

요구사항

호밀빵을 제조하여 제출하시오.

❶ 배합표의 각 재료를 계량하여 재료별로 진열하시오(10분).

- 재료 계량(재료당 1분) → [감독위원 계량 확인] → 작품 제조 및 정리 정돈(전체 시험시간 - 재료 계량시간)
- 재료 계량시간 내에 계량을 완료하지 못하여 시간이 초과된 경우 및 계량을 잘못한 경우는 추가의 시간 부여 없이 작품 제조 및 정리 정돈 시간을 활용하여 요구사항의 무게대로 계량
- 달걀의 계량은 감독위원이 지정하는 개수로 계량

❷ 반죽은 스트레이트법으로 제조하시오.

❸ 반죽 온도는 25 ℃를 표준으로 하시오.

❹ 표준 분할 무게는 330 g으로 하시오.

❺ 제품의 형태는 타원형(럭비공 모양)으로 제조하고, 칼집 모양을 가운데 일자로 내시오.

❻ 반죽은 전량을 사용하여 성형하시오.

재료 목록

번호	재료명	규격	단위	수량	비고
1	밀가루	강력분	g	800	1인용
2	호밀가루	제빵용	g	350	1인용
3	이스트	생이스트	g	40	1인용
4	제빵개량제	제빵용	g	14	1인용
5	소금	정제염	g	25	1인용
6	황설탕		g	40	1인용
7	쇼트닝	제과제빵용	g	60	1인용
8	탈지분유	제과제빵용	g	25	1인용
9	몰트액	제과제빵용	g	25	1인용
10	식용유	대두유	ml	50	1인용
11	얼음	식용	g	200	1인용
12	위생지	식품용(8절지)	장	10	1인용
13	제품 상자	제품포장용	개	1	5인 공용

※ 국가기술자격 실기시험 지급 재료는 시험 종료 후(기권, 결시자 포함) 수험자에게 지급하지 않습니다.

배합표

재료명	비율(%)	무게(g)
강력분	70	770
호밀가루	30	330
이스트	3	33
제빵개량제	1	11(12)
물	60~65	660~715
소금	2	22
황설탕	3	33(34)
쇼트닝	5	55(56)
탈지분유	2	22
몰트액	2	22
계	178~183	1,958~2,016

재료 계량

반죽하기

01 믹서볼에 쇼트닝을 제외한 전 재료를 넣고 저속으로 믹싱하여 재료를 충분히 수화시킨다.

02 반죽 표면이 매끈해지는 클린업 단계가 되면 쇼트닝을 넣어준다.

03 중속으로 믹싱하면서 발전 단계 중반부까지 믹싱하여 반죽을 완성한다.

04 반죽 표면을 매끄럽게 정리해서 발효시킬 통에 넣어 반죽 온도를 측정한다(반죽 온도: 25 ℃).

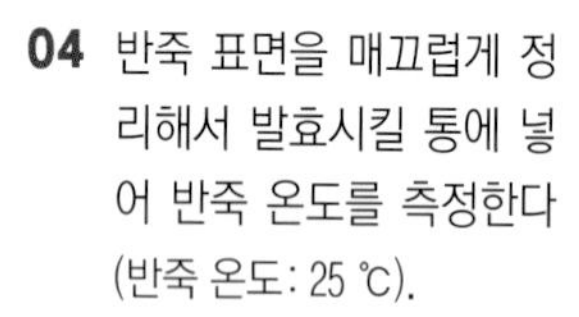

Point

① 반죽 온도가 높으면 반죽이 질어지기 쉽다.
② 몰트액은 물에 풀어 사용한다.
③ 호밀가루 사용이 늘어날수록 반죽 시간은 짧아진다.

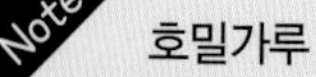

Note

호밀가루

호밀가루는 글루텐 형성 단백질량이 적고 수용성 당과 흡수율이 높은 펜토산 함량이 높다. 따라서 호밀가루의 반죽은 수분 흡수율이 높고 뚝뚝 끊어지면서 끈적끈적하고 비탄력적인 반죽이 형성되며, 반죽 수율이 높은 것이 특징이다.

1차 발효-분할-둥글리기-중간 발효

05 1차 발효 완료점을 확인한다(1차 발효실 관리: 온도 27 ℃, 습도 75~80%).

06 가능한 한두 번에 반죽을 분할할 수 있도록 한다.

07 330 g씩 분할한다.

08 큰 덩어리 빵은 두손으로 감싸듯 둥글리기를 완성한다.

09 나무판에 덧가루를 살짝 뿌린 후 놓는다.

10 중간 발효 중 반죽이 마르지 않도록 비닐을 덮어 둔다.

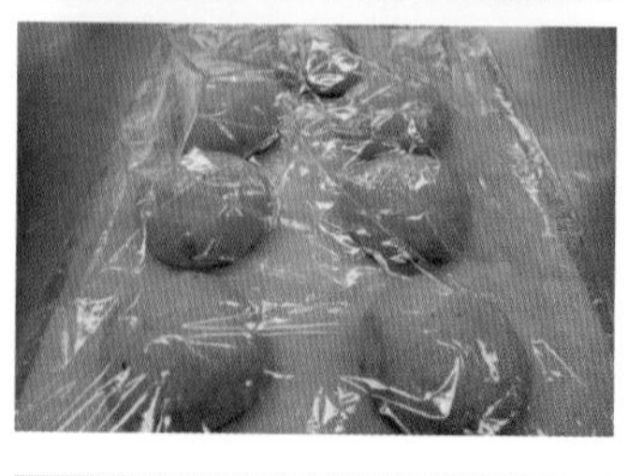

Point

① 반죽의 힘이 약하므로 둥글리기 시 표피가 터지지 않게 주의한다.
② 중간 발효 시간이 짧은 경우 성형 시 밀어 펴기에서 수축 현상이 일어나고, 발효가 오버되면 반죽이 쳐지게 되므로 주의한다.

성형하기

11 작업대 바닥과 밀대에 덧가루를 적당히 묻혀가며 반죽을 밀어 편다.

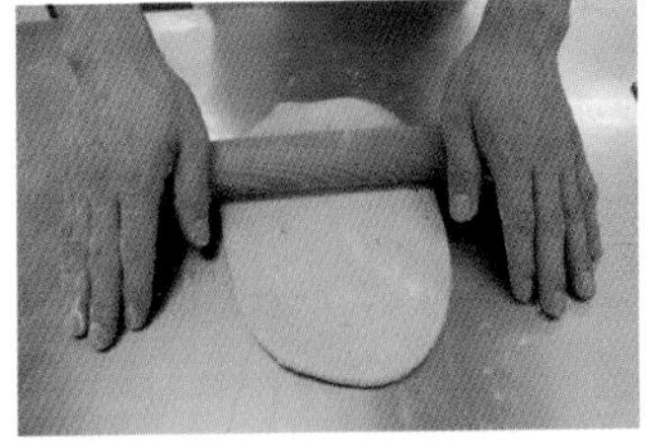

12 반죽을 밀어 펼 때는 너무 얇지 않게 밀어 준다.

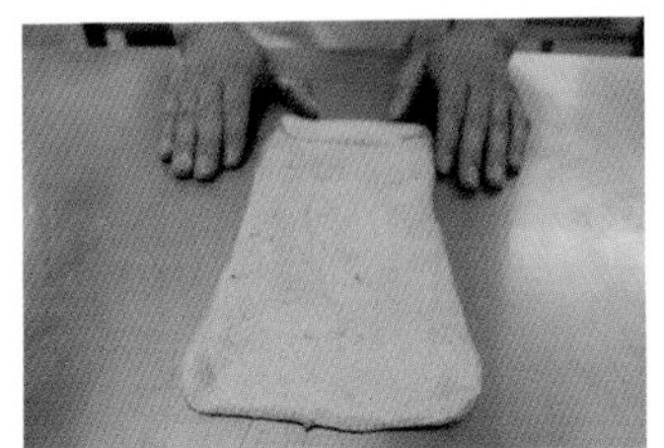

13 살짝 좁은 아래쪽에 위쪽 방향으로 당기듯 말아 올라간다(매끄러운 면이 표면으로 올라오게 말아야 한다).

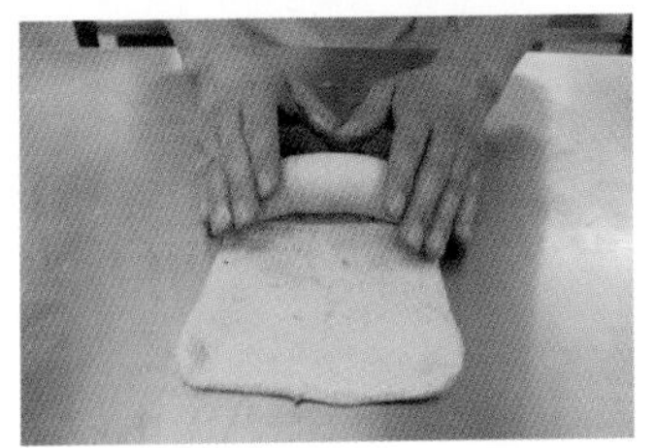

14 반죽 끝부분까지 잘 말리도록 이음매 부분을 약간 눌러 준 후 마무리한다(고구마형).

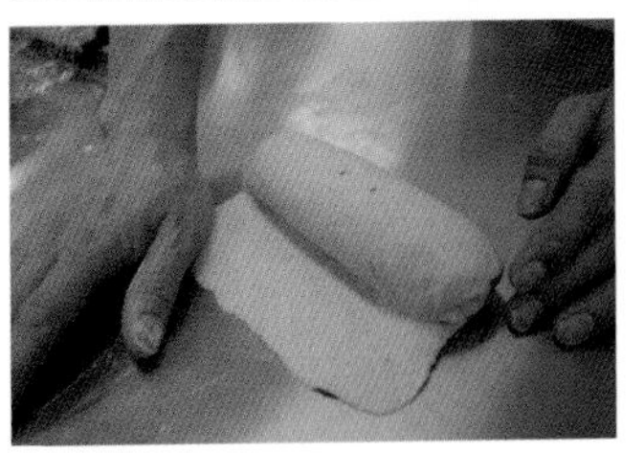

15 이음매가 뒤틀리지 않고 일자가 되도록 다시 한 번 손가락으로 봉해 준다.

16 성형 완성

Point 매듭 부분이나 옆면이 터질 수 있으니 성형 시 너무 세게 말지 않도록 한다.

팬닝-2차 발효-굽기-제출

17 평철판에 팬닝한다.

18 2차 발효 후 반죽에 물을 뿌려 준다(반죽 표면이 건조할 경우).

19 일자형으로 칼집을 내준다(2차 발효 관리: 온도 32~35 ℃, 습도: 85%).

20 윗불 180 ℃/아랫불 160 ℃ 오븐에서 약 30분 정도 굽는다.

21 칼집을 내서 구운 모습

22 완제품

Point

① 호밀빵은 일반 식빵보다 믹싱과 1차 발효는 약간 적게, 2차 발효는 충분히 하는 것이 좋다.
② 칼집을 넣는 빵은 2차 발효가 조금 덜 되었을 때 발효실에서 미리 꺼내 놓는다.
③ 믹싱을 많이 하면 빵의 옆면이 터질 수 있다.

16

버터 톱 식빵

제품 평가

부피 분할 무게에 맞게 부피가 알맞고, 모양이 균일하여야 한다.
껍질 윗면의 터짐이 균일해야 하고 빵의 전체 색깔이 황갈색으로 적당해야 한다.
내상 기공과 조직이 고르고 내상이 밝아야 한다.
외부 균형 찌그러짐이 없고 균형이 잘 맞아야 한다.
맛과 향 식감이 부드럽고 버터 향과 좋은 발효향이 나야 한다.

국가 기술 자격 실기 시험 문제

자격 종목	제빵기능사	작품명	버터 톱 식빵

◈ **시험시간** 3시간 30분[표준시간: 3시간 30분, 연장시간: 없음]

요구사항

버터 톱 식빵을 제조하여 제출하시오.

❶ 배합표의 각 재료를 계량하여 재료별로 진열하시오(9분).

- 재료 계량(재료당 1분) → [감독위원 계량 확인] → 작품 제조 및 정리 정돈 (전체 시험시간 - 재료 계량시간)
- 재료 계량시간 내에 계량을 완료하지 못하여 시간이 초과된 경우 및 계량을 잘못한 경우는 추가의 시간 부여 없이 작품 제조 및 정리 정돈 시간을 활용하여 요구사항의 무게대로 계량
- 달걀의 계량은 감독위원이 지정하는 개수로 계량

❷ 반죽은 스트레이트법으로 만드시오(단, 유지는 클린업 단계에서 첨가하시오).

❸ 반죽 온도는 27 ℃를 표준으로 하시오.

❹ 분할 무게 460 g 짜리 5개를 만드시오(한 덩이: one loaf).

❺ 윗면을 길이로 자르고 버터를 짜 넣는 형태로 만드시오.

❻ 반죽은 전량을 사용하여 성형하시오.

재료 목록

번호	재료명	규격	단위	수량	비고
1	밀가루	강력분	g	1,320	1인용
2	이스트	생이스트	g	53	1인용
3	설탕	정백당	g	80	1인용
4	탈지분유	제과제빵용	g	40	1인용
5	버터	무염	g	330	1인용
6	소금	정제염	g	24	1인용
7	제빵개량제	제빵용	g	14	1인용
8	식용유	대두유	ml	20	1인용
9	달걀	60 g (껍질 포함)	개	5	1인용
10	얼음	식용	g	100	1인용 (겨울철 제외)
11	위생지	식품용(8절지)	장	10	1인용
12	제품 상자	제품포장용	개	1	5인 공용

※ 국가기술자격 실기시험 지급 재료는 시험 종료 후(기권, 결시자 포함) 수험자에게 지급하지 않습니다.

배합표

재료명	비율(%)	무게(g)
강력분	100	1,200
물	40	480
이스트	4	48
제빵개량제	1	12
소금	1.8	21.6(22)
설탕	6	72
버터	20	240
탈지분유	3	36
달걀	20	240
계	195.8	2,349.6(2,350)
버터(바르기용)	5	60

※ 충전용 재료는 계량시간에서 제외

재료 계량

반죽하기

01 믹서볼에 버터를 제외한 전 재료를 넣는다.

02 저속으로 믹싱하여 재료를 충분히 수화시킨다.

03 반죽 표면이 매끈해지는 클린업 단계가 되면 버터를 투입한다.

04 중속과 고속으로 믹싱 속도를 조절하여 최종 단계까지 반죽한다.

05 반죽의 일부를 떼어내어 양손으로 펼쳐보아 글루텐막 상태를 확인한다.

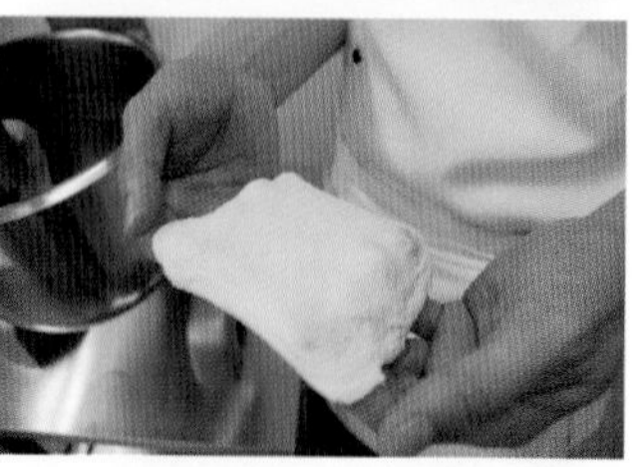

06 반죽 표면을 매끄럽게 정리해서 발효시킬 통에 넣어 반죽 온도를 측정한다 (반죽 온도: 27 ℃).

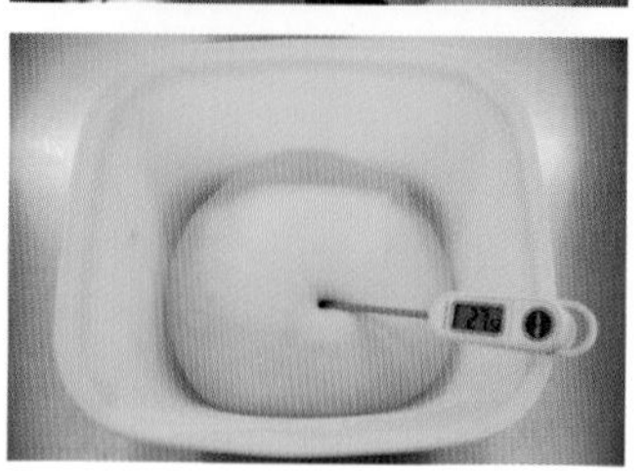

1차 발효-분할-둥글리기-중간 발효

07 1차 발효 완료를 확인한다 (1차 발효 관리: 온도 27 ℃, 습도: 75~80%).

08 큰 덩어리 빵은 가능한 한두 번에 분할하도록 한다.

09 460 g으로 분할한다.

10 두 손으로 가볍게 둥글리기 한다.

11 분할한 반죽을 나무판에 놓는다.

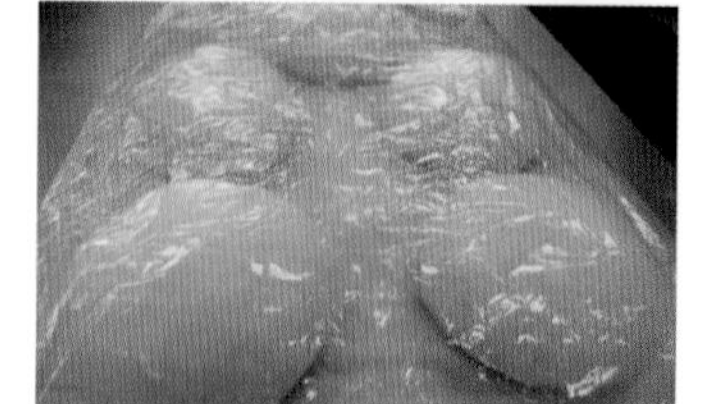

12 중간 발효 중 비닐을 덮어 준다.

> **Point**
> 둥글리기 한 반죽을 작업대에 두면 반죽 온도가 낮아지므로, 될 수 있으면 온도 영향을 덜 받는 나무판에 중간 발효를 하는 게 좋다.

성형하기

13 중간 발효된 반죽을 타원형으로 만든다.

14 덧가루를 적당히 사용하여 반죽이 너무 얇지 않게 밀어 편다.

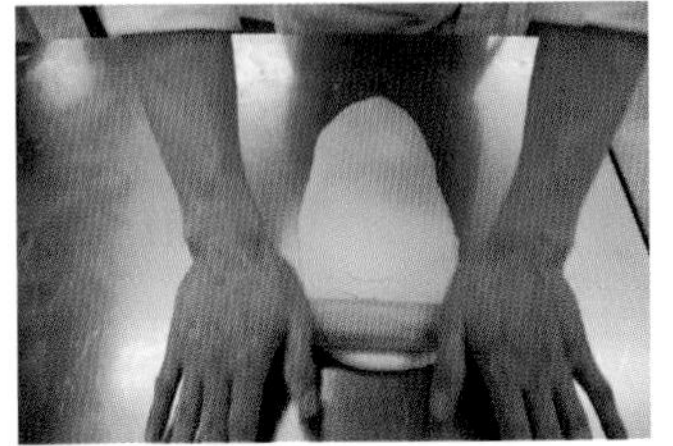

15 한 덩이 식빵은 밀대 길이(약 30~35 cm) 정도 크기면 적당하다.

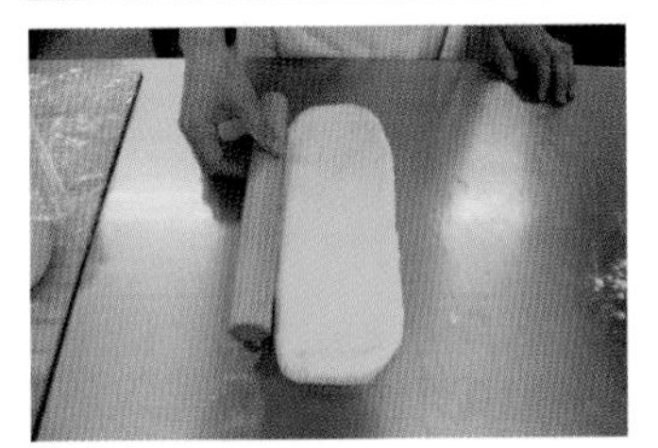

16 아래쪽 끝을 한번 말아 눌러 준 후 앞으로 말아 올라 간다.

17 이음매가 될 부분을 손으로 잘 눌러 준다.

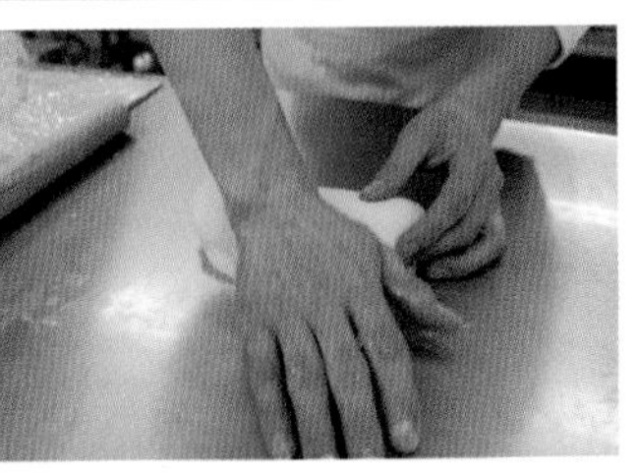

18 잘 붙지 않거나 비틀어지지 않도록 손으로 다시 한번 이음매를 일자로 봉해준다.

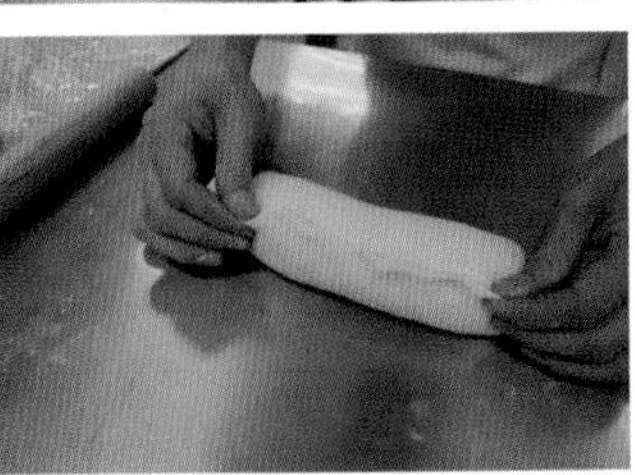

Point

밀대로 밀어 펼 때 반죽을 너무 길게 밀어펴지 않도록 한다.

팬닝-2차 발효-칼집 넣기-버터 짜기-굽기

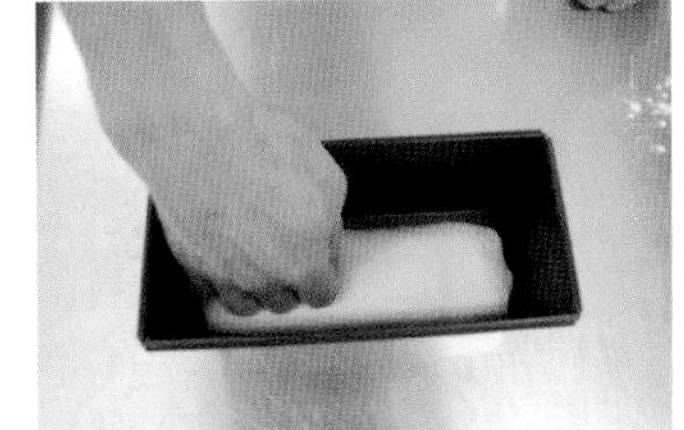

19 이음매가 팬 바닥으로 가게 하여 일자가 되도록 팬닝하고 손등으로 가볍게 누른다.

20 팬 밑 2 cm까지 발효하고 실온에서 살짝 건조시킨 후 일자로 칼집을 낸다(오븐에 넣는 시점이 식빵 틀 밑 1 cm이다).

21 부드러운 상태의 버터를 짤주머니에 담아 칼집 위에 한 줄 짜준다.

22 윗불 160 ℃/아랫불 180 ℃ 오븐에서 30~35분 정도 굽는다.

23 식빵은 구운 후 바로 틀에서 분리한다.

24 완제품

Point

① 식빵팬 밑 2 cm에서 2차 발효를 완료시켜 칼집을 넣도록 한다.
② 칼집을 내면서도 발효는 진행되므로 버터를 짜고 오븐에 넣을 때는 틀 밑 1 cm가 되도록 한다.
③ 미리 만들어 놓은 종이 짤주머니에 부드러운 버터를 넣어 짜도록 한다.

세부컷

01 밀대를 이용하여 반죽을 타원형으로 밀어 준다.

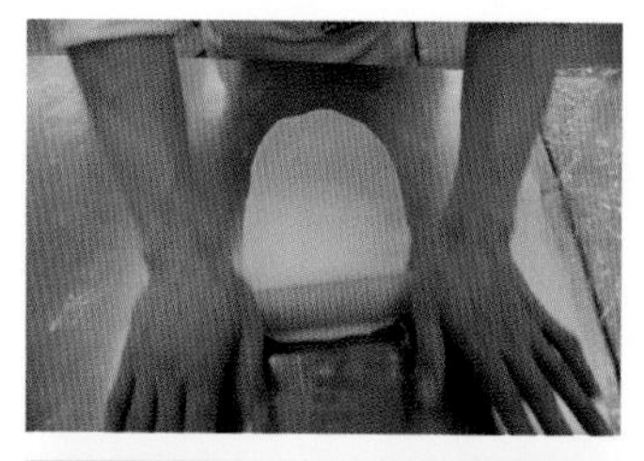

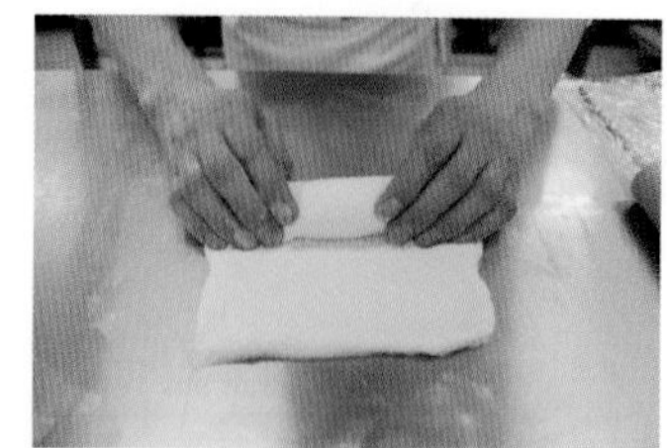

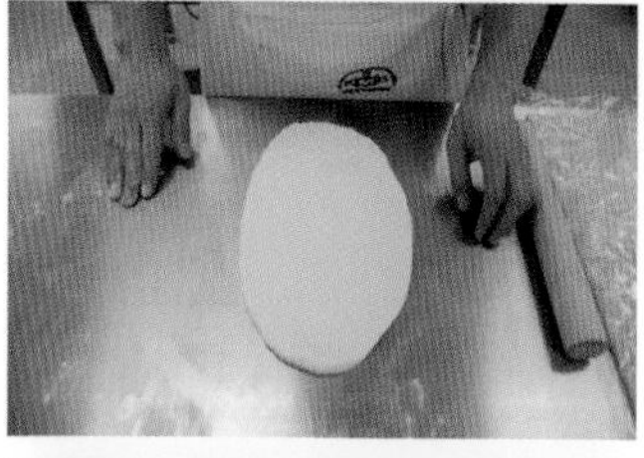

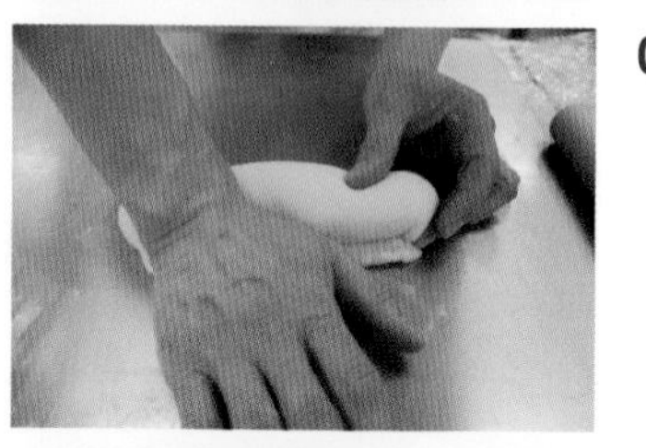

04 이음매 부분을 손으로 눌러 준다.

02 반죽 바닥면을 위로 하고 이음매가 될 부분을 일자로 펴서 눌러 준다.

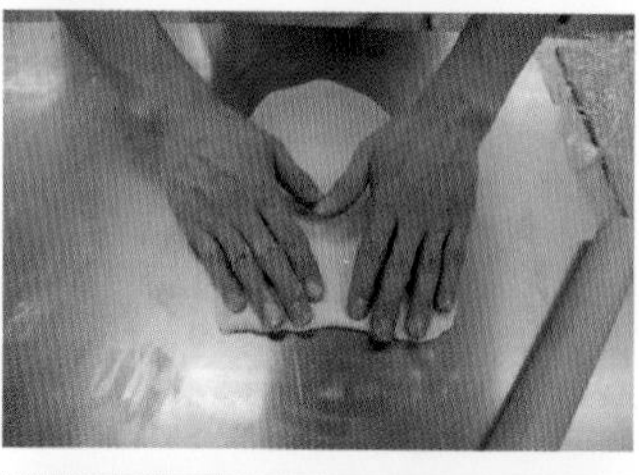

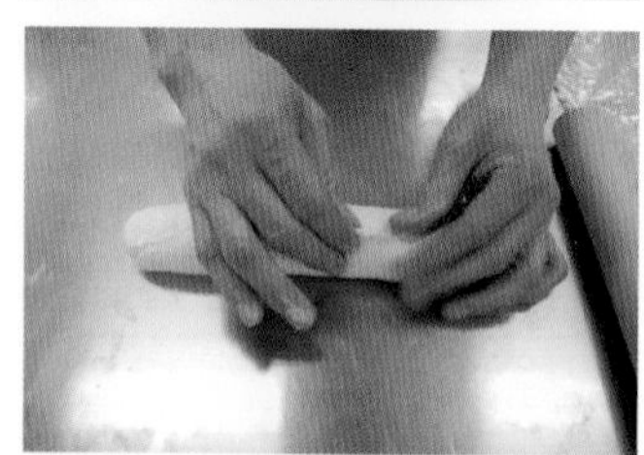

05 다시 한번 이음매를 일자로 봉해 준다.

03 좁은 쪽 반죽을 약간 당기듯이 말아 준다.

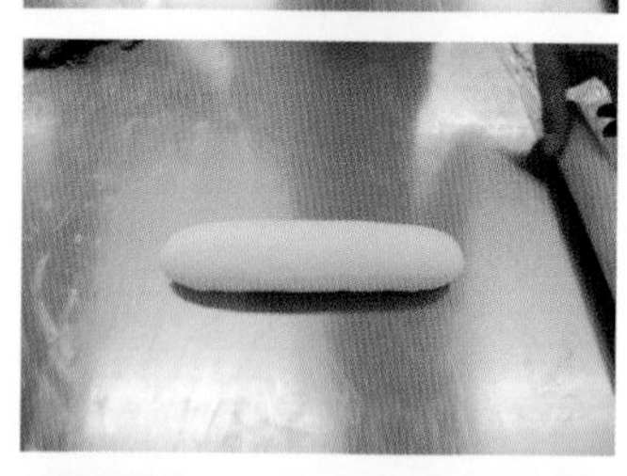

06 완성 모습(원로프형 완성)

【버터 1】
스패튜라를 이용하여 버터를 부드럽게 풀어 준다.

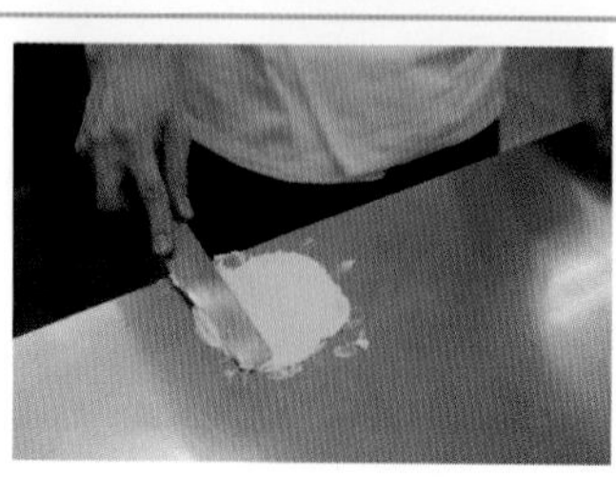

【버터 2】
부드러워진 버터를 종이주머니에 담는다.

1차 발효 완료 알기

- **눈** 크기가 약 3배로 부풀 시점
- **손** 손가락으로 발효된 반죽을 찔러 보아 반죽 끝이 살짝 오므리다 멈추는 시점
  손으로 반죽의 옆면을 당겨 보았을 때 거미줄 같은 직물구조가 확인되는 시점
- **시간** 시험장에서의 1차 발효 시간은 약 30~40분 사이(시간보다는 상태 파악이 중요!)

17

옥수수 식빵

제품 평가

부피 분할 무게에 맞게 부피가 알맞고, 모양이 균일하여야 한다.
껍질 껍질이 부드럽고 고른 색깔이 나야 하며 반점, 줄무늬가 없어야 한다.
내상 기공과 조직이 고르고 옥수수 색상이 반죽 전체에 나야 한다.
외부 균형 찌그러짐이 없고 균형이 잘 맞아야 한다.
맛과 향 옥수수의 구수한 맛과 향이 나야 한다.
씹는 촉감이 부드럽고, 은은한 발효향이 나야 한다.

국가 기술 자격 실기 시험 문제

자격 종목	제빵기능사	작품명	옥수수 식빵

◈ **시험시간** 3시간 40분[표준시간: 3시간 40분, 연장시간: 없음]

요구사항

옥수수 식빵을 제조하여 제출하시오.

❶ 배합표의 각 재료를 계량하여 재료별로 진열하시오(10분).

- 재료 계량(재료당 1분) → [감독위원 계량 확인] → 작품 제조 및 정리 정돈(전체 시험시간 - 재료 계량시간)
- 재료 계량시간 내에 계량을 완료하지 못하여 시간이 초과된 경우 및 계량을 잘못한 경우는 추가의 시간 부여 없이 작품 제조 및 정리 정돈 시간을 활용하여 요구사항의 무게대로 계량
- 달걀의 계량은 감독위원이 지정하는 개수로 계량

❷ 반죽은 스트레이트법으로 제조하시오(단, 유지는 클린업 단계에서 첨가하시오).

❸ 반죽 온도는 27 ℃를 표준으로 하시오.

❹ 표준 분할 무게는 180 g으로 하고, 제시된 팬의 용량을 감안하여 결정하시오(단, 분할 무게×3을 1개의 식빵으로 함).

❺ 반죽은 전량을 사용하여 성형하시오.

재료 목록

번호	재료명	규격	단위	수량	비고
1	밀가루	강력분	g	1,060	1인용
2	옥수수 분말	제과제빵용(알파)	g	260	1인용
3	이스트	생이스트	g	45	1인용
4	제빵개량제	제빵용	g	15	1인용
5	소금	정제염	g	25	1인용
6	설탕	정백당	g	100	1인용
7	쇼트닝	제과제빵용	g	100	1인용
8	탈지분유	제과제빵용	g	40	1인용
9	달걀	60 g (껍질 포함)	개	2	1인용
10	식용유	대두유	ml	50	1인용
11	얼음	식용	g	200	1인용 (겨울철 제외)
12	위생지	식품용(8절지)	장	10	1인용
13	제품 상자	제품포장용	개	1	5인 공용

※ 국가기술자격 실기시험 지급 재료는 시험 종료 후(기권, 결시자 포함) 수험자에게 지급하지 않습니다.

배합표

재료명	비율(%)	무게(g)
강력분	80	960
옥수수분말	20	240
물	60	720
이스트	3	36
제빵개량제	1	12
소금	2	24
설탕	8	96
쇼트닝	7	84
탈지분유	3	36
달걀	5	60
계	189	2,268

재료 계량

반죽하기

01 믹서볼에 쇼트닝을 제외한 전 재료를 넣는다.

02 저속으로 믹싱하여 재료를 충분히 수화시킨다.

03 반죽 표면이 매끈해지는 클린업 단계가 되면 쇼트닝을 넣어준다.

04 중속과 고속으로 믹싱 속도를 조절하여 최종 단계까지 반죽한다.

05 반죽의 일부를 떼어내어 양손으로 글루텐막 상태를 확인한다.

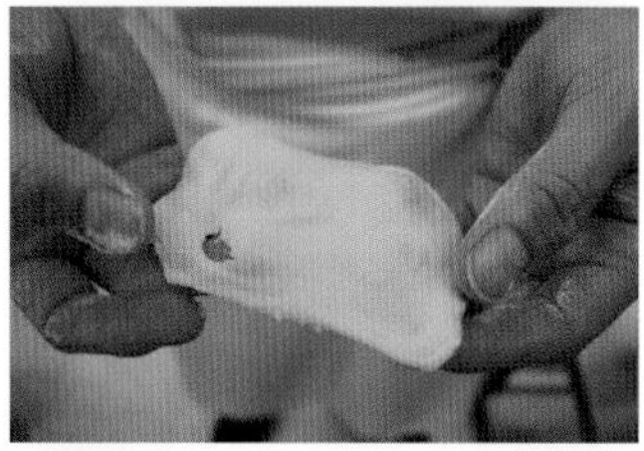

06 반죽 표면을 매끄럽게 정리해서 발효시킬 통에 넣어 반죽 온도를 측정한다(반죽 온도: 27℃).

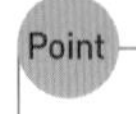

오버 믹싱을 하면 반죽이 쳐질 수 있으니 주의한다(일반 식빵에 비하여 믹싱시간이 짧다).

1차 발효-분할-둥글리기-중간 발효

07 1차 발효 상태를 확인한다(1차 발효실 관리: 온도 27℃, 습도: 75~80%).

08 반죽을 180 g씩 분할한다.

09 두 손으로 감싸는 듯한 동작으로 표면을 매끄럽게 둥글리기 한다.

10 나무판 위에 놓고 비닐을 덮어 표면이 마르지 않게 유의하면서 중간 발효시킨다.

Note

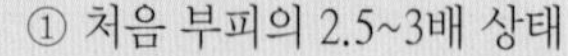

1차 발효 확인점

① 처음 부피의 2.5~3배 상태
② 손가락에 덧가루를 묻혀 찔러 보았을 때 반죽의 오므라드는 현상이 거의 없는 상태
③ 반죽 내부에 거미줄과 같은 섬유질 상태가 보일 때

잠깐

활성글루텐(건조 글루텐)

밀가루 외의 가루가 첨가된 제품 믹싱 시 부족하게 되는 단백질을 보충하기 위하여 밀가루에 들어 있는 글루텐을 뽑아 수분을 6% 이하로 건조시킨 가루를 넣는데, 이것이 활성글루텐이며 밀가루 대비 2~3% 사용한다.

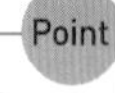

① 중간 발효 시간이 짧을 경우 반죽이 수축되어 밀어 펴기가 어려우므로 유의한다.
② 반죽 상태와 반죽 온도에 따라 발효 시간을 조절한다.

성형하기

11 중간 발효가 끝나면 밀대를 이용하여 가볍게 밀어 편다.

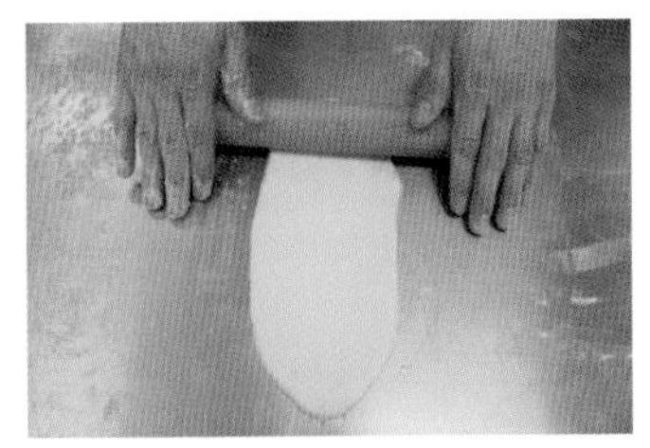

12 반죽의 바닥 면이 위로 가게 하여 3겹 접기를 한다.

13 한쪽 끝을 삼각형 모양으로 양쪽에서 접어 준다.

14 살짝 당기듯 말아 준다.

15 말기가 끝나면 끝부분을 손으로 눌러 주어 이음매가 잘 붙도록 다시 한번 봉해 준다.

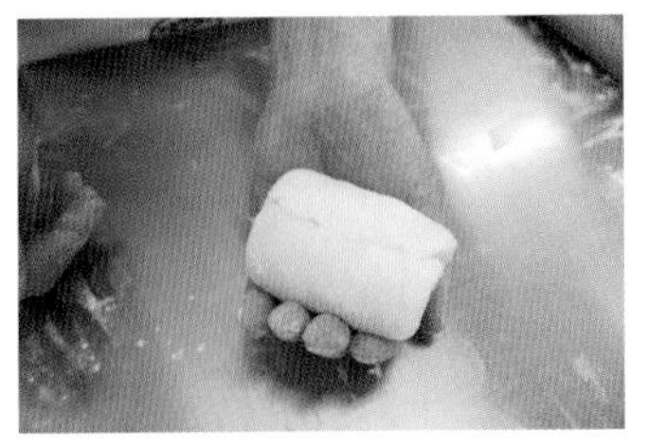

16 같은 팬에 들어가는 반죽은 좌우대칭이 되도록 한다.

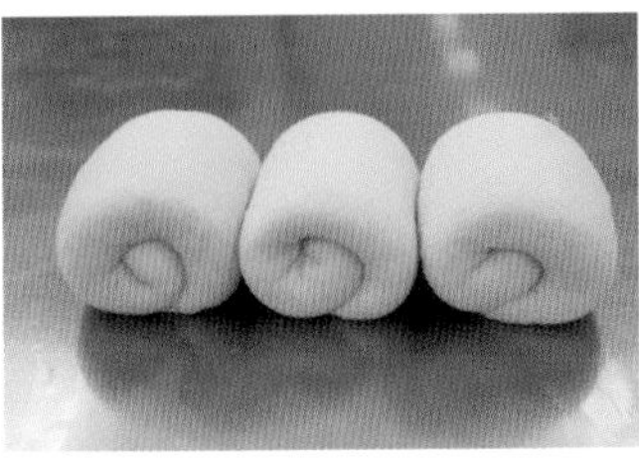

> **Point**
>
> 옥수수 식빵 반죽은 표면이 찢어지기 쉽고 손상된 표면이 완제품 표면으로 그대로 구워지기 때문에 일반 식빵 성형보다 가볍게 작업한다.

팬닝-2차 발효-굽기-제출

17 이음매가 팬 바닥 쪽이 되도록 하여 팬닝한 후 손등으로 가볍게 눌러 준다.

18 2차 발효는 팬 위 1~1.5 cm까지 한다(2차 발효실 관리: 온도 35~38 ℃, 습도: 80~85%).

19 식빵 윗면에 달걀물을 바른다.

20 윗불 160 ℃/아랫불 180 ℃로 미리 예열된 오븐에 약 30분 굽는다.

21 오븐에서 꺼낸 후 틀에서 바로 빼도록 한다.

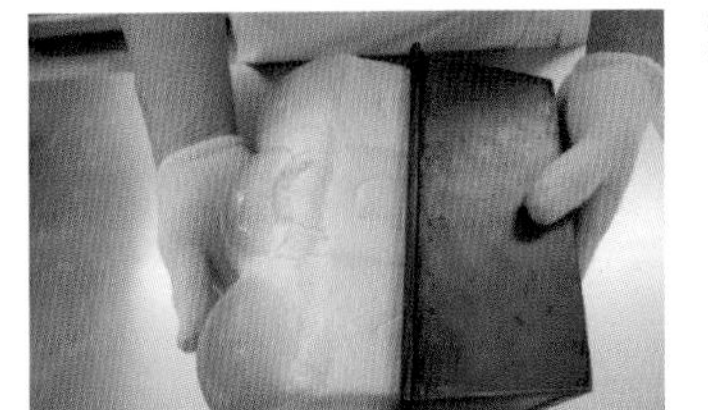

22 완제품

> **Point**
>
> ① 옥수수 식빵은 오븐 스프링이 적게 일어나므로 2차 발효점을 조금 높게 보는 게 좋다.
> ② 빵을 오븐에서 빼어 작업대에 놓으면서 약간의 충격을 준다(빵의 찌그러짐을 방지).

18

모카빵

제품 평가

부피 분할 무게에 맞게 부피가 알맞고, 모양이 균일하여야 한다.
껍질 껍질이 부드럽고 고른 색깔이 나야 하며 반점, 줄무늬가 없어야 한다.
내상 기공과 조직이 고르고 밝은 커피색을 띠어야 한다.
외부 균형 찌그러짐이 없고 균형이 잘 맞아야 한다.
맛과 향 비스킷의 고소함과 빵의 풍미가 조화를 이뤄야 하고, 커피향과 발효향이 잘 어울려야 한다.

국가 기술 자격 실기 시험 문제

자격 종목	제빵기능사	작품명	모카빵

◈ **시험시간** 3시간 30분[표준시간: 3시간 30분, 연장시간: 없음]

요구사항

모카빵을 제조하여 제출하시오.

❶ 배합표의 빵반죽 재료를 계량하여 재료별로 진열하시오(11분).

- 재료 계량(재료당 1분) → [감독위원 계량 확인] → 작품 제조 및 정리 정돈(전체 시험시간 - 재료 계량시간)
- 재료 계량시간 내에 계량을 완료하지 못하여 시간이 초과된 경우 및 계량을 잘못한 경우는 추가의 시간 부여 없이 작품 제조 및 정리 정돈 시간을 활용하여 요구사항의 무게대로 계량
- 달걀의 계량은 감독위원이 지정하는 개수로 계량

❷ 반죽은 '스트레이트법'으로 제조하시오(단, 유지는 클린업 단계에서 첨가하시오).

❸ 반죽 온도는 27 ℃를 표준으로 하시오.

❹ 반죽 1개의 분할 무게는 250 g, 비스킷은 1개당 100 g씩으로 제조하시오.

❺ 제품의 형태는 타원형(럭비공 모양)으로 제조하시오.

❻ 토핑용 비스킷은 주어진 배합표에 따라 직접 제조하시오.

❼ 완제품 6개를 제출하고 남은 반죽은 감독위원 지시에 따라 별도로 제출하시오.

배합표

【반죽】

재료명	비율(%)	무게(g)
강력분	100	850
물	45	382.5(382)
이스트	5	42.5(42)
제빵개량제	1	8.5(8)
소금	2	17(16)
설탕	15	127.5(128)
버터	12	102
탈지분유	3	25.5(26)
달걀	10	85(86)
커피	1.5	12.75(12)
건포도	15	127.5(128)
계	209.5	1,780.75 (1,780)

【토핑용 비스킷】

재료명	비율(%)	무게(g)
박력분	100	350
버터	20	70
설탕	40	140
달걀	24	84
베이킹파우더	1.5	5.25(5)
우유	12	42
소금	0.6	2.1(2)
계	198.1	693.35 (693)

※ 충전용·토핑용 재료는 계량시간에서 제외

재료 목록

번호	재료명	규격	단위	수량	비고
1	밀가루	강력분	g	950	1인용
2	밀가루	박력분	g	400	1인용
3	이스트	생이스트	g	50	1인용
4	소금	정제염	g	25	1인용
5	설탕	정백당	g	400	1인용
6	제빵개량제	제빵용	g	10	1인용
7	버터	무염	g	190	1인용
8	탈지분유	제과제빵용	g	30	1인용
9	달걀	60 g (껍질 포함)	개	4	1인용
10	커피	분말	g	18	1인용
11	건포도	제과제빵용	g	150	1인용
12	베이킹파우더	제과제빵용	g	10	1인용
13	우유	시유	ml	55	1인용
14	식용유	대두유	ml	50	1인용
15	위생지	식품용(8절지)	장	10	1인용
16	제품 상자	제품포장용	개	1	5인 공용
17	얼음	식용	g	200	1인용 (겨울철 제외)

※ 국가기술자격 실기시험 지급 재료는 시험 종료 후(기권, 결시자 포함) 수험자에게 지급하지 않습니다.

재료 계량

반죽하기

01 믹서볼에 마가린과 건포도를 제외한 전 재료를 넣는다.

02 반죽 표면과 볼이 깨끗해지는 클린업 단계가 되면 마가린을 넣어준다.

03 중속에서 고속으로 믹싱 속도를 조절하여 최종 단계까지 반죽한다.

04 반죽 표면이 매끈하며 윤기가 흐르는 최종 단계로 반죽이 완성되면, 전처리한 건포도를 넣어 저속으로 혼합한다.

05 건포도가 반죽 전체에 고루 섞이도록 하여 완성한다.

06 반죽 표면을 매끄럽게 정리하여 발효통에 넣어 반죽 온도를 측정한다(반죽 온도: 27℃).

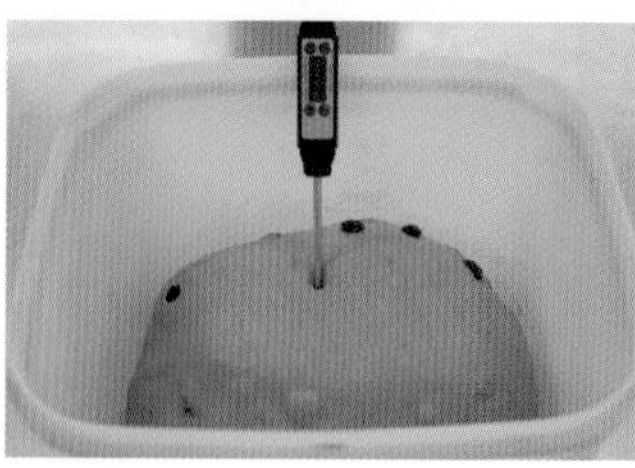

Point

① 실제 시험장에서 전처리는 간단하게 건포도가 물에 잠길 정도로 한다(겨울철: 온수, 여름철: 냉수).
② 건포도의 물기를 제거하고 손을 이용하여 반죽과 섞어 준 후 저속으로 혼합한다.

1차 발효-분할-중간 발효

07 1차 발효를 확인한다(1차 발효실 관리: 온도 27 ℃, 습도 75~80%).

08 반죽을 신속하게 분할한다.

09 반죽은 250 g, 토핑은 100 g씩 분할한다.

10 양손으로 가볍게 둥글리기 한다.

11 나무판에 놓고 중간 발효시킨다.

12 반죽이 마르지 않도록 비닐을 덮는다.

Point

① 1차 발효 시 토핑을 제조한다.
② 중간 발효 시 토핑을 미리 분할해 놓는다.

성형하기

13 중간 발효된 반죽을 밀대로 밀어 가스를 빼고 타원형이 되도록 한다.

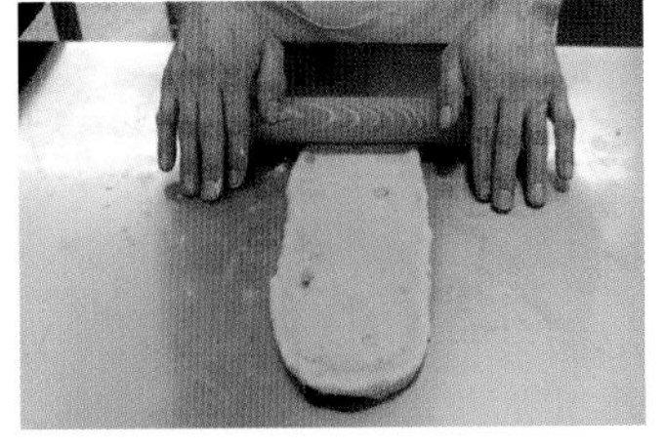

14 반죽의 한쪽 끝부터 말아 가면서 고구마형이 되도록 한다.

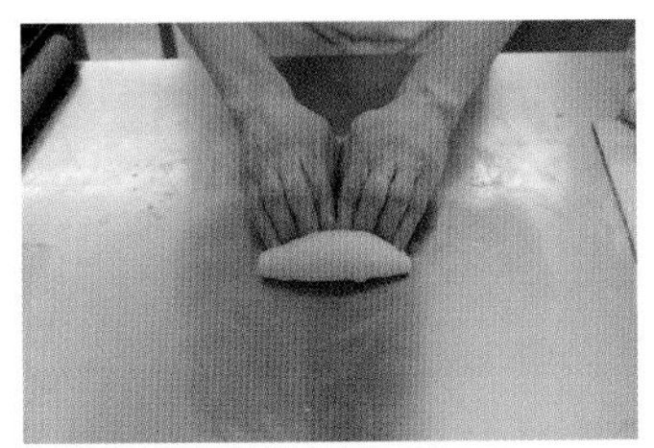

15 반죽의 이음매가 일자가 되도록 봉해 준다.

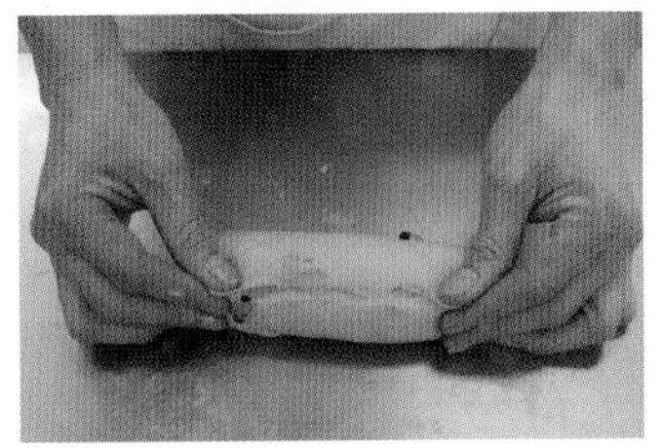

16 토핑 크기를 조절한다.

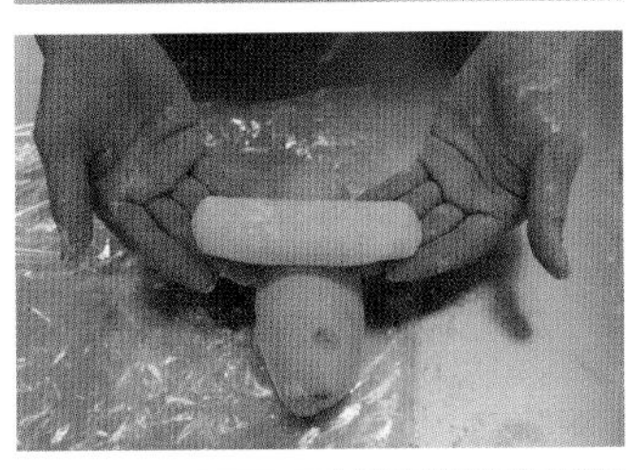

17 반죽을 감싸 줄 크기로 토핑을 밀어 준 후 성형한 반죽의 이음매가 위가 되도록 토핑 위에 올린다.

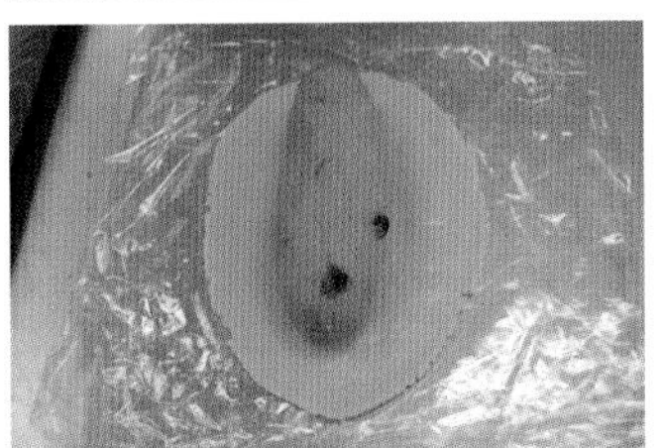

18 비닐과 반죽을 같이 뒤집어 완전히 감싸도록 한다.

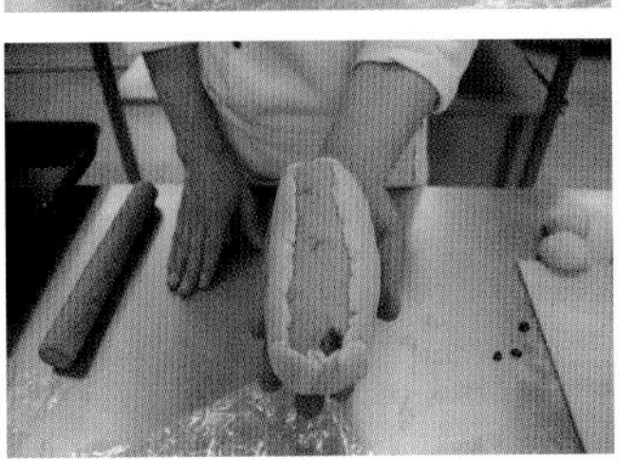

Point

① 성형 중 표면에 튀어 나온 건포도는 떼어내어 바닥으로 넣어준다.
② 토핑을 밀어 펼 때 가운데 부분을 약간 두껍게 해준다.

팬닝-2차 발효-굽기-제출

19 평철판에 3개씩 팬닝한다.

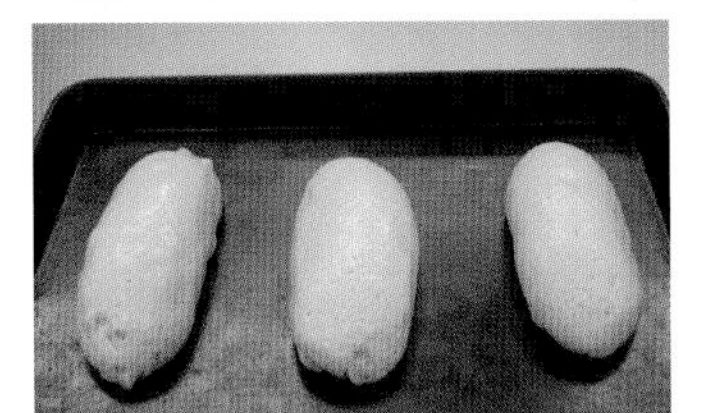

20 2차 발효시킨다(2차 발효실 관리: 온도 35~38 ℃, 습도 80~85%).

21 윗불 180 ℃/아랫불 160 ℃로 예열된 오븐에서 약 25~30분 정도 굽는다.

22 구워진 제품은 냉각판에 옮긴다.

23 냉각판에 일정하게 나열하여 제출한다.

24 완제품

Point

발효실 온도, 습도가 너무 높으면 비스킷 반죽의 설탕이 녹아 구멍이 생기거나 찢어짐이 생길 수 있다.

세부컷

01 버터를 풀고 설탕을 넣어 크림화한다.

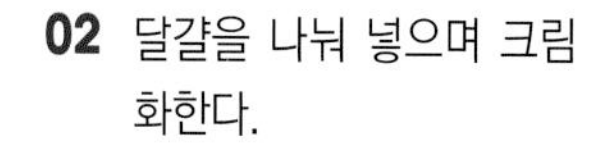

02 달걀을 나눠 넣으며 크림화한다.

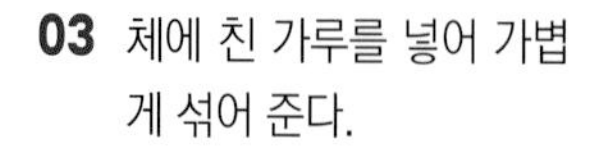

03 체에 친 가루를 넣어 가볍게 섞어 준다.

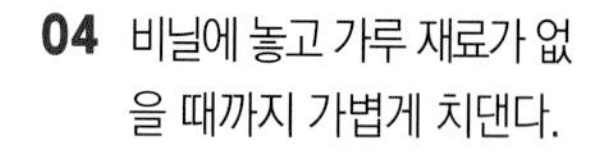

04 비닐에 놓고 가루 재료가 없을 때까지 가볍게 치댄다.

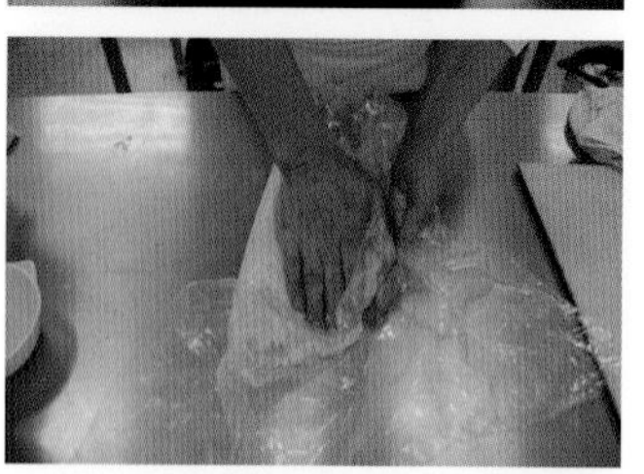

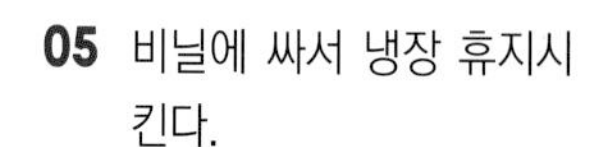

05 비닐에 싸서 냉장 휴지시킨다.

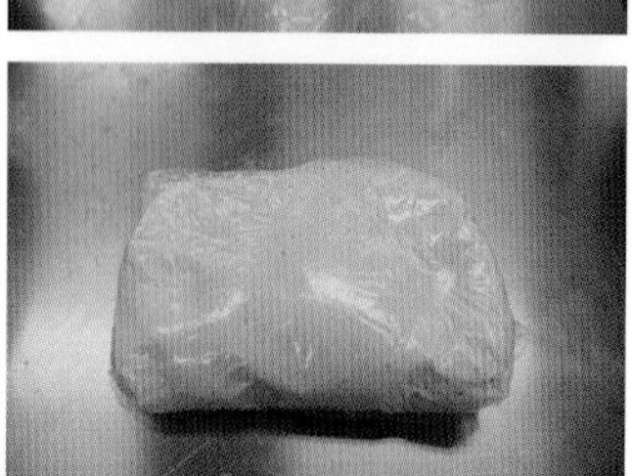

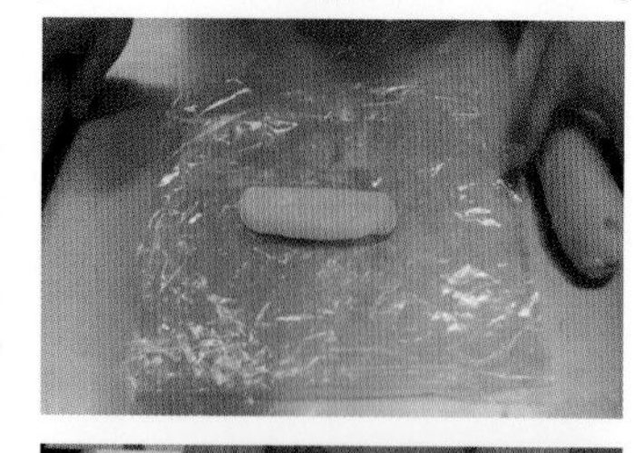

06 작업대에 비닐을 깔고 토핑을 놓는다.

07 토핑을 반죽보다 약간 크게 밀어 편다(가운데 부분은 약간 두껍게 한다).

08 붓으로 토핑에 물을 칠한다.

09 반죽의 이음매 부분을 위로 하여 반죽을 놓는다.

10 토핑으로 반죽을 감싸 준다.

11 완성

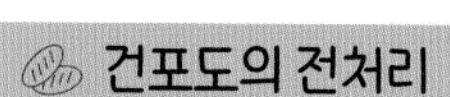

건포도의 전처리

건포도 무게의 12%를 물(27 ℃)에 넣었다가 4시간 후에 사용한다.

MEMO

19

버터롤

제품 평가

부피 분할 무게에 맞게 부피가 알맞고, 모양이 균일하여야 한다.
껍질 껍질이 부드럽고 고른 색깔이 나야 하며 반점, 줄무늬가 없어야 한다.
내상 기공과 조직이 고르고 내상이 밝아야 한다.
외부 균형 찌그러짐이 없고 균형이 잘 맞아야 한다.
맛과 향 식감이 부드럽고 좋은 발효향이 나야 한다.

국가 기술 자격 실기 시험 문제

자격 종목	제빵기능사	작품명	버터롤

◈ **시험시간** 3시간 30분[표준시간: 3시간 30분, 연장시간: 없음]

요구사항

버터롤을 제조하여 제출하시오.

❶ 배합표의 각 재료를 계량하여 재료별로 진열하시오(9분).

- 재료 계량(재료당 1분) → [감독위원 계량 확인] → 작품 제조 및 정리 정돈 (전체 시험시간 - 재료 계량시간)
- 재료 계량시간 내에 계량을 완료하지 못하여 시간이 초과된 경우 및 계량을 잘못한 경우는 추가의 시간 부여 없이 작품 제조 및 정리 정돈 시간을 활용하여 요구사항의 무게대로 계량
- 달걀의 계량은 감독위원이 지정하는 개수로 계량

❷ 반죽은 '스트레이트법'으로 제조하시오(단, 유지는 클린업 단계에 첨가하시오).

❸ 반죽 온도는 27 ℃를 표준으로 하시오.

❹ 반죽 1개의 분할 무게는 50 g으로 제조하시오.

❺ 제품의 형태는 번데기 모양으로 제조하시오.

❻ 24개를 성형하고, 남은 반죽은 감독위원의 지시에 따라 별도로 제출하시오.

재료 목록

번호	재료명	규격	단위	수량	비고
1	밀가루	강력분	g	990	1인용
2	이스트	생이스트	g	40	1인용
3	소금	정제염	g	20	1인용
4	설탕	정백당	g	100	1인용
5	제빵개량제	제빵용	g	10	1인용
6	버터	무염	g	150	1인용
7	탈지분유	제과제빵용	g	30	1인용
8	달걀	60 g (껍질 포함)	개	2	1인용
9	식용유	대두유	ml	50	1인용
10	위생지	식품용(8절지)	장	10	1인용
11	제품 상자	제품포장용	개	1	5인 공용
12	얼음	식용	g	200	1인용 (겨울철 제외)

※ 국가기술자격 실기시험 지급 재료는 시험 종료 후(기권, 결시자 포함) 수험자에게 지급하지 않습니다.

배합표

재료명	비율(%)	무게(g)
강력분	100	900
설탕	10	90
소금	2	18
버터	15	135(134)
탈지분유	3	27(26)
달걀	8	72
이스트	4	36
제빵개량제	1	9(8)
물	53	477(476)
계	196	1,764

재료 계량

반죽하기

01 믹서볼에 버터를 제외한 전 재료를 넣는다.

02 저속으로 믹싱하여 재료를 충분히 수화시킨다.

03 반죽 표면과 볼이 깨끗해지는 클린업 단계가 되면 버터를 넣어준다.

04 중속에서 고속으로 믹싱 속도를 조절하여 최종 단계까지 반죽한다.

05 반죽의 일부를 떼어 양손으로 글루텐막 상태를 확인한다.

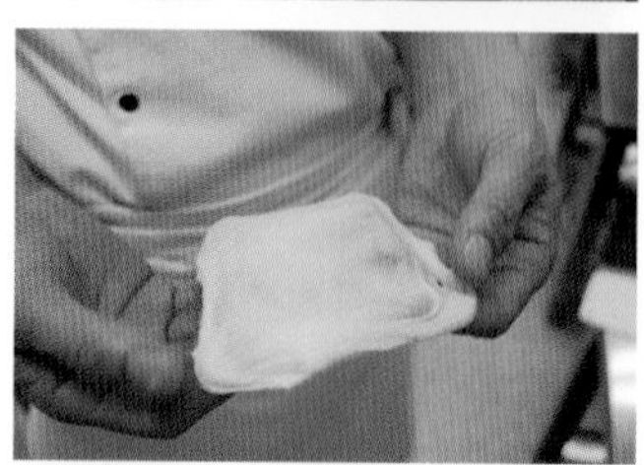

06 반죽 표면을 매끄럽게 정리하여 발효통에 넣어 반죽 온도를 측정한다(반죽 온도: 27 ℃).

Point

손가락 지문이 보일 정도의 얇고 매끄러운 반투명한 막이 생겨야 한다.

1차 발효-분할-중간 발효

07 1차 발효하여 상태를 확인한다(1차 발효실 조건: 온도 27 ℃, 습도 75~80%).

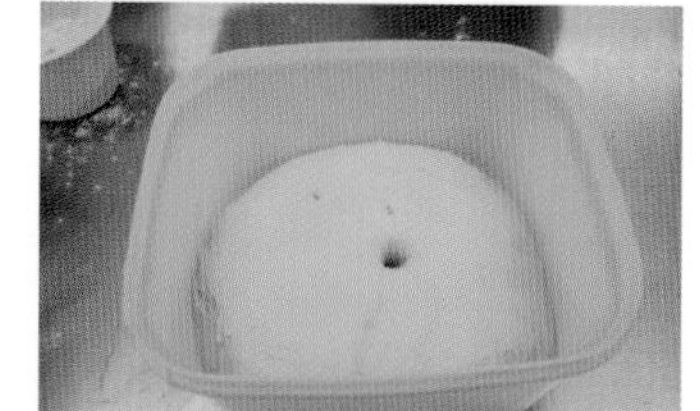

08 손이나 스크레이퍼를 이용해서 신속하게 분할한다.

09 50 g씩 분할한다.

10 손바닥 위에 분할한 반죽을 올려 둥글리기 한다.

11 반죽이 매끄럽고 모양이 일정하게 둥글리기를 완성한다.

12 순서대로 나무판에 나열하여 중간 발효시킨다.

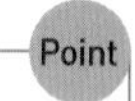

분할 도중에도 발효가 진행되므로 짧은 시간 내에 분할하도록 한다.

성형하기

13 둥글리기 한 순서대로 원뿔 모양으로 밀어 놓는다(한쪽 끝은 둥글고, 다른 한쪽 끝은 뾰족한 모양).

14 나무판에 나열하고 반죽 개수가 많으므로 표면이 마르지 않도록 비닐을 덮어 놓는다.

15 뾰족한 부분을 밀대로 밀어 가볍게 붙이고 머리 쪽을 들고 밀어 긴 삼각형 모양으로 만든다.

16 밀대 길이 약 30 cm 정도로 밀어 준다.

17 넓은 쪽에서부터 반죽을 말아 감는다.

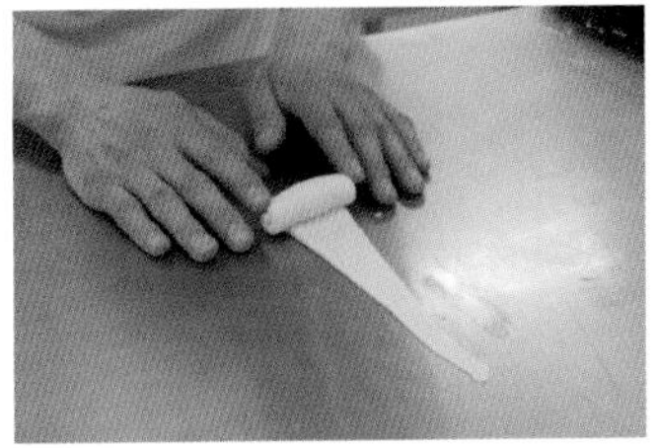

18 뾰족한 부분을 반죽 밑으로 하여 완성한다.

① 말린 부분이 3겹 정도가 되도록 한다.
② 좌우 대칭이 되도록 주의해서 말아 준다.
③ 팬닝 시 반죽 윗부분을 가볍게 눌러 납작하게 해야 철판을 옮길 때 구르지 않는다.

팬닝-2차 발효-굽기-제출

19 반죽의 이음매 부분을 밑으로 하여 일정한 간격으로 팬닝한다.

20 2차 발효 후 달걀물을 발라 준다(2차 발효실 관리: 온도 35~40 ℃, 습도 80~85%).

21 윗불 190 ℃/아랫불 140 ℃로 예열된 오븐에 넣어 약 10~12분 정도 굽는다.

22 완제품

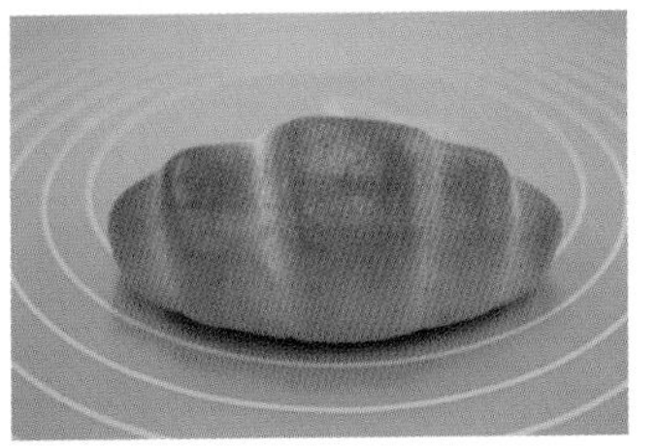

Point

① 굽기 도중 철판의 위치를 바꿔 빵 색깔이 골고루 나도록 한다.
② 굽기 중 바닥색이 진해지면 철판 한 장을 받쳐 주면서 굽는다.

세부컷

01 반죽을 원뿔 모양으로 만든다.

02 뾰족한 부분 반죽을 밀대로 밀어 가볍게 붙이고 두툼한 쪽 반죽을 들고 밀면서 긴 삼각형으로 만든다.

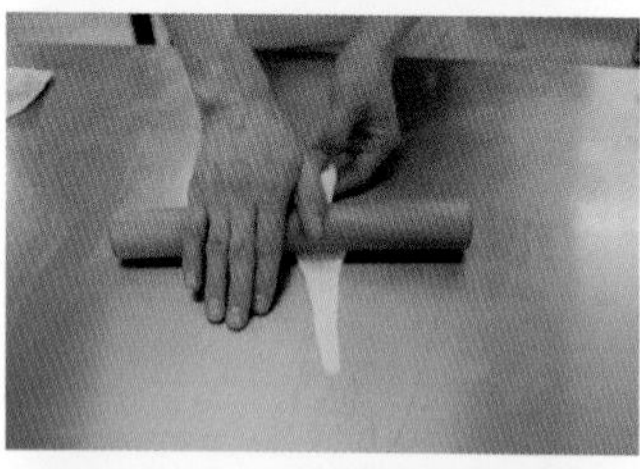

03 밀대 길이 30 cm 정도로 밀어 준다.

04 넓은 쪽에서부터 반죽을 말아 감는다.

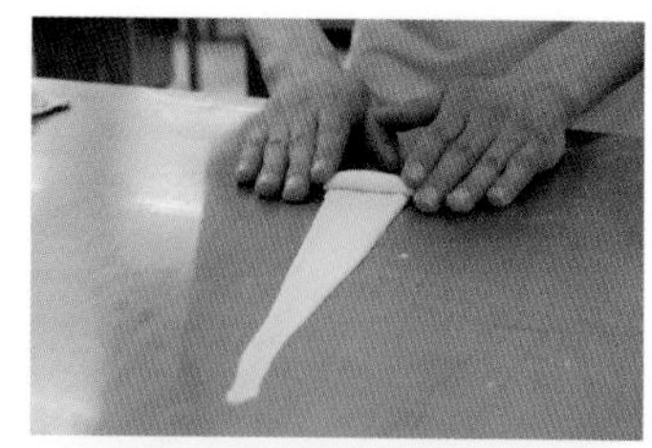

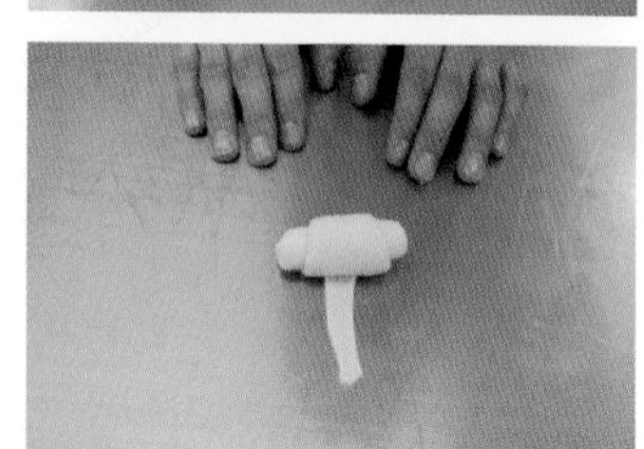

05 뾰족한 부분이 반죽 밑으로 가게 한다.

06 완성

MEMO

20

통밀빵

제품 평가

부피 분할 무게에 맞게 부피가 알맞고, 모양이 균일하여야 한다.

껍질 통밀가루의 특징 상 표면이 약간 거칠 수 있다.
고른 색깔이 나야 하고, 반점, 줄무늬가 없어야 한다.

내상 기공과 조직이 고르며 통밀가루의 색깔이 반죽 전체에서 나야 한다.

외부 균형 찌그러짐이 없고 균형이 잘 맞아야 한다.

맛과 향 통밀가루의 특유한 맛과 발효향이 잘 어울려야 한다.

국가 기술 자격 실기 시험 문제

자격 종목	제빵기능사	작품명	통밀빵

◈ **시험시간** 3시간 30분[표준시간: 3시간 30분, 연장시간: 없음]

요구사항

통밀빵을 제조하여 제출하시오.

❶ 배합표의 각 재료를 계량하여 재료별로 진열하시오(10분).
- (토핑용) 오트밀은 계량시간에서 제외한다.

> • 재료 계량(재료당 1분) → [감독위원 계량 확인] → 작품 제조 및 정리 정돈(전체 시험시간 - 재료 계량시간)
> • 재료 계량시간 내에 계량을 완료하지 못하여 시간이 초과된 경우 및 계량을 잘못한 경우는 추가의 시간 부여 없이 작품 제조 및 정리 정돈 시간을 활용하여 요구사항의 무게대로 계량
> • 달걀의 계량은 감독위원이 지정하는 개수로 계량

❷ 반죽은 스트레이트법으로 제조하시오.

❸ 반죽 온도는 25 ℃를 표준으로 하시오.

❹ 표준 분할 무게는 200 g으로 하시오.

❺ 제품의 형태는 밀대(봉)형(22~23 cm)으로 제조하고, 표면에 물을 발라 오트밀을 보기 좋게 적당히 묻히시오.

❻ 8개를 성형하여 제출하고 남은 반죽은 감독위원의 지시에 따라 별도로 제출하시오.

배합표

재료명	비율(%)	무게(g)
강력분	80	800
통밀가루	20	200
이스트	2.5	25
제빵개량제	1	10
물	63~65	630~650
소금	1.5	15(14)
설탕	3	30
버터	7	70
탈지분유	2	20
몰트액	1.5	15(14)
계	181.5~183.5	1,815~1,834
토핑용 오트밀	—	200

※ 토핑용 재료는 계량시간에서 제외

재료 목록

번호	재료명	규격	단위	수량	비고
1	밀가루	강력분	g	880	1인용
2	통밀가루	제빵용	g	220	1인용
3	이스트	생이스트	g	30	1인용
4	제빵개량제	제빵용	g	15	1인용
5	소금	정제염	g	20	1인용
6	설탕	정백당	g	40	1인용
7	버터	제과제빵용	g	80	1인용
8	탈지분유	제과제빵용	g	30	1인용
9	몰트액	식용	g	20	1인용
10	오트밀	제과제빵용	g	220	1인용
11	얼음	식용	g	200	1인용 (겨울철 제외)
12	위생지	식품용(8절지)	장	10	1인 공용

※ 국가기술자격 실기시험 지급 재료는 시험 종료 후(기권, 결시자 포함) 수험자에게 지급하지 않습니다.

재료 계량

반죽하기

01 믹서볼에 버터를 제외한 전 재료를 넣고 저속으로 믹싱하여 재료를 충분히 수화시킨다.

02 반죽 표면이 매끈해지는 클린업 단계가 되면 버터를 넣어 준다.

03 중속으로 믹싱하면서 발전 단계 중반부까지 믹싱하여 반죽을 완성한다.

04 반죽 표면을 매끄럽게 정리해서 발효시킬 통에 넣어 반죽 온도를 측정한다(반죽 온도 : 25 ℃).

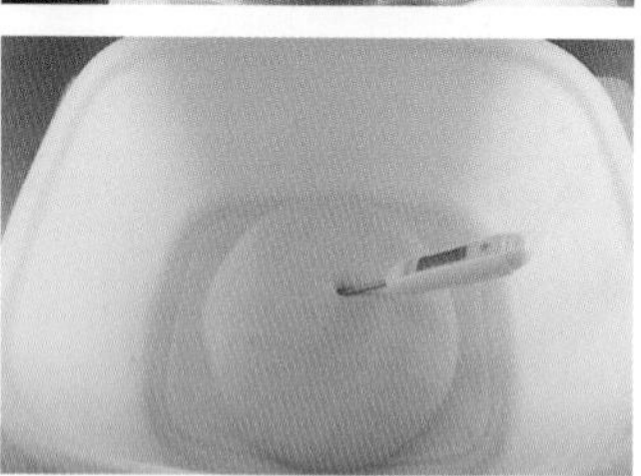

Point

① 반죽 온도가 높으면 반죽이 질어지기 쉽다.
② 몰트액은 물에 풀어서 사용한다.
③ 통밀가루 사용이 늘어날수록 반죽 시간은 짧아진다.

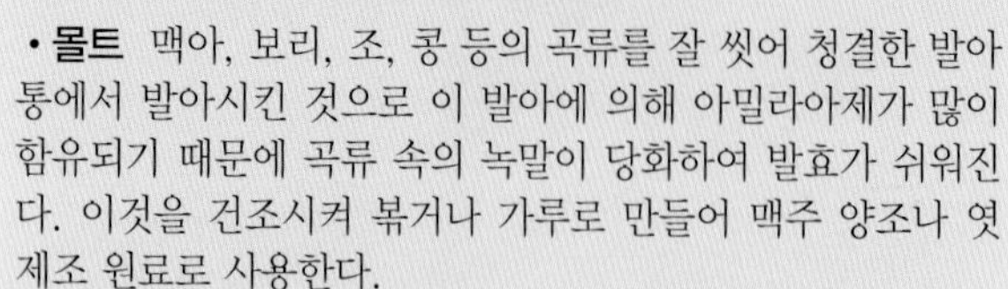

Note

• **통밀가루** 통밀가루는 통밀을 그대로 분쇄한 분말로서, 배유(83%), 배아(2.5%), 껍질(14.5%)의 비율로 원곡(밀)과 동일하며, 일반 밀가루에 비해 식이섬유, 미네랄, 비타민 등이 풍부해 영양 균형성이 우수하다.

• **몰트** 맥아, 보리, 조, 콩 등의 곡류를 잘 씻어 청결한 발아통에서 발아시킨 것으로 이 발아에 의해 아밀라아제가 많이 함유되기 때문에 곡류 속의 녹말이 당화하여 발효가 쉬워진다. 이것을 건조시켜 볶거나 가루로 만들어 맥주 양조나 엿 제조 원료로 사용한다.

• **오트밀**(Oatmeal) 귀리를 볶아서 굵게 빻거나 납작하게 누른 식품으로 단백질, 지방, 무기질 등 종합적인 영양소와 식이섬유가 풍부하다. 본 고장은 영국의 스코틀랜드 지방이고 미국, 유럽 등지에서 주식으로 많이 사용한다.

1차 발효-분할-둥글리기-중간 발효

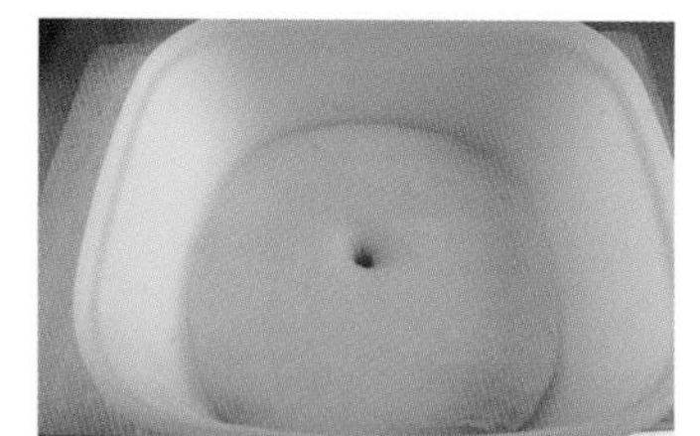

05 1차 발효 완료점을 확인한다(1차 발효실 관리 : 온도 27 ℃, 습도 75~80%).

06 가능한 한두 번에 반죽을 분할할 수 있도록 한다.

07 200 g씩 분할한다.

08 두 손으로 감싸듯 둥글리기를 완성한다.

09 나무판에 덧가루를 뿌려 준 후 놓는다.

10 중간 발효 중 반죽이 마르지 않도록 비닐을 덮어 준다.

Point

① 반죽의 힘이 약하므로 둥글리기 시 표피가 터지지 않게 주의한다.
② 중간 발효 시간이 짧은 경우 성형 시 밀어 펴기에서 수축 현상이 일어나고, 발효가 오버되면 반죽이 처지게 되므로 주의한다.

성형하기

11 중간 발효가 된 반죽을 밀대를 이용하여 타원형이 되도록 밀어 펴 준다.

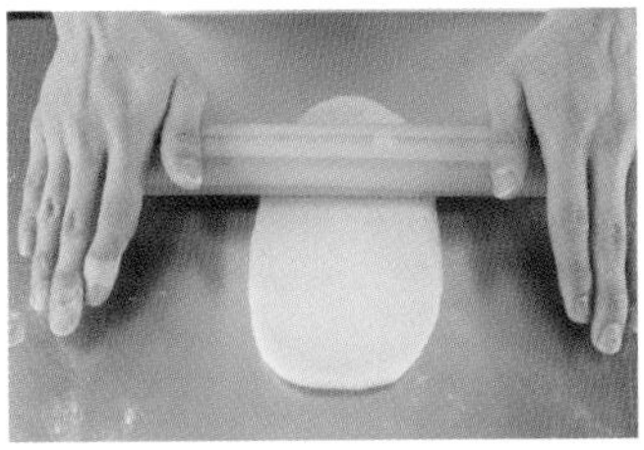

12 반죽을 뒤집은 후 긴 쪽으로 3절 접기를 한다.

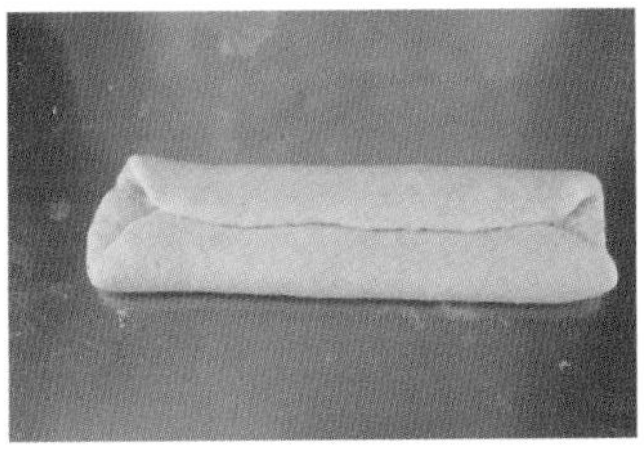

13 한 방향으로 말아 주면서 접어 준다.

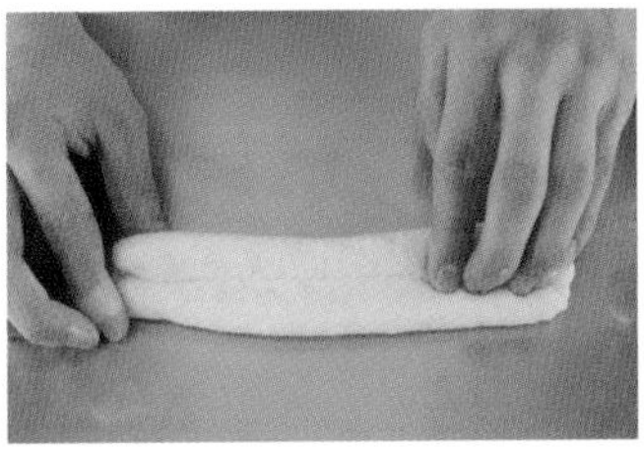

14 양손으로 살짝 늘려준 후 말기를 반복한다.

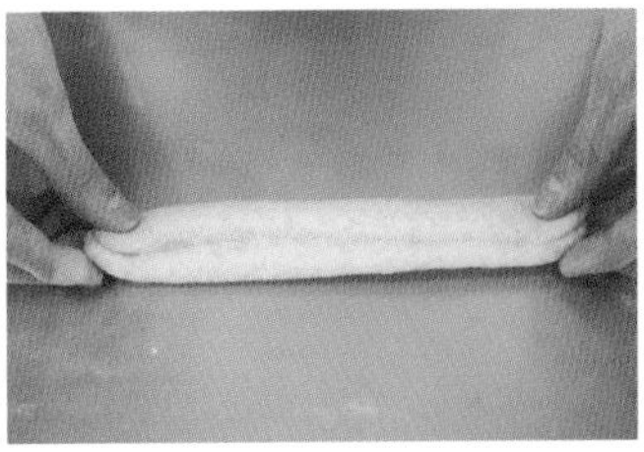

15 2~3회 정도 말아 반죽이 말릴 때까지 반복한다.

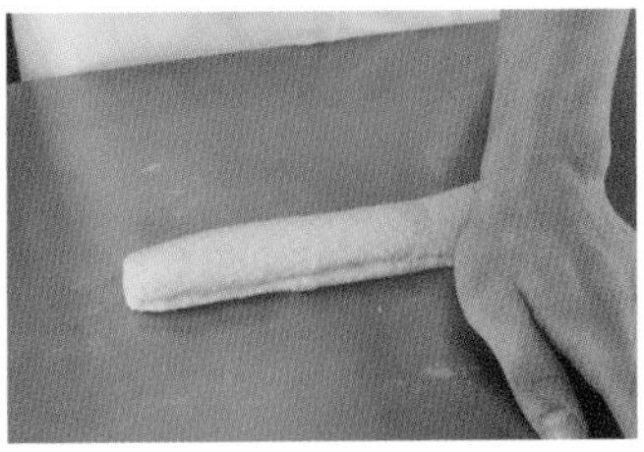

16 이음매가 일자가 되도록 손가락으로 봉해 준다.

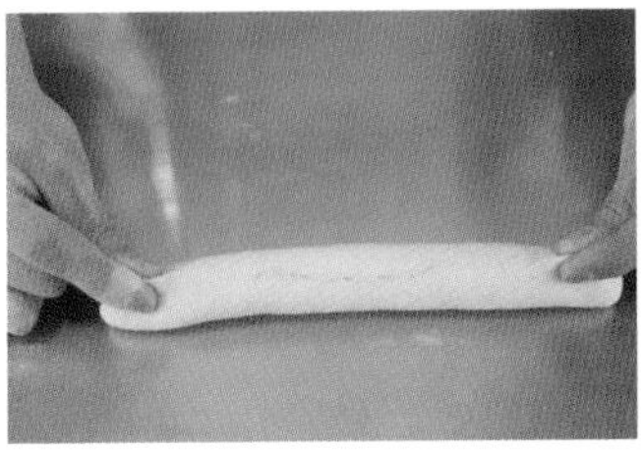

Point
매듭 부분이나 옆면이 터질 수 있으니 성형 시 너무 세게 밀지 않도록 한다.

팬닝-2차 발효-굽기-제출

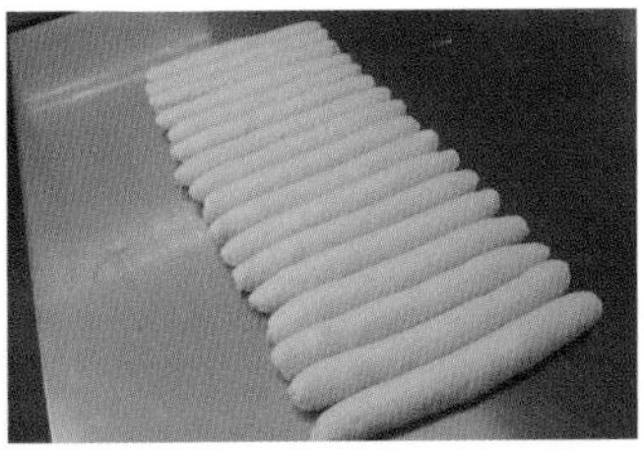

17 길이 22 cm~23 cm로 성형하여 작업대 한쪽에 둔다.

18 붓에 물을 묻혀 반죽 윗면을 발라 준다.

19 철판에 위생지를 깔고 오트밀을 놓은 후 반죽을 뒤집어서 오트밀을 묻혀 준다.

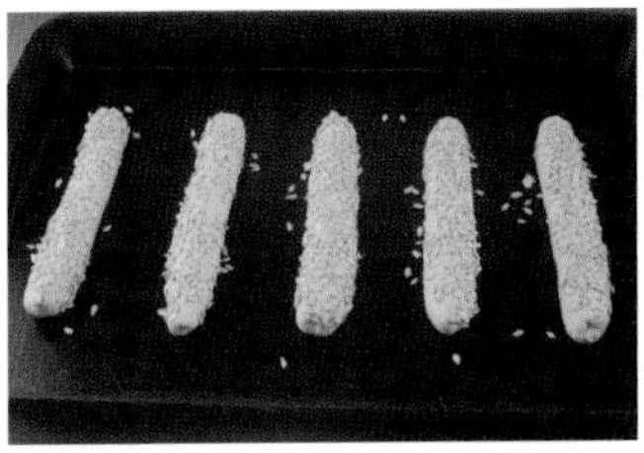

20 철판에 4~5개를 팬닝 후 손바닥으로 눌러준다(철판 이동 시 반죽이 움직이지 않도록).

21 2차 발효는 80% 정도한다(온도 32~35 ℃, 습도 85%).

22 윗불 190 ℃/아랫불 170 ℃ 오븐에서 약 20~25분 정도 굽는다.

Point
통밀빵은 일반 식빵보다 믹싱과 1차 발효는 약간 적게, 2차 발효는 충분히 하는 것이 좋다.

제빵기능사
실기
• 부록 • 제빵 품목

1

브리오슈

요구사항

브리오슈를 제조하여 제출하시오.

1. 배합표의 각 재료를 계량하여 재료별로 진열하시오(10분).
2. 반죽은 스트레이트법으로 제조하시오(단, 유지는 클린업 단계에 첨가하시오).
3. 반죽 온도는 29 ℃를 표준으로 하시오.
4. 분할 무게는 40 g씩이며, 오뚜기 모양으로 제조하시오.
5. 반죽은 전량을 사용하여 성형하시오.

배합표

재료명	비율(%)	무게(g)
강력분	100	900
물	30	270
이스트	8	72
소금	1.5	13.5(14)
마가린	20	180
버터	20	180
설탕	15	135
분유	5	45
달걀	30	270
브랜디	1	9
계	230.5	2,074.5(2,075)

제품 평가

부피 분할 무게에 맞게 부피가 알맞고, 모양이 균일하여야 한다.
발효가 오버되어 부풀어 틀에 넘치면 안 된다.

껍질 빵 전체가 고른 색깔이 나야 하고 반점, 줄무늬가 없어야 한다.

내상 기공과 조직이 고르고 내상이 밝아야 한다. 달걀과 유지에 의한 밝은 노란색을 띄어야 한다.

외부 균형 찌그러짐이 없고 균형이 잘 맞아야 한다.

맛과 향 버터의 고소한 맛과 온화한 발효향이 어우러져야 한다.

재료 계량

반죽하기

01 믹서볼에 버터와 마가린을 제외한 전 재료를 넣는다.

02 저속으로 믹싱하여 재료를 충분히 수화시킨다.

03 반죽 표면이 매끈해지는 클린업 단계가 되면 버터와 마가린을 투입한다.

04 중속과 고속으로 믹싱 속도를 조절하여 최종 단계까지 반죽한다.

05 반죽의 일부를 떼어내어 양손으로 펼쳐 글루텐막 상태를 확인한다.

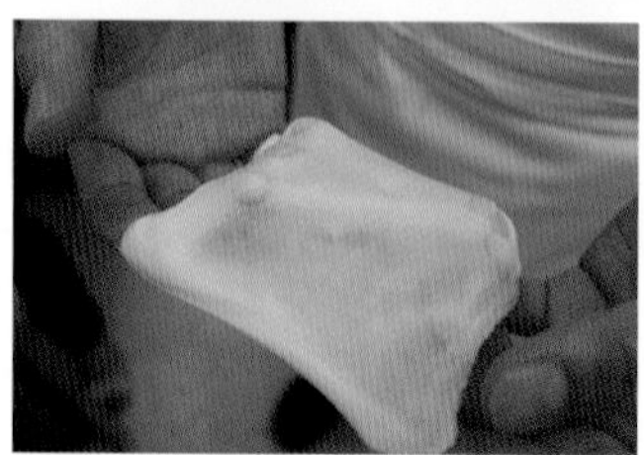

06 반죽 표면을 매끄럽게 정리해서 발효시킬 통에 넣어 반죽 온도를 측정한다(반죽 온도: 29 ℃).

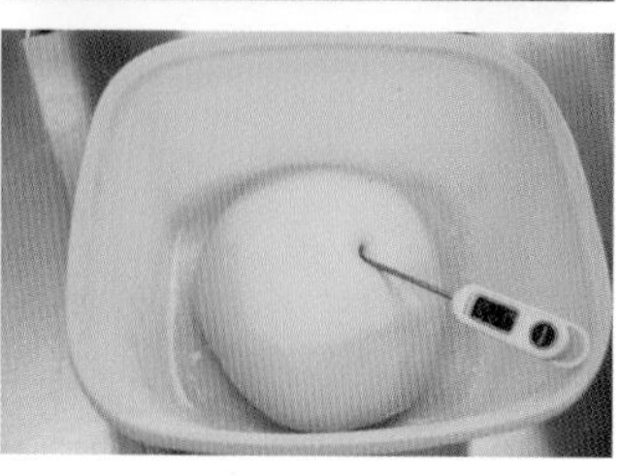

Point

유지의 양이 많은 고율배합 반죽은 글루텐 형성이 어느 정도 진행된 후 버터와 마가린을 넣어 주면 믹싱 시간을 단축시킬 수 있다(한번에 넣지 말고 2~3회 걸쳐 넣어 준다).

1차 발효-분할-둥글리기-중간 발효

07 1차 발효 후 상태를 확인한다(1차 발효실 관리: 온도 30 ℃, 습도 75~80%).

08 가급적 빠른 시간 내에 손 분할하도록 한다.

09 40 g씩 분할한다.

10 손바닥 위에 올려 반죽 표면이 매끄럽고 모양이 일정하게 둥글리기 한다.

11 분할 갯수가 많으므로 분할 순서대로 나무판 위에 나열한다.

12 비닐을 덮어 표면이 마르지 않게 관리하면서 중간 발효시킨다.

Point

반죽에 유지 함량이 많아 손에 잘 들러붙지 않으므로 덧가루는 적게 사용한다.

성형하기

13 반죽의 1/4 정도 되는 부분을 손날로 눌러 비빈다(머리 10 g+몸통 30 g 정도).

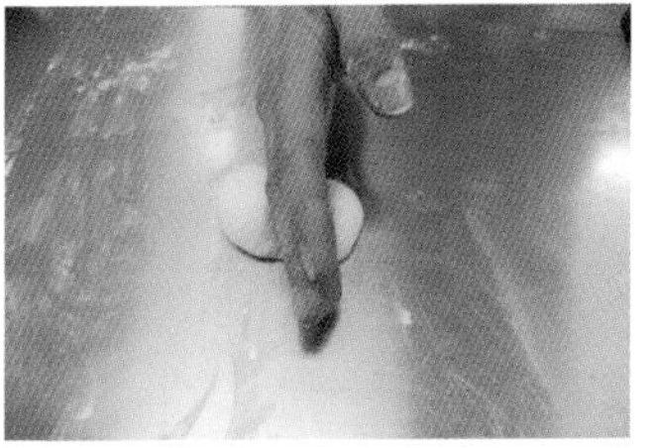

14 몸통을 재둥글리기 한 후 바닥의 매듭을 봉한다.

15 반죽의 몸통을 먼저 팬닝한다.

16 손가락에 덧가루를 묻혀 반죽의 정중앙에 구멍을 낸다.

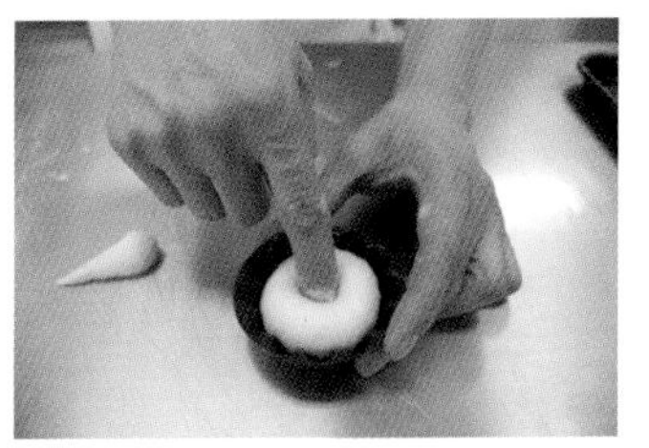

17 팬 바닥이 보이도록 중앙에 구멍을 내주어야 한다.

18 머리 부분을 매끈하게 둥글리기 하여 원뿔 모양으로 한쪽 부분을 뾰족하게 만든 후 구멍에 넣어 준다.

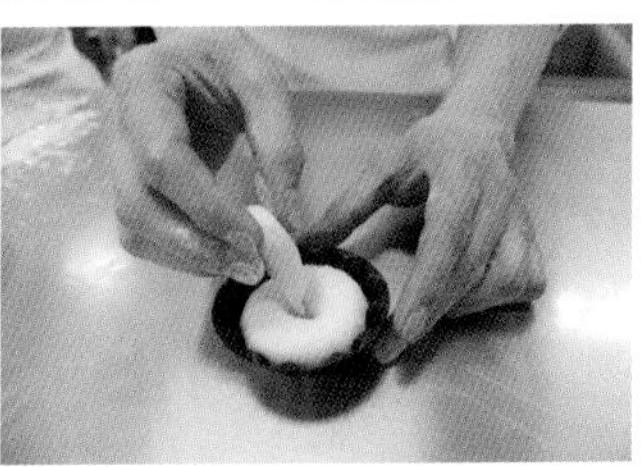

Point

① 중앙에 구멍을 내준 후 머리 부분의 뾰족한 부분이 팬 바닥까지 닿도록 넣어 준다.
② 오뚜기 모양으로 성형할 때 머리 반죽이 너무 크지 않도록 주의해야 하며 몸통 중앙에 정확히 넣어 주어야 굽기 후 오뚜기 모양의 머리 부분이 옆으로 기울거나 떨어지지 않는다.

팬닝-2차 발효-굽기-제출

19 오뚜기 모양으로 팬닝하여 2차 발효시킨다(2차 발효실 관리: 온도 35~38 ℃, 습도 80~85%).

20 발효가 끝나면 달걀물을 바른다.

21 윗불 180 ℃/아랫불 170 ℃ 오븐에 넣어 15분 정도 굽는다.

22 완제품

Point

오븐의 위치에 따라 온도 편차가 있으므로 윗면 색이 1/2 이상 나면 팬의 위치를 바꿔 전체 제품의 색깔이 균일하도록 한다.

브리오슈

브리오슈는 버터와 달걀을 듬뿍 배합해 만든 반죽을 여러 가지 모양으로 구워 내는 빵이다.

- 브리오슈 아 테트(Brioche-Tete): 눈사람 모양으로 구운 것
- 브리오슈 무슬린(Brioche Mousseline): 원통 모양으로 구운 것
- 브리오슈 낭테르(Brioche Nantere): 직사각형틀에 넣어 구운 것
- 브리오슈 오 프뤼이 콩피(Brioche aux Fruits Confits): 과일 설탕 절임을 싸서 둥글게 잘라 틀에 넣고 구운 것
- 브리오슈 쿠론(Brioche Couronne): 왕관 모양으로 구운 것

2

프랑스빵

요구사항

프랑스빵을 제조하여 제출하시오.

❶ 배합표의 각 재료를 계량하여 재료별로 진열하시오(5분).

❷ 반죽은 스트레이트법으로 제조하시오.

❸ 반죽 온도는 24 ℃를 표준으로 하시오.

❹ 반죽은 200 g씩으로 분할하고, 막대 모양으로 만드시오(단, 막대 길이는 30 cm, 3군데에 자르기를 하시오).

❺ 반죽은 전량을 사용하여 성형하시오.

❻ 평철판을 사용하여 구우시오.

배합표

재료명	비율(%)	무게(g)
강력분	100	1,000
물	65	650
이스트	3.5	35
제빵개량제	1.5	15
소금	2	20
계	172	1,720

제품 평가

부피 분할 무게에 맞게 부피가 알맞고, 모양이 균일하며 부피에 비해 가벼워야 한다.

껍질 껍질이 얇고 부서지기 쉬우며 고른 색깔과 윤기가 나야 하고, 반점, 줄무늬가 없어야 한다.

내상 기공과 조직이 고르고 내상이 밝아야 한다.

외부 균형 찌그러짐이 없고 균형이 잘 맞아야 하며 칼집 이외의 곳에 터짐이 없어야 한다.

맛과 향 바삭한 껍질과 부드러운 속의 식감이 좋은 발효향과 잘 어울려야 한다.

재료 계량

반죽하기

01 믹서볼에 전 재료를 넣는다.

02 저속으로 믹싱하여 재료를 충분히 수화시킨다.

03 반죽 표면과 볼이 깨끗해지는 클린업 단계가 지나면 중속에서 고속으로 속도를 조절하여 발전 단계 후반까지 믹싱한다.

04 반죽이 완성되면 반죽통에 넣어 반죽 온도를 측정한다(반죽 온도: 24 ℃).

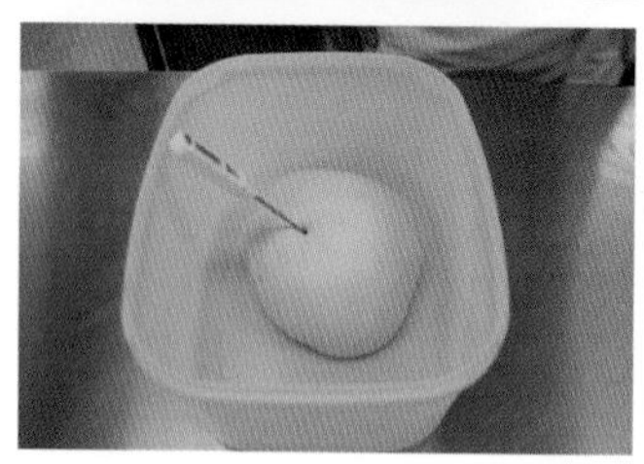

Point

믹싱은 일반 빵의 약 80% 정도로 탄력성이 좋은 발전 단계 후기 정도에서 마무리해 주어야 바게트 특유의 모양 유지가 가능하다. 그러나 바게트 전용틀을 사용할 경우에는 믹싱이 더 진행되어도 된다.

1차 발효-분할-중간 발효

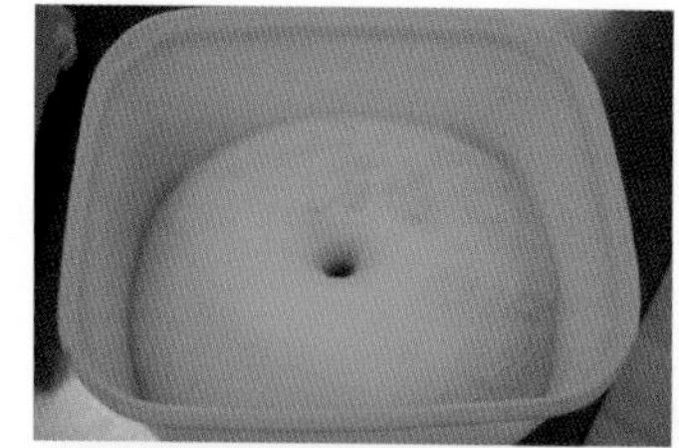

05 1차 발효 상태를 확인한다(1차 발효 온도: 27 ℃, 습도: 75~80%).

06 스크레이퍼를 이용하여 반죽의 매끈한 윗면을 최대한 살리면서 분할한다.

07 분할: 200 g

08 작업대 위에 잘린 반죽을 놓고 반죽 옆면을 가볍게 밀어 타원형으로 만들어 준다.

09 두 손으로 감아쥐듯이 둥글리기를 완성한다.

10 둥글리기 된 반죽을 나무판에 순서대로 나열하고 비닐을 덮어 중간 발효시킨다.

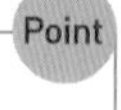

실내 온도가 낮을 때에는 중간 발효 시간이 길어지므로 발효실에서, 실내 온도가 높은 때에는 중간 발효 시간이 짧아지므로 실온에서 한다.

성형하기

11 중간 발효가 된 반죽에 밀대를 이용하여 타원형이 되게 밀어준다.

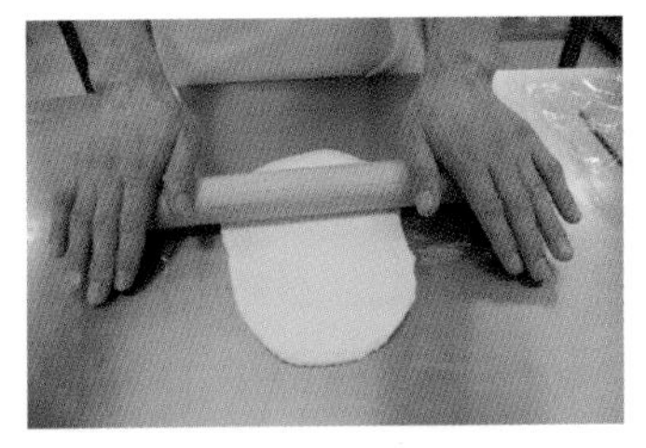

12 긴 쪽으로 3절 접기를 한다.

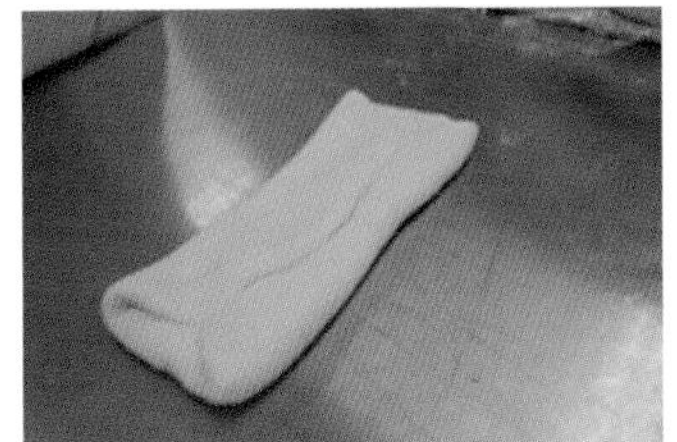

13 한 방향에서 말아 주면서 접어 준다.

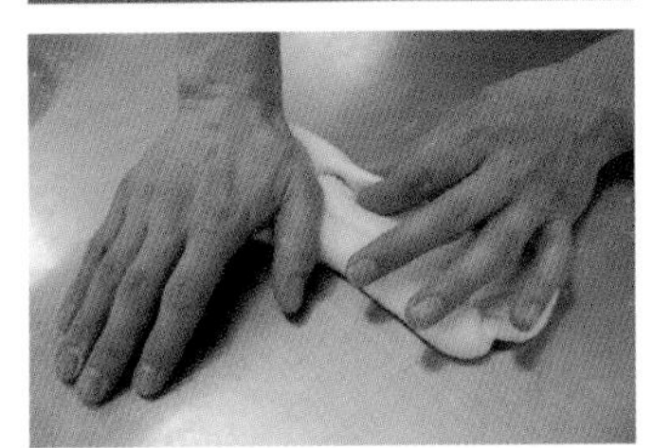

14 양손으로 살짝 늘려 준 후 말기를 반복한다.

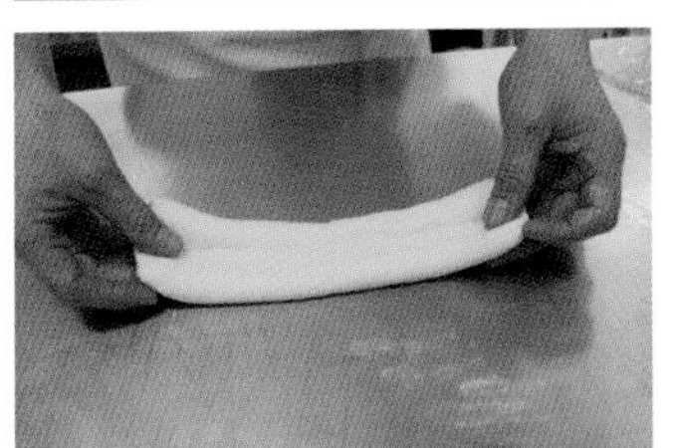

15 4~5회 정도 말아 반죽이 단단하게 말릴 때까지 반복한다.

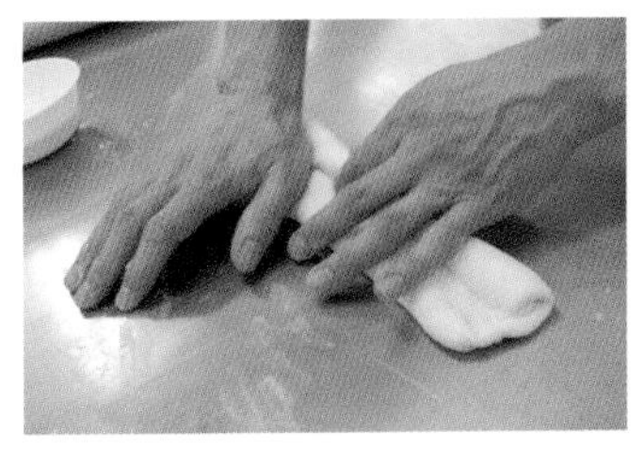

16 이음매가 일자가 되도록 꼬집어 준 후 길이 30 cm를 확인한다.

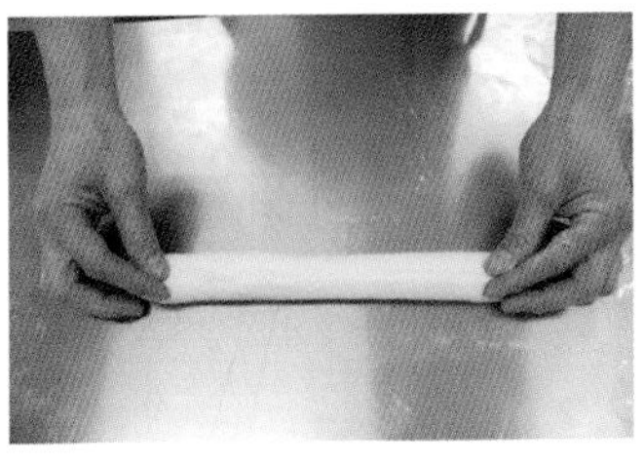

Point
① 성형 작업 시 최소한의 덧가루를 사용하여 반죽이 들러붙지 않도록 한다.
② 밀대로 가스빼기와 손으로 가스빼기 둘 다 가능하나, 손으로 두께를 일정하게 눌러 펴 주는 것이 좋다.

팬닝-2차 발효-칼집-굽기-제출

17 평철판(바게트 전용틀)에 4개씩 간격을 일정하게 팬닝하여 2차 발효시킨다.

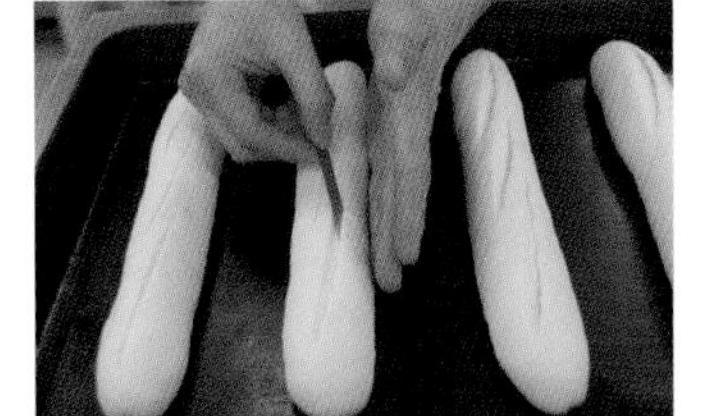

18 2차 발효가 완성되기 전에 미리 발효실에서 꺼내어 반죽 표면을 약간 말린 후 칼집을 넣어 준다.

19 칼집 완성

20 오븐에 넣기 전에 충분히 물을 뿌려 준다(반죽이 오븐에 들어간 후 1~2분 정도 지나면 한번 더 물을 뿌려 준다).

21 윗불 200 ℃/아랫불 210 ℃로 예열된 오븐에 빵을 넣은 후 윗면 색이 나면, 윗불 150 ℃/아랫불 150 ℃로 오븐 온도를 낮춰 구워준다(약 30분 정도).

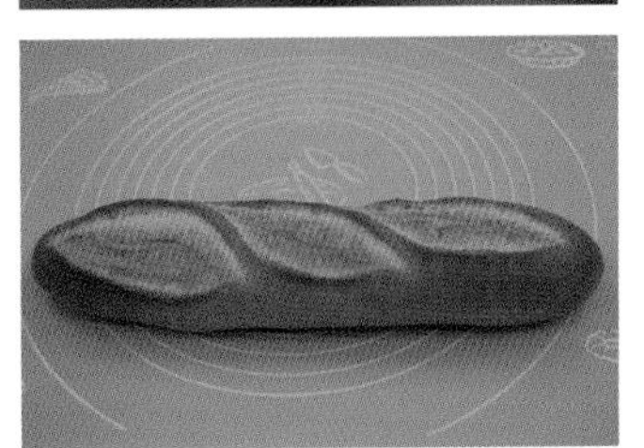

22 완제품

Point
물을 뿌려 준 후 윗면 색이 날 때까지는 절대 오븐 문을 열지 않는다.

세부컷

01 밀대로 타원형으로 밀어 편다.

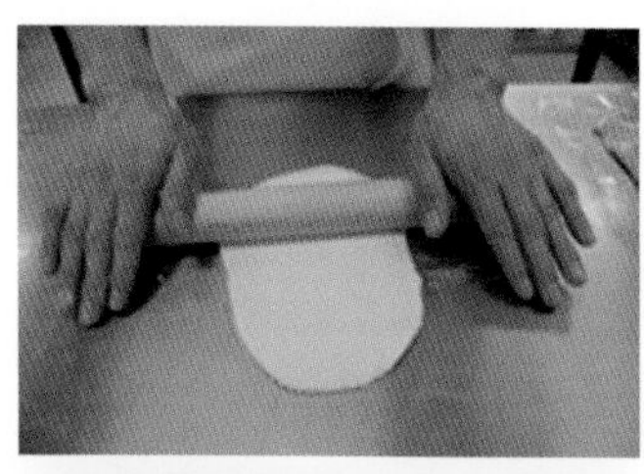

02 반죽을 뒤집은 뒤 한쪽 면을 접어 준다.

03 다른 한쪽 면을 접어 3절 접기를 한다.

04 한 방향으로 말아 주면서 4~5회 정도 접어 준다.

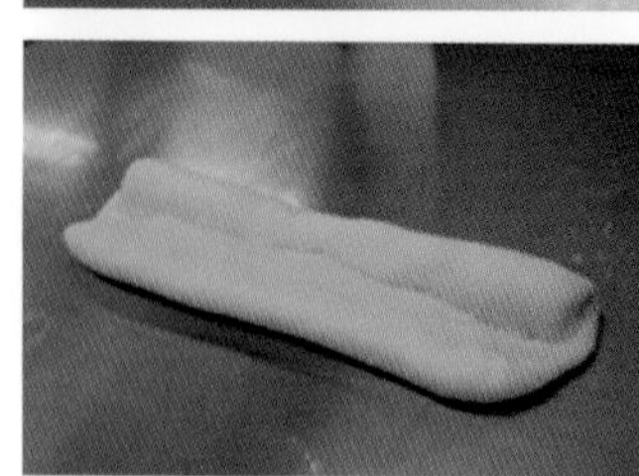

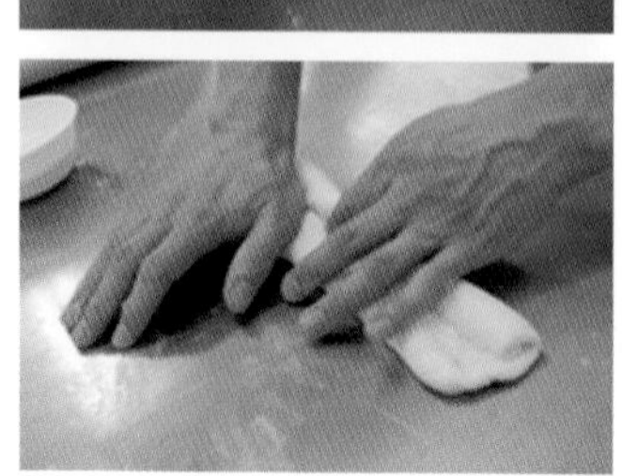

05 이음매 부분을 손바닥으로 눌러 준다.

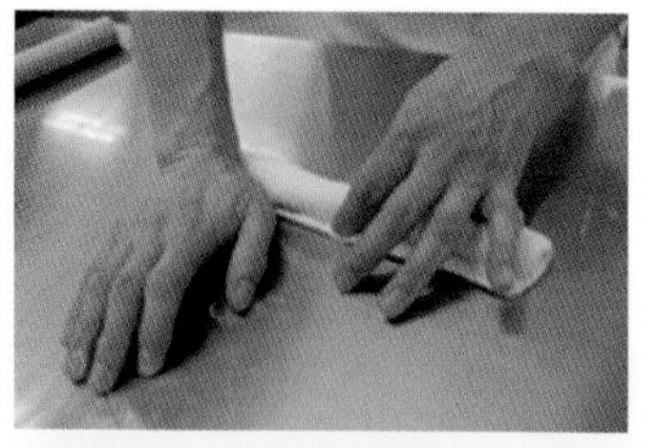

06 다시 한번 손가락으로 봉해 준다.

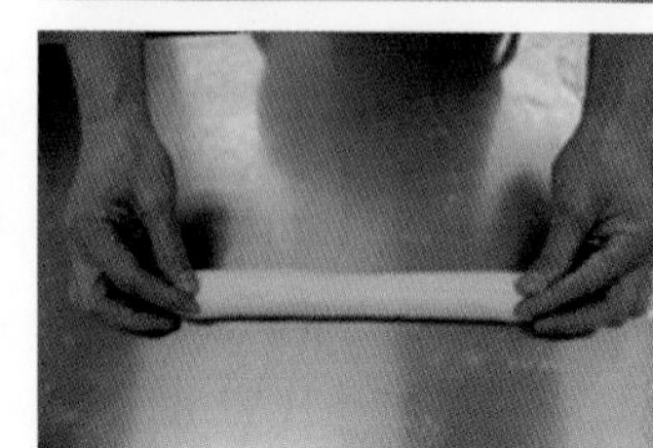

07 성형 길이는 30 cm 정도로 한다[밀대 소(小) 길이].

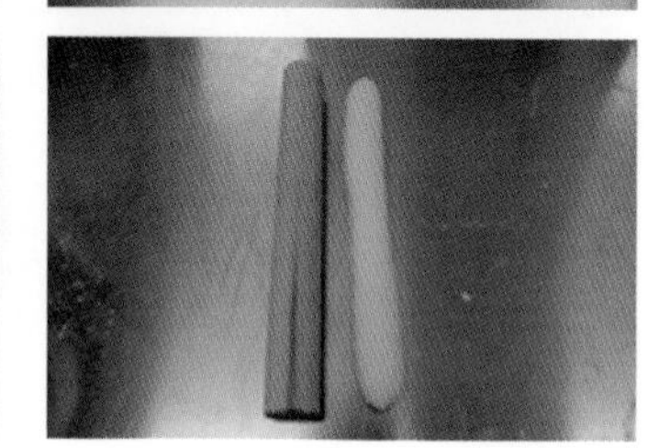

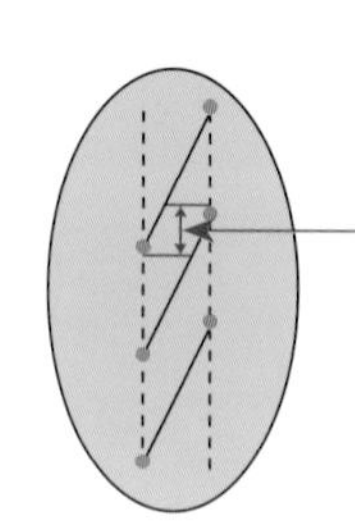

칼집이 끝나는 부분에서
2 cm 정도 올라가게 자른다.

오븐에 스팀을 넣는 이유

① 오븐 스프링이 좋아져 부피가 큰 제품을 얻을 수 있다.
② 칼집을 넣은 부분이 시각적으로 보기 좋게 터진다.
③ 제품 표면에 윤기가 나면서 껍질이 바삭거려 식감을 좋게 한다.

칼집을 넣는 이유

① 칼집 이외의 부분이 터지는 것을 방지한다(어차피 터짐이 생기므로 보기 좋게 터짐을 주기 위해 칼집을 넣는다).
② 부풀림을 좋게 한다.
③ 속결을 부드럽게 해 준다.

3

데니시 페이스트리

요구사항

데니시 페이스트리를 제조하여 제출하시오.

❶ 배합표의 각 재료를 계량하여 재료별로 진열하시오(9분).
❷ 반죽을 스트레이트법으로 제조하시오.
❸ 반죽 온도는 20 ℃를 표준으로 하시오.
❹ 모양은 달팽이형, 초생달형, 바람개비형 등 감독위원이 선정한 2가지를 만드시오.
❺ 접기와 밀어펴기는 3겹 접기 3회로 하시오.
❻ 반죽은 전량을 사용하여 성형하시오.

배합표

재료명	비율(%)	무게(g)
강력분	80	720
박력분	20	180
물	45	405
이스트	5	45
소금	2	18
설탕	15	135
마가린	10	90
분유	3	27
달걀	15	135
계	195	1,755
파이용 마가린	총 반죽의 30%	526.5(527)

※ 충전용 재료는 계량시간에서 제외

제품 평가

부피 제품이 가라앉거나 찌그러지지 않고 부피감이 있어야 한다.

껍질 껍질이 벗겨지지 않으며, 전체적으로 황금 갈색을 띠고 구운 색이 나야 한다.

내상 결이 잘 형성되어 있고 부위 별로 고른 기공과 조직을 가져야 한다.

외부 균형 반죽에 유지가 없는 층이 있거나, 반죽의 절단면이 붙은 상태이면 발효와 굽기 과정에서 팽창이 억제되어 균형이 잡히지 않는다.

맛과 향 식감이 바삭하거나 눅눅하지 않으면서 유지와 발효향이 잘 어울리며, 끈적거림, 탄 냄새, 생재료 맛 등이 없어야 한다.

재료 계량

반죽하기

01 마가린을 제외한 전 재료를 믹서볼에 넣고, 저속으로 믹싱한다.

02 재료가 잘 섞이고 믹서볼이 깨끗해지는 클린업 단계가 되면 마가린을 넣어 혼합한다.

03 믹싱 중 스크레이퍼나 주걱으로 반죽 가장자리를 잘 긁어 주어 균일하게 믹싱되도록 한다.

04 발전 단계에서 믹싱을 완성한다(반죽 온도 : 20 ℃).

05 덧가루를 뿌린 비닐에 반죽을 감싸 눌러준 후 약 30분 정도 냉장 휴지시킨다.

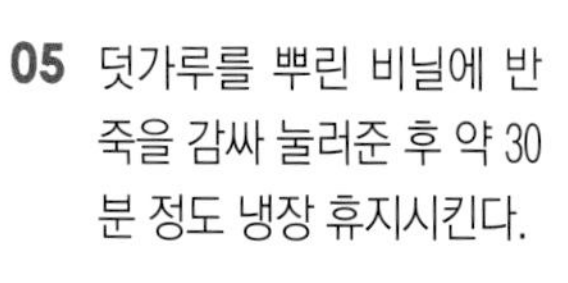

06 충전용 유지의 경도를 조절한다.

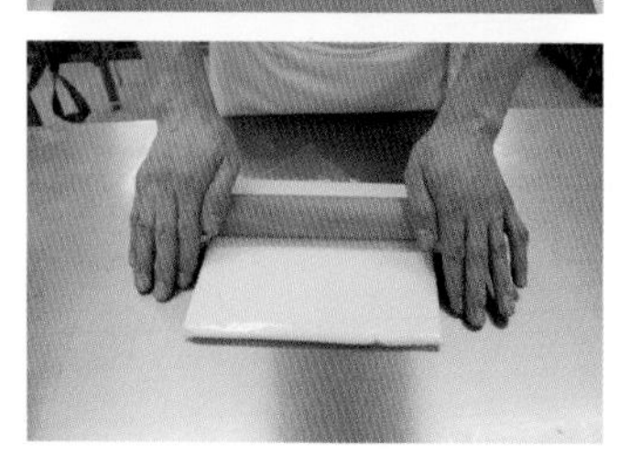

Point

① 밀어 펴기 과정에서 글루텐이 형성되므로 일반 빵 반죽처럼 믹싱하게 되면 밀어 펴기가 힘들어지고 완제품의 껍질이 부스러지기가 쉽다.

② 충전용 유지가 단단할 경우 미리 실온에 꺼내 놓거나 밀대로 두드려서 반죽의 경도와 같도록 조절해 준다.

유지싸기

07 냉장 휴지된 반죽을 꺼내어 두께가 일정한 정사각형 모양으로 밀어 편다.

08 충전용 유지를 반죽 위에 놓았을 때 감쌀 수 있을 정도의 크기로 민다.

09 손가락으로 유지의 크기를 표시한다.

10 밀대로 사면의 모서리를 밀어 덧가루를 털어 내고 충전용 유지를 올린다.

11 충전용 유지를 한 겹씩 덮어 준 후 이음매를 잘 봉하여 충전용 유지가 나오지 못하도록 싸준다.

12 충전용 유지를 싼 반죽을 손바닥으로 눌러 가면서 충전용 유지와 반죽을 밀착시키고 크기를 늘려 준다.

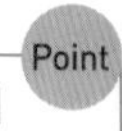

Point

충전용 유지를 감싼 반죽을 손바닥으로 눌러 주면서 충전용 유지가 반죽의 사면의 가장자리까지 갈 수 있도록 골고루 펴 준다.

밀기(3회)-접기(3겹)

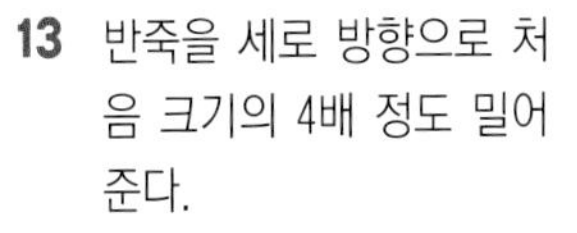

13 반죽을 세로 방향으로 처음 크기의 4배 정도 밀어 준다.

14 가로 방향으로 돌려주거나 앞뒤를 바꿀 때에는 밀대에 반죽을 말아 주면 용이하다.

15 가로 90 cm의 사각형으로 밀어 준다(40×90 cm).

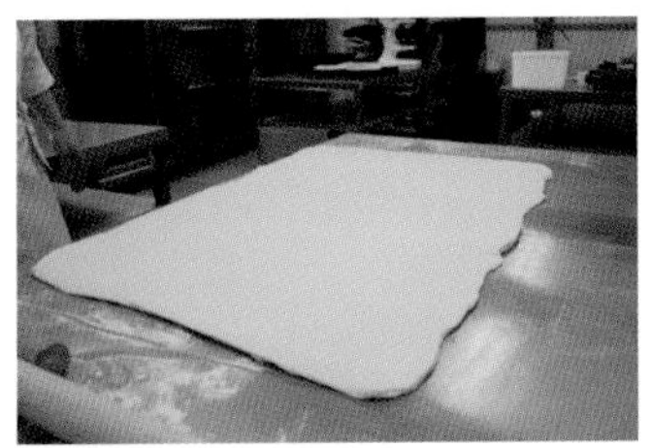

16 1/3을 접어 반죽을 3층으로 겹쳐 준다.

17 모서리까지 당겨 가능한 직사각형이 되도록 한다.

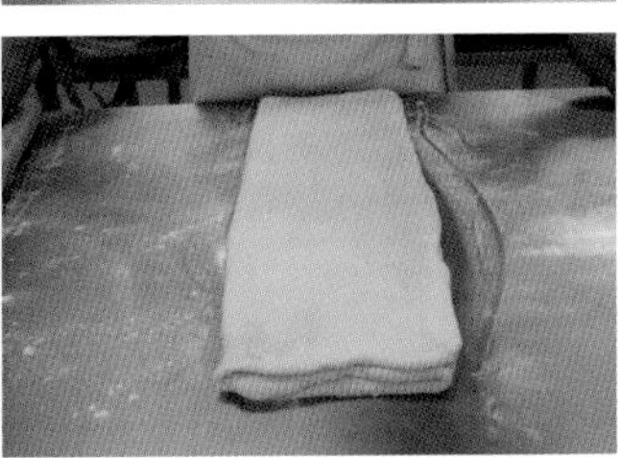

18 접기가 완성되면 나무판에 옮겨 비닐에 씌운 후 30분 정도 냉장 휴지시킨다.

Point

① 각 접기마다 반죽에 사용한 덧가루를 깨끗이 털어 주어야 한다(향과 결을 위해).
② 접기 과정은 13~17번 과정을 반복한다.
③ 덧가루가 부족하면 반죽이 들러붙거나 늘어나지 않으므로 수시로 뿌려 준다.

성형 → 팬닝(달팽이형)

(두께 1 cm, 너비 1.5 cm, 길이 30~35 cm)

19 반죽을 두께 1 cm로 밀어 긴 막대 모양으로 자른다.

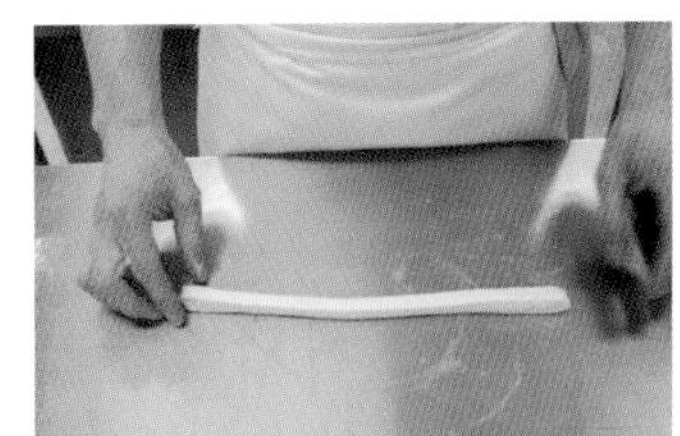

20 양쪽 끝을 잡고 비틀어 준다.

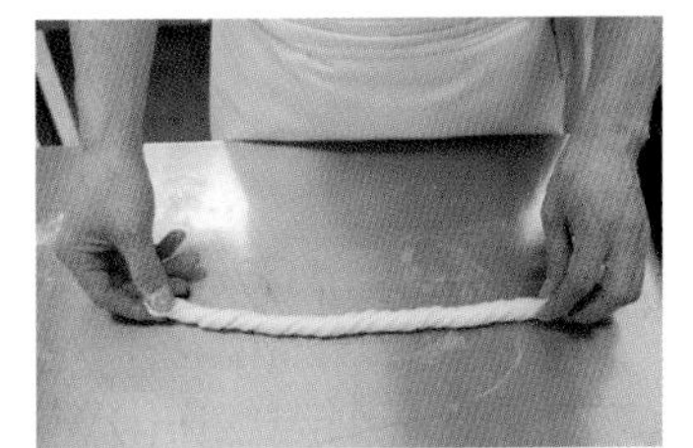

21 일정한 꼬임이 생기도록 꼬아 준다.

22 한쪽 끝을 작업대에 붙여 고정시킨 후 동그랗게 만다.

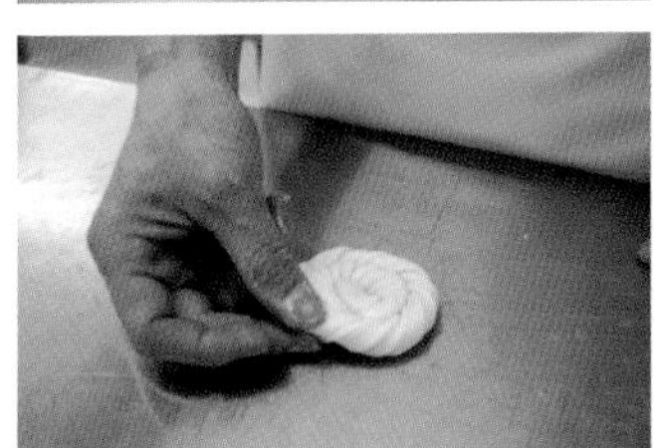

23 끝부분은 말린 반죽 밑으로 넣어 살짝 꼬집어 붙여 준다.

24 철판에 일정하게 간격을 띄워 팬닝한다.

Point

너무 단단히 말면 발효와 굽기 과정에서 중앙이 위로 솟아 오른다.

성형 → 팬닝(바람개비형)

(두께 0.3 cm, 가로 10 cm, 세로 10 cm)

25 반죽을 밀대로 밀어 재단한다.

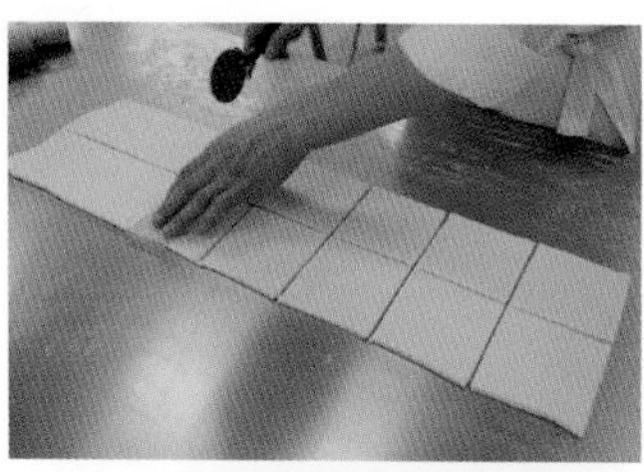

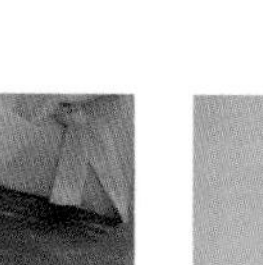

26 네 꼭지점에서 중심 방향으로 스크레이퍼를 이용하여 잘라 준다(중앙 부분만 조금 남도록 네 면을 다 잘라 준다).

27 네 꼭지점의 각 한쪽 끝을 중심에 모아 붙인다.

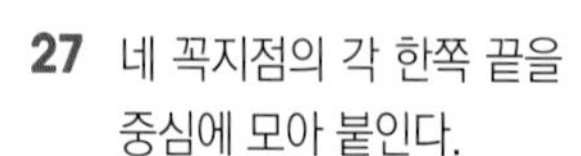

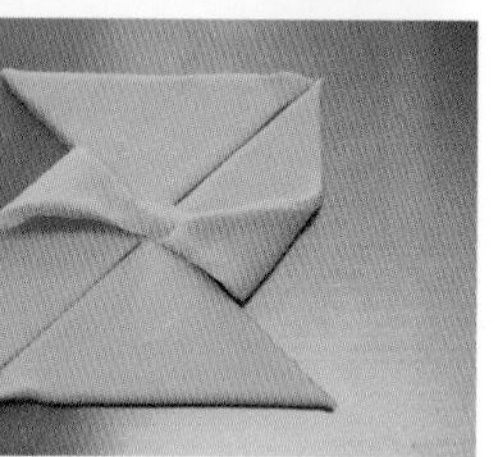

28 바람개비형 완성(물을 묻혀 중앙 부분을 단단히 붙여야 굽기 후 모양을 그대로 유지할 수 있다).

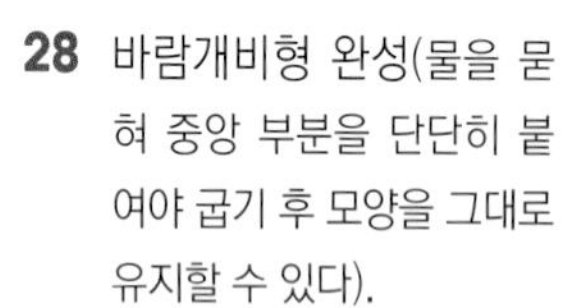

성형 → 팬닝(포켓형, 턴오버형)

(두께 0.3 cm, 가로 10 cm, 세로 10 cm)

29 대각선으로 마주보는 두 모서리를 가운데로 접어 붙인다.

30 포켓형 완성(물을 묻혀 떨어지지 않게 중앙을 눌러 준다).

31 대각선으로 절반을 포갠다.

32 포개어진 꼭짓점 부분을 향하여 접혀진 부위의 가장자리 두 부분에서 1 cm 간격을 두고 꼭짓점 1 cm 못 미치는 지점까지 칼집을 낸다.

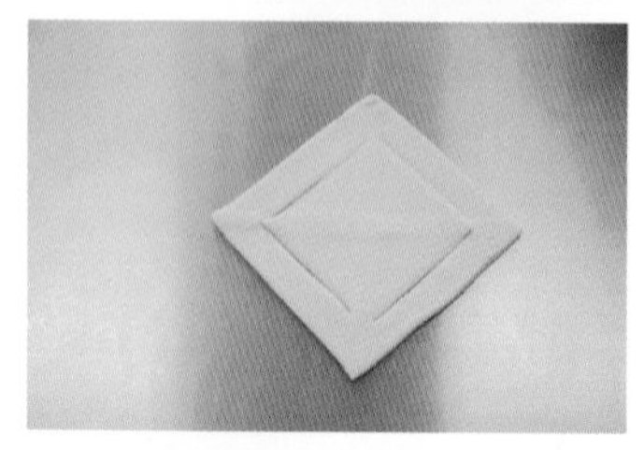

33 펼쳐서 물을 살짝 발라 교차한다.

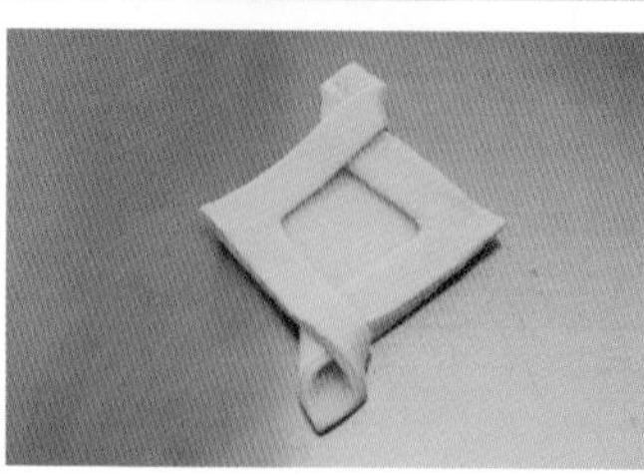

34 윗면 반죽이 약간 나오게 하여 엇갈리게 눌러 준다.

성형 → 팬닝[크로와상형(초승달형)]

(두께 0.3 cm, 밑변 10 cm, 높이 20 cm)

35 반죽을 밀어 이등변삼각형으로 재단한다.

36 밑변쪽의 중간 부분을 1 cm 정도 칼집을 낸다.

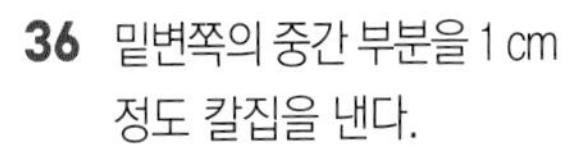

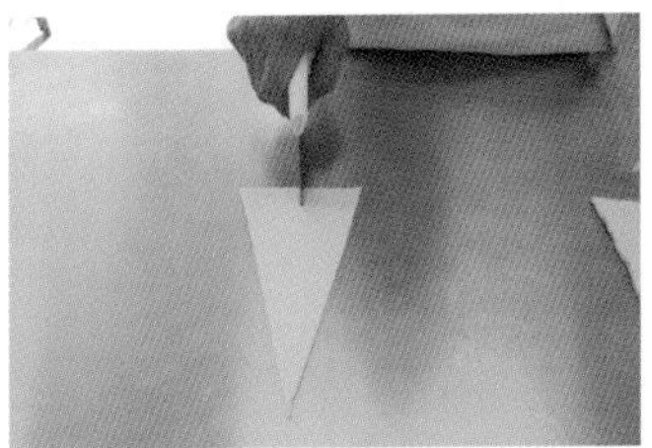

37 양 옆으로 약간 벌리면서 밑변 쪽에서 꼭지점 방향으로 단단하게 말아 준다.

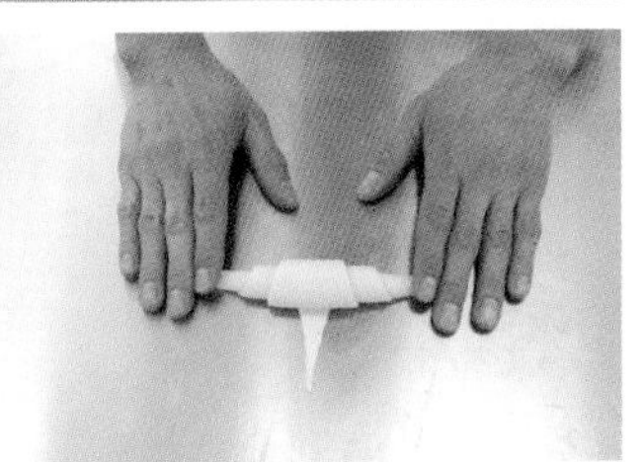

38 이음매 부분이 바닥쪽으로 향하게 한 후 양 끝을 구부려 초승달 모양으로 만든다.

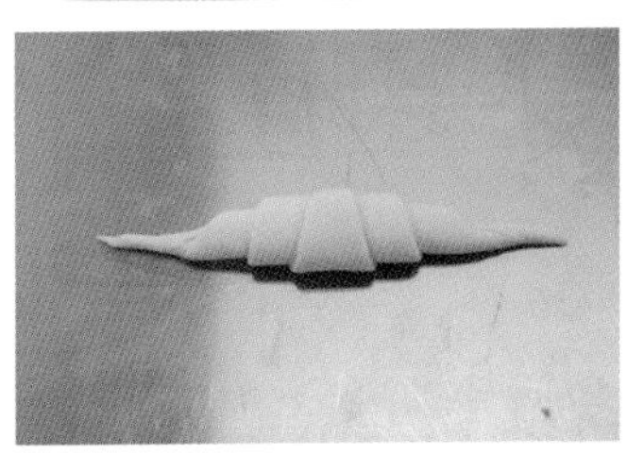

39 일자형 성형 완성, 초승달형 성형 완성

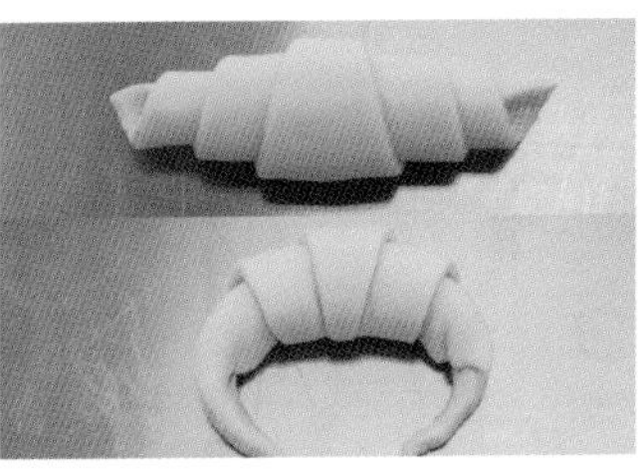

40 일정한 간격을 두고 팬닝한다.

2차 발효 → 굽기 → 제출

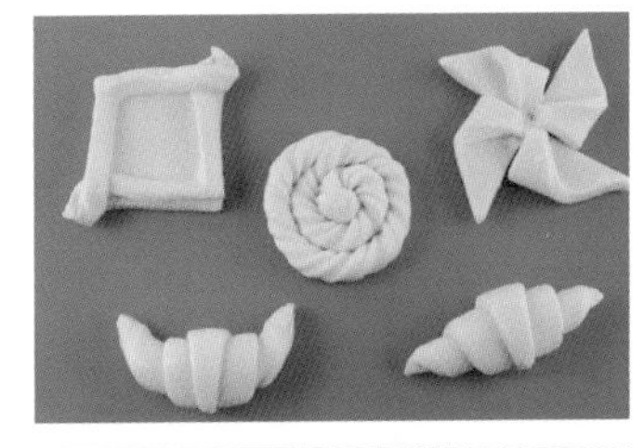

41 성형이 완성되면 팬닝하여 2차 발효시킨다(2차 발효 관리: 28~33 ℃, 습도: 75~80%).

42 윗불 190 ℃/아랫불 150 ℃로 예열된 오븐에 약 15~20분 정도 굽는다(달팽이형).

43 색깔이 나기 전에 가급적 오븐 문을 열지 않아야 한다(초승달형).

44 완제품

> **Note**
>
> **반죽을 냉장 휴지시키는 이유?**
>
> ① 밀가루를 완전히 수화시켜 글루텐을 안정시킨다.
> ② 반죽과 충전용 유지의 되기를 같게 하여 층을 분명히 한다.
> ③ 밀어 펴기를 쉽게 하는 데 있다.
>
> **<전체공정>**
>
> ① 반죽 휴지 → ② 반죽 밀어 펴기 → ③ 충전용 유지 감싸기 → ④ 밀어 펴기 → ⑤ 3겹 1회 접기 → ⑥ 3겹 2회 접기 → ⑦ 냉장휴지(30분) → ⑧ 밀어 펴기 → ⑨ 3겹 3회 접기 → ⑩ 냉장 휴지(20분 정도) → ⑪ 밀어 펴기(성형)

4

쌀식빵

요구사항

쌀식빵을 제조하여 제출하시오.

❶ 배합표의 각 재료를 계량하여 재료별로 진열하시오(9분).

❷ 반죽은 스트레이트법으로 제조하시오(단, 유지는 클린업 단계에서 첨가하시오).

❸ 반죽 온도는 27 ℃를 표준으로 하시오.

❹ 분할 무게는 198 g씩으로 하고, 제시된 팬의 용량을 감안하여 결정하시오(단, 분할 무게×3을 1개의 식빵으로 함).

❺ 반죽은 전량을 사용하여 성형하시오.

배합표

재료명	비율(%)	무게(g)
강력분	70	910
쌀가루	30	390
물	63.819	
이스트	3	39
소금	1.8	23.4(24)
설탕	7	91
쇼트닝	5	65
탈지분유	4	52
제빵개량제	2	26
계	185.8	2,415.4(2,416)

제품 평가

부피 분할 무게에 맞게 부피가 알맞고, 모양이 균일하여야 한다.

껍질 껍질이 부드럽고 고른 색깔이 나야 하며 반점, 줄무늬가 없어야 한다.

내상 기공과 조직이 고르며 내상이 밝아야 한다.

외부 균형 찌그러짐이 없고 균형이 잘 맞아야 한다.

맛과 향 쌀가루의 씹는 촉감과 은은한 발효향이 나야 한다.

재료 계량

반죽하기

01 믹서볼에 쇼트닝을 제외한 전 재료를 넣는다.

02 저속으로 믹싱하여 재료를 충분히 수화시킨다.

03 반죽 표면이 매끈해지는 클린업 단계가 되면 쇼트닝을 넣어 준다.

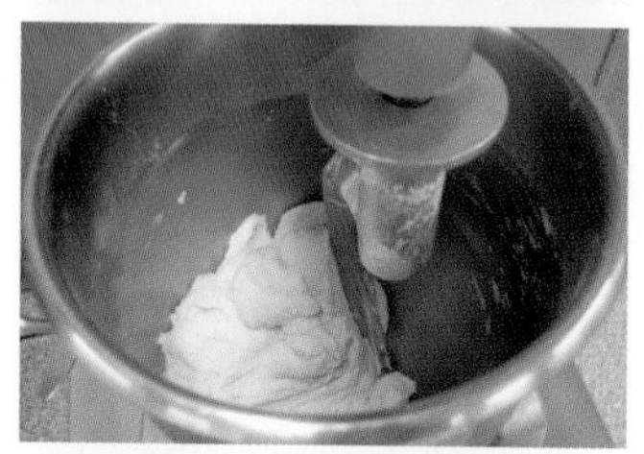

04 중속이나 고속으로 믹싱 속도를 조절하여 발전 단계 후반까지 반죽한다.

05 반죽 일부를 떼어 내어 양손으로 글루텐막 상태를 확인한다.

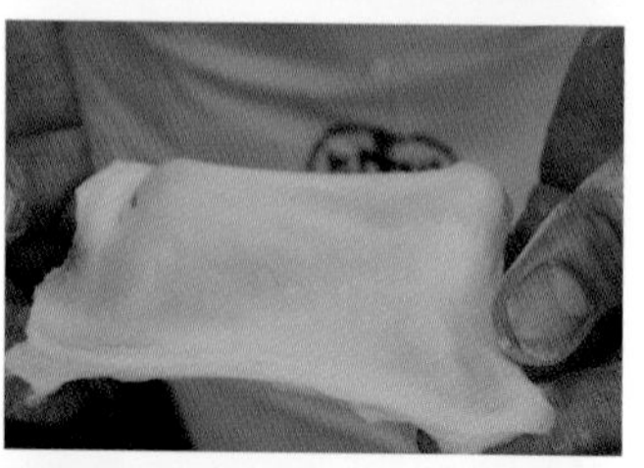

06 반죽 표면을 매끄럽게 정리해서 발효시킬 통에 넣어 반죽 온도를 측정한다(반죽 온도: 27℃).

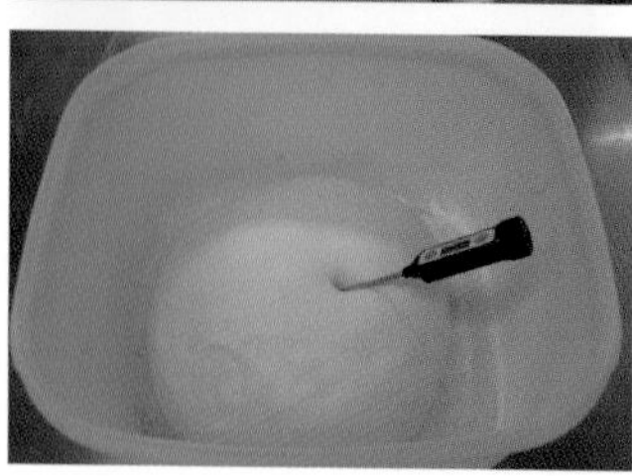

> **Point**
> 일반 식빵 반죽보다 믹싱을 적게하여 발전 단계 후반이나 최종 단계 전반에서 완료한다.

1차 발효-분할-둥글리기-중간 발효

07 1차 발효 상태를 확인한다(1차 발효실 관리: 온도 27℃, 습도 75~80%).

08 반죽을 꺼낸 후 분할한다.

09 198 g씩 분할한다.

10 반죽의 둥글리기는 손으로 반죽 옆면을 가볍게 밀어 타원형을 만들어 준다.

11 두 손으로 감싸는 듯한 동작으로 표면을 매끄럽게 둥글리기 한다.

12 나무판 위에 배열하여 비닐을 덮어 표면이 마르지 않게 유의하면서 중간 발효시킨다.

> **Point**
> 일반 반죽보다 반죽의 탄력성이 약하므로 둥글리기를 너무 세게 하지 않도록 한다(표피가 찢어지기 쉬우므로 주의).

성형하기

13 반죽을 밀대를 사용하여 일정한 두께와 크기로 밀어 편다.

14 반죽 바닥면을 위로 하여 3겹 접기를 한다.

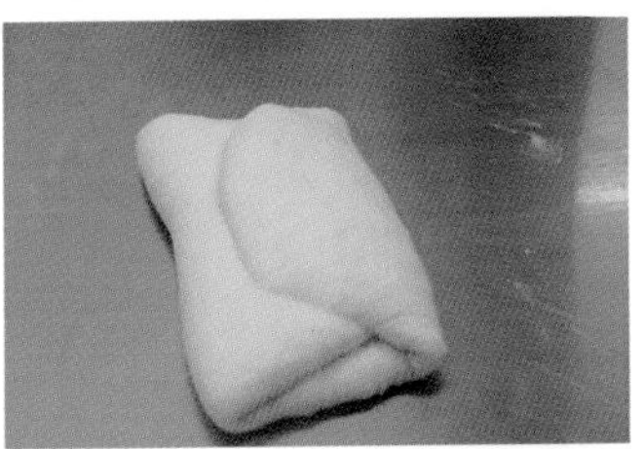

15 반죽을 손바닥으로 가볍게 누르면서 약간 늘려 준다.

16 한쪽 끝을 삼각형 모양으로 양쪽에서 접은 후 살짝 당기듯이 말아 준다.

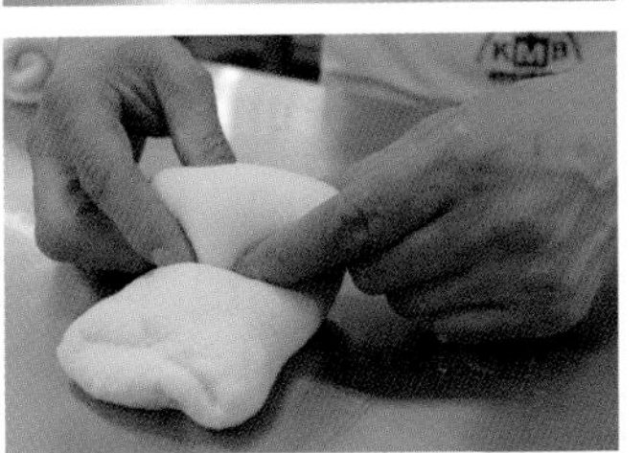

17 말기가 끝나면 끝부분의 이음매가 잘 붙도록 누른 뒤 붙여 준다.

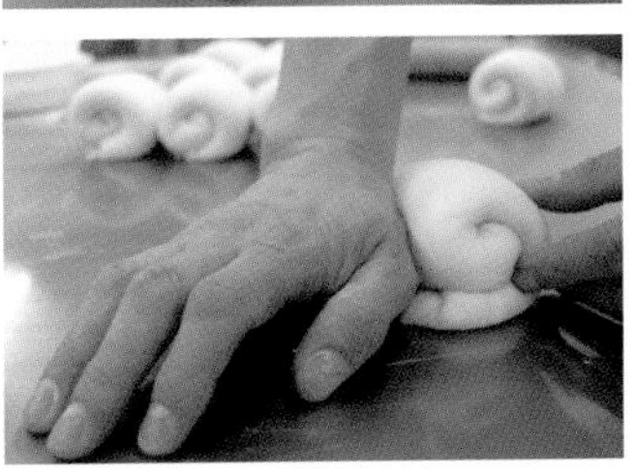

18 같은 팬에 들어가는 반죽은 좌우대칭이 되도록 한다(말아진 반죽 방향이 같도록 팬닝한다).

Point

일반 반죽보다 표피가 찢어지기 쉬우므로 성형을 약간 느슨하게 작업한다.

팬닝-2차 발효-굽기-제출

19 이음매를 팬 바닥 쪽으로 하여 팬닝한 후 손등으로 가볍게 눌러 준다.

20 2차 발효는 팬 위 1 cm 정도 발효시킨다.

21 식빵 윗면에 달걀물을 바른다.

22 윗불 160 ℃/아랫불 180 ℃로 미리 예열된 오븐에 약 30~35분 정도 굽는다.

23 오븐에서 뺀 후 식빵팬에서 바로 빼도록 한다.

24 냉각팬에 일정하게 나열하여 제출한다.

Point

① 2차 발효를 너무 높게 보지 않는다.
② 빵이 오븐에서 나오면 작업대에 약간 충격을 준다(찌그러짐 방지).

5

페이스트리 식빵

요구사항

페이스트리 식빵을 제조하여 제출하시오.

❶ 배합표의 각 재료를 계량하여 재료별로 진열하시오(10분).
❷ 반죽은 스트레이트법으로 제조하시오(단, 유지는 클린업 단계에 첨가하시오).
❸ 반죽 온도는 20 ℃를 표준으로 하시오.
❹ 접기와 밀기는 3겹, 접기는 3회 하시오.
❺ 트위스트형(세가닥 엮기)으로 성형하시오.
❻ 반죽은 전량을 사용하여 성형하시오.

배합표

재료명	비율(%)	무게(g)
강력분	75	825
중력분	25	275
물	44	484
이스트	6	66
소금	2	22
마가린	10	110
달걀	15	165
설탕	15	165
탈지분유	3	33
제빵개량제	1	11
계	196	2,165
파이용 마가린	총 반죽의 30%	646.8(647)

※ 토핑용 재료는 계량시간에서 제외

제품 평가

부피 제품이 가라앉거나 찌그러지지 않고 부피감이 있어야 한다.

껍질 껍질이 벗겨지지 않으며, 전체적으로 황금 갈색을 띠고 구운 색이 나야 한다.

내상 결이 잘 형성되어 있고, 부위별로 고른 기공과 조직을 가져야 한다.

외부 균형 반죽에 유지가 없는 층이 있거나, 반죽의 절단면이 붙은 상태이면 발효와 굽기 과정에서 팽창이 억제되어 균형이 잡히지 않는다.

맛과 향 식감이 바삭하거나 눅눅하지 않으면서, 유지와 발효향이 잘 어울리며, 끈적거림, 탄 냄새, 생재료 맛 등이 없어야 한다.

재료 계량

반죽하기

01 마가린을 제외한 전 재료를 믹서볼에 넣고, 저속으로 믹싱한다.

02 재료가 잘 섞이고 믹서볼이 깨끗해지는 클린업 상태가 되면 마가린을 넣어 혼합한다.

03 믹싱 중 스크레퍼나 주걱으로 반죽 가장자리를 잘 긁어 주어 균일하게 믹싱되도록 한다.

04 발전 단계에서 믹싱을 완성한다(반죽 온도 : 20 ℃).

05 덧가루를 뿌린 비닐에 반죽을 감싸 눌러준 후 약 30분 정도 휴지시킨다.

06 충전용 유지의 경도를 조절한다.

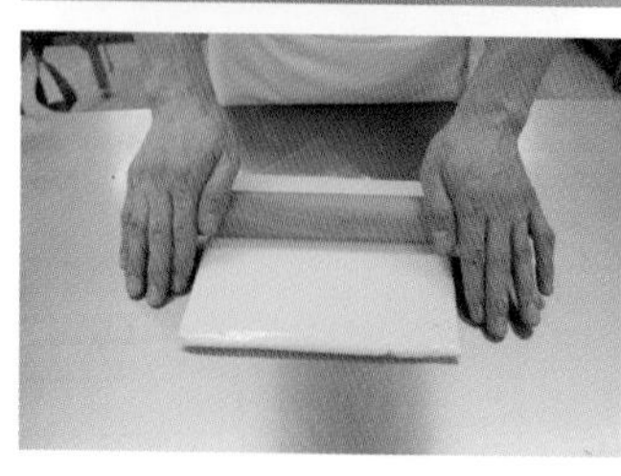

Point

① 밀어 펴기 과정에서 글루텐 형성이 되므로 일반 빵 반죽처럼 믹싱하게 되면 밀어 펴기가 힘들어지고 완제품의 껍질이 부스러지기 쉽다.
② 충전용 유지가 단단할 경우 미리 실온에 꺼내 놓거나 밀대로 두드려서 반죽의 경도와 같도록 조절해 준다.

유지 싸기

07 냉장 휴지된 반죽을 꺼내어 두께가 일정한 정사각형 모양으로 밀어 편다.

08 충전용 유지를 약간 크게 밀어 편 후 반죽 위에 놓는다.

09 테두리 반죽을 중앙 부분으로 한 겹씩 봉해 준다.

10 테두리 반죽이 중앙에 모아지면 손으로 이음매를 잘 봉하여, 충전용 유지가 나오지 않도록 싸 준다.

11 충전용 유지를 싼 반죽을 손바닥으로 눌러가면서 충전용 유지와 반죽을 밀착시키며 크기를 늘려 준다.

12 밀대를 이용하여 두드리면서 크기를 늘려줘도 된다.

Point

충전용 유지를 감싼 반죽을 손바닥으로 눌러 주면서 충전용 유지가 반죽의 가장자리까지 갈 수 있도록 골고루 펴 준다.

밀기(3회)-접기(3겹)

13 반죽을 세로 방향으로 처음 크기의 4배 정도 밀어 준다.

14 가로 방향으로 돌려주거나 앞뒤를 바꿀 때에는 밀대에 반죽을 말아 주면 용이하다.

15 가로 80 cm의 사각형으로 밀어 준다(80×50 cm).

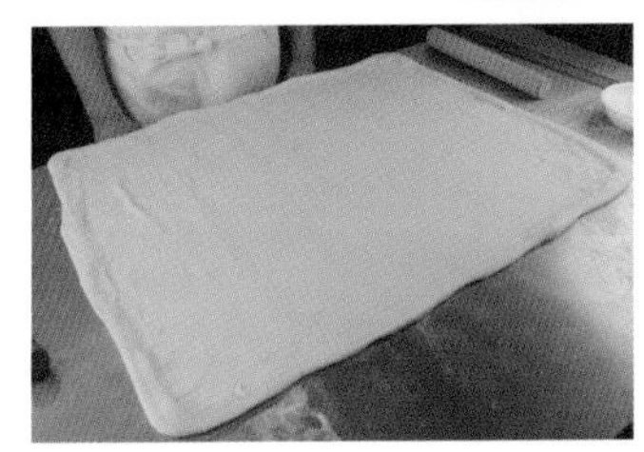

16 1/3을 접어 반죽을 3층으로 겹쳐 준다.

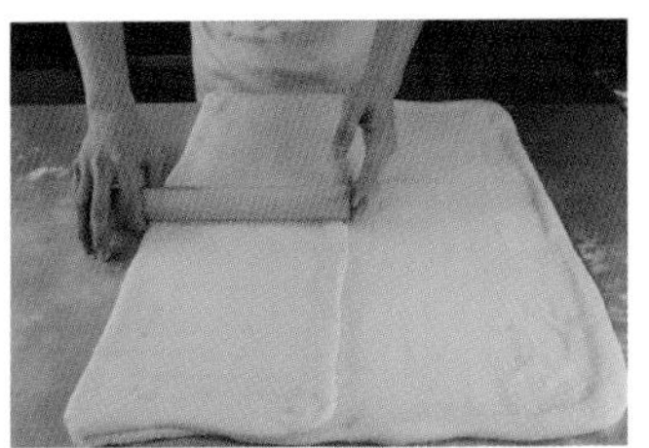

17 모서리까지 당겨 가능한 직사각형이 되도록 한다.

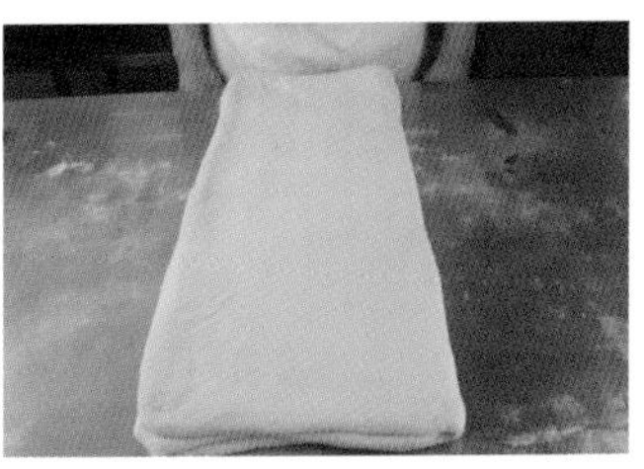

18 접기가 완성되면 나무판에 옮겨 비닐에 씌운 후 30분 정도 냉장 휴지시킨다.

성형하기

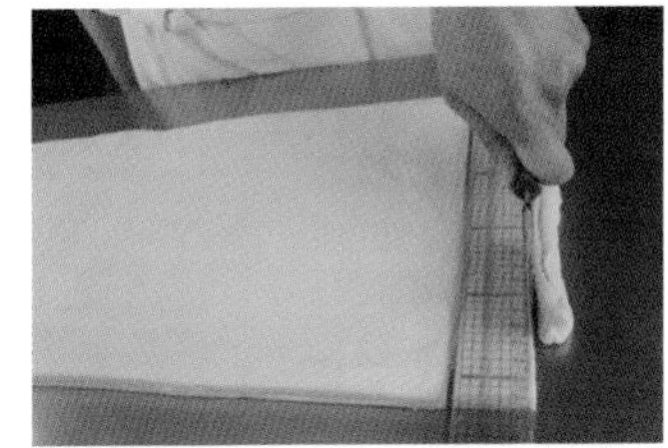

19 반죽을 가로 52 cm×세로 30 cm×두께 1.5 cm로 밀어 편 후 가로, 세로, 테두리 부분을 1 cm씩 자른다.

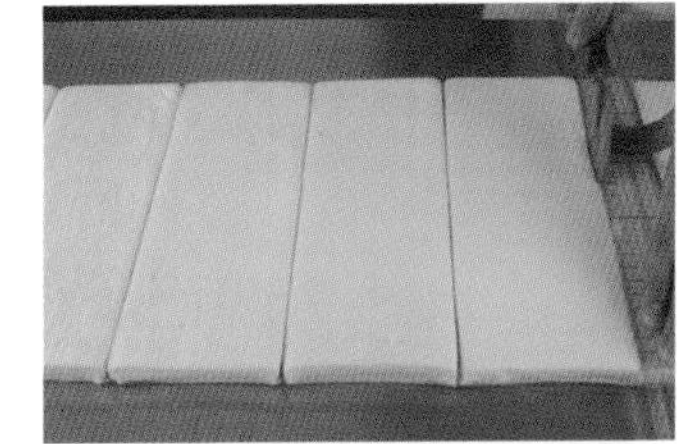

20 가로 10 cm씩 표시하여 반죽을 5등분한 후 가로 10 cm×세로 28 cm로 반죽을 자른다.

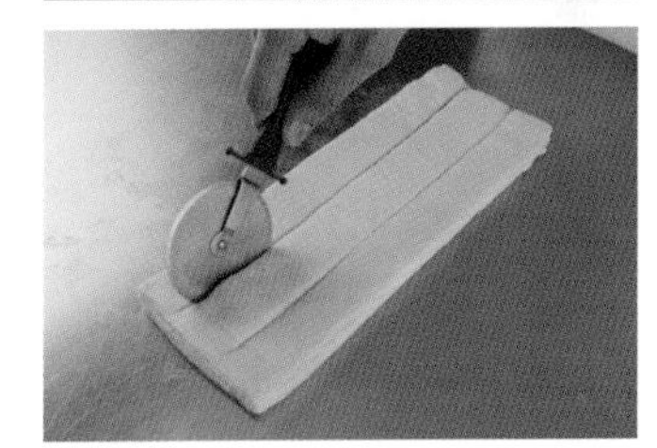

21 반죽을 작업대에 놓고 윗부분을 1 cm 간격을 남기고 3등분으로 자른다.

22 3등분한 반죽을 작업대에 펴 준다.

23 세가닥 엮기를 해 준다.

24 성형 완성

팬닝-2차 발효-굽기-제출하기

25 식빵팬에 위생지를 깔고 팬닝한다.

26 팬닝이 완성되면 2차 발효시킨다(2차 발효 관리:온도 27~32 ℃, 습도 75~80%).

27 윗불 180 ℃/아랫불 180 ℃로 예열된 오븐에서 약 30~35분 정도 굽는다.

28 오븐에서 꺼낸 후 틀에서 바로 빼도록 한다.

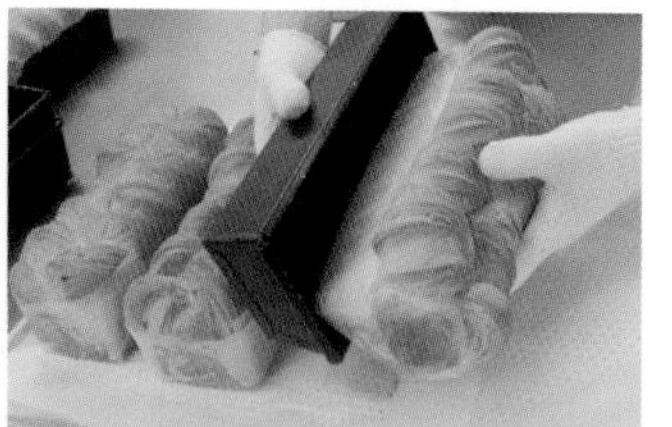

29 완제품

> **Point**
> 2차 발효점을 팬 아래 1 cm 정도까지 한다(과발효 시 옆면이 주저 앉을 수 있다).

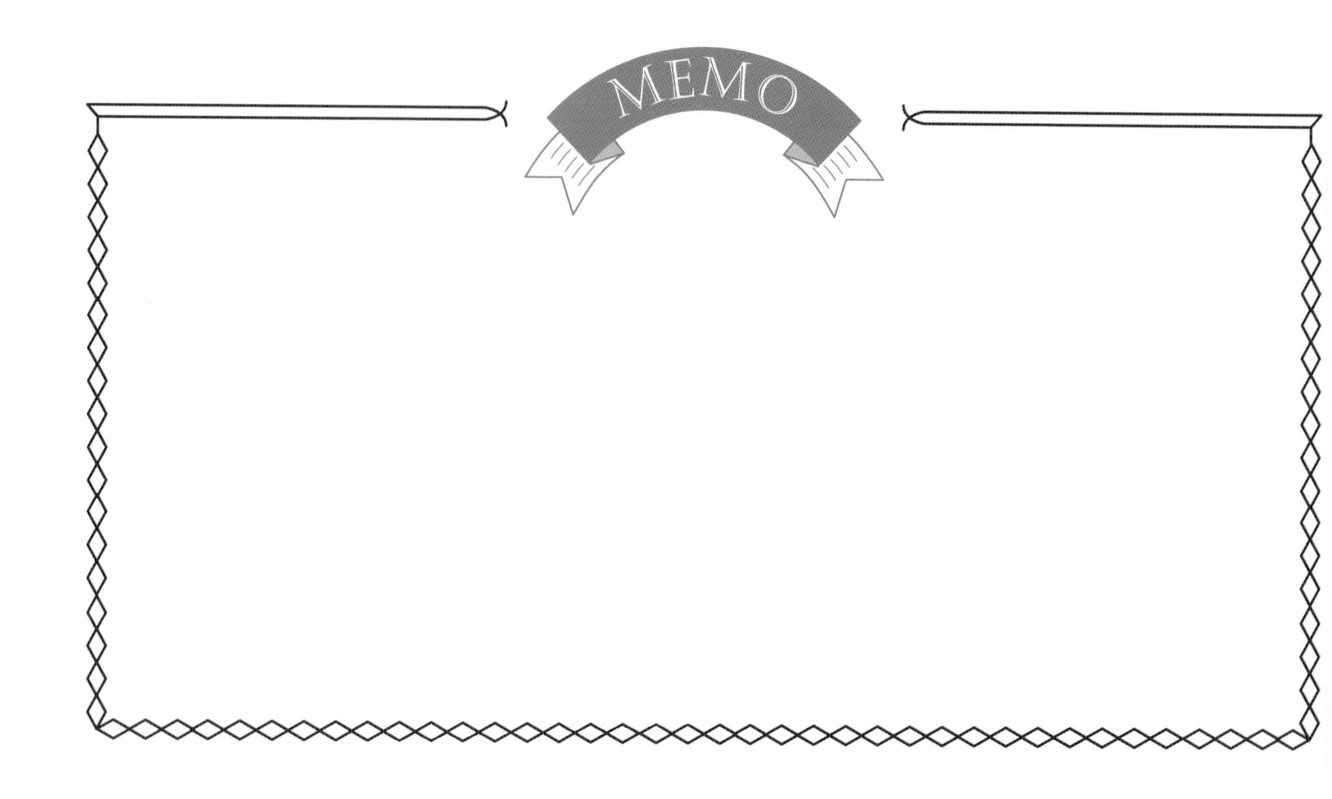

세부컷

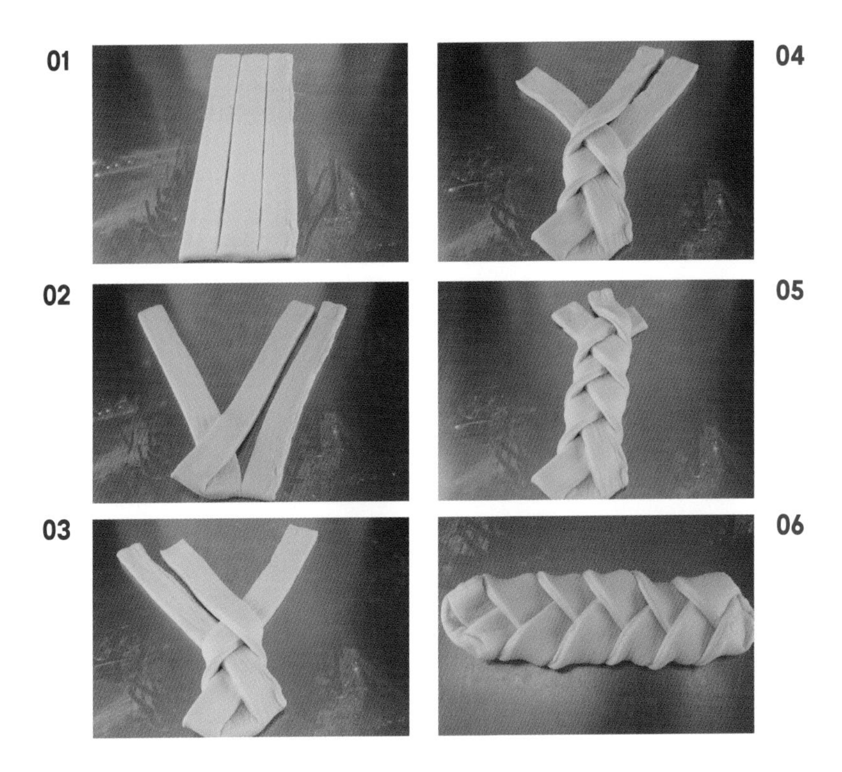

전체 공정

① 반죽 휴지→② 반죽 밀어 펴기→③ 충전용 유지 감싸기→④ 밀어 펴기→⑤ 3겹 1회 접기 → ⑥ 냉장 휴지(30분)→⑦ 3겹 2회 접기→⑧ 냉장 휴지(30분)→⑨ 밀어 펴기→⑩ 3겹 3회 접기→⑪ 냉장 휴지(30분)→⑫ 밀어 펴기→⑬ 성형

잠깐

반죽을 냉장 휴지시키는 이유는?

① 밀가루를 완전히 수화시켜 글루텐을 안정시킨다.
② 반죽과 충전용 유지의 되기를 같게 하여 층을 분명히 한다.
③ 밀어 펴기를 쉽게 하는 데 있다.

6

건포도 식빵

요구사항

건포도 식빵을 제조하여 제출하시오.

- 배합표의 각 재료를 계량하여 재료별로 진열하시오(10분).
- 반죽은 스트레이트법으로 제조하시오(단, 유지는 클린업 단계에서 첨가하시오).
- 반죽 온도는 27 ℃를 표준으로 하시오.
- 표준 분할 무게는 180 g으로 하고, 제시된 팬의 용량을 감안하여 결정하시오(단, 분할 무게×3을 1개의 식빵으로 함).
- 반죽은 전량을 사용하여 성형하시오.

배합표

재료명	비율(%)	무게(g)
강력분	100	1,400
물	60	840
이스트	3	42
제빵개량제	1	14
소금	2	28
설탕	5	70
마가린	6	84
탈지분유	3	42
달걀	5	70
건포도	25	350
계	210	2,940

제품 평가

부피 분할 무게에 맞게 부피가 알맞고, 모양이 균일하여야 한다.

내부 균형 찌그러짐이 없고 균형이 잘 맞아야 한다.

껍질 껍질이 부드럽고 고른 색깔이 나야 하며 반점과 줄무늬가 없어야 한다.

내상 기공과 조직이 일정해야 하고 건포도가 빵 내부에 고르게 분포되어 있어야 한다.

맛과 향 부드러운 식감과 좋은 발효향이 나야 한다.

재료 계량

반죽하기

01 믹서볼에 마가린과 건포도를 제외한 전 재료를 넣고 저속으로 혼합한다.

02 반죽 표면이 매끈해지는 클린업 단계가 되면 마가린을 넣어준다.

03 중속과 고속으로 믹싱 속도를 조절하여 최종 단계까지 반죽한다.

04 반죽의 일부를 떼어내어 양손으로 글루텐막 상태를 확인한다.

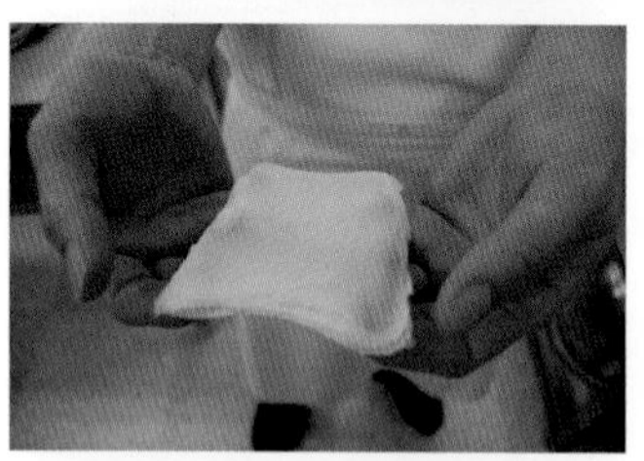

05 전처리한 건포도를 저속으로 혼합한다.

06 반죽 표면을 매끄럽게 정리해서 발효시킬 통에 넣어 반죽 온도를 측정한다(반죽 온도 27 ℃).

Point

① 건포도를 혼합할 때 반죽을 손으로 떼어내면서 전처리 건포도와 반죽을 골고루 섞어준다(저속으로 오래하면 건포도가 으깨질 수 있으므로 주의한다).
② 실제 시험장에서 전처리는 간단하게 건포도가 물에 잠길 정도로 한다(겨울철: 온수, 여름철: 냉수).

1차 발효-분할-둥글리기-중간 발효

07 1차 발효 완료점을 확 한다.

08 반죽을 꺼낸 후 신속하 분할한다.

09 180 g씩 분할한다.

10 가볍게 둥글리기 하며 포도가 튀어 나오면 바 으로 넣어준다.

11 표면을 매끄럽게 둥글 기 한다.

12 나무판에 놓고 비닐을 어 중간 발효시킨다.

Poin

① 건포도 식빵은 일반 식빵에 비해 분할량을 20~25% 증량한다(건포도 중량이 많아서 부피가 작게 되므로 다른 빵과 비슷한 높이로 맞추기 위해서이다).
② 둥글리기 시 건포도가 윗면에 튀어 나오지 않게 가볍게 하며, 튀어나온 건포도는 밑으로 넣어준다.

성형하기

3 반죽에 덧가루를 적당히 사용하면서 앞뒤로 밀어 준다.

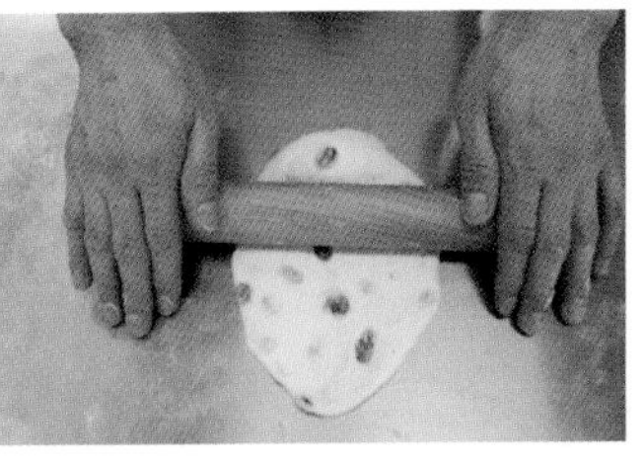

4 3겹 접기 한다.

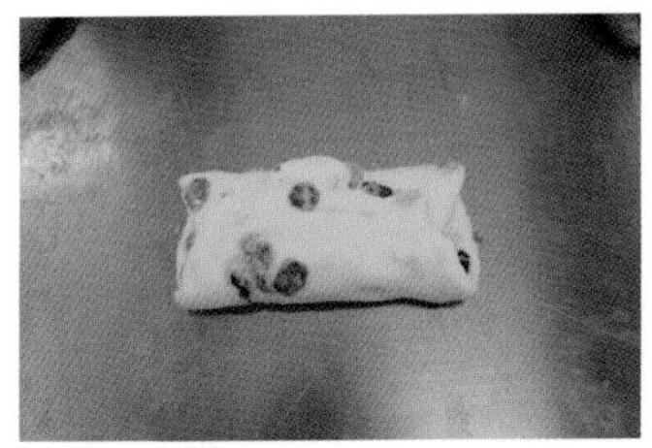

5 끝부분을 삼각으로 접어 준다.

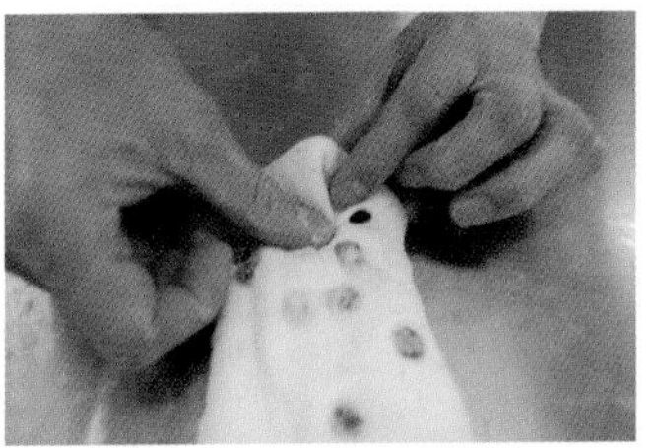

6 살짝 당기듯 말아준다.

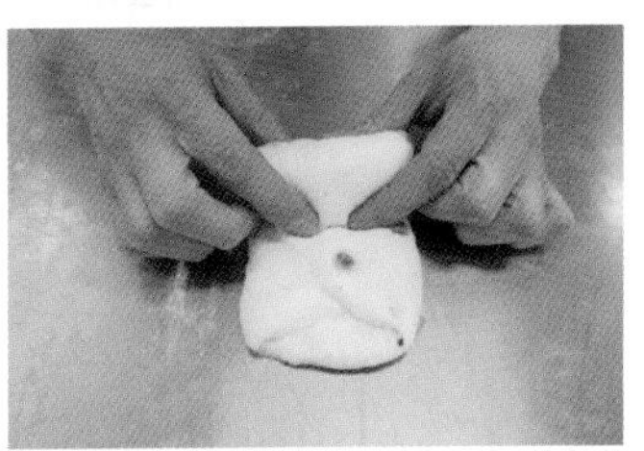

7 반죽 마무리가 풀리지 않도록 손으로 매듭을 봉해 준다.

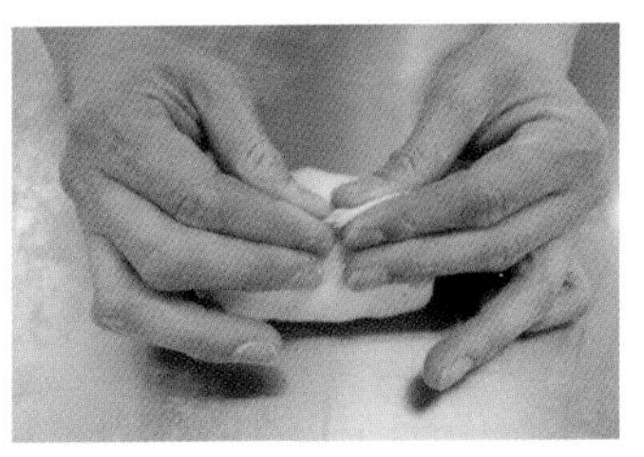

8 말린 식빵 3개의 방향이 동일하게 한다.

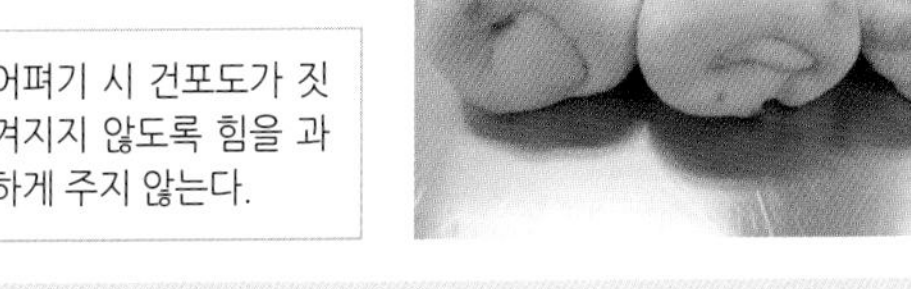

oint

밀어펴기 시 건포도가 짓이겨지지 않도록 힘을 과도하게 주지 않는다.

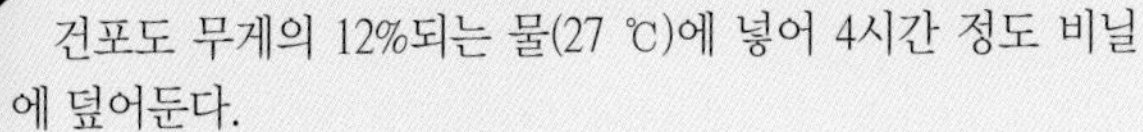

ote

건포도 전처리 방법

건포도 무게의 12%되는 물(27 ℃)에 넣어 4시간 정도 비닐에 덮어둔다.

팬닝-2차 발효-굽기-제출

19 성형된 반죽 3덩어리를 넣고 손등으로 가볍게 눌러 준다.

20 2차 발효는 팬 위에서 1.5~2 cm까지 발효시킨다.

21 윗면에 달걀물을 발라준다.

22 윗불 160 ℃/아랫불 180 ℃ 오븐에 30~35분 정도 굽는다.

23 오븐에서 나온 후 틀에서 바로 분리해준다.

24 완제품

Point

① 건포도 식빵은 2차 발효점을 1.5~2 cm로 약간 높게 한다(건포도로 인해 오븐 스프링이 적기 때문이다).
② 건포도에 들어있는 당분으로 껍질색이 빨리 나므로 윗불 온도를 약간 낮게 조절한다.

7

햄버거빵

요구사항

햄버거빵을 제조하여 제출하시오.

❶ 배합표의 각 재료를 계량하여 재료별로 진열하시오(10분).

❷ 반죽은 스트레이트법으로 제조하시오(단, 유지는 클린업 단계에서 첨가하시오).

❸ 반죽 온도는 27 ℃를 표준으로 하시오.

❹ 반죽 분할 무게는 개당 60 g으로 제조하시오.

❺ 모양은 원반형이 되도록 하시오.

❻ 반죽은 전량을 사용하여 성형하시오.

배합표

재료명	비상스트레이트	
	비율(%)	무게(g)
강력분	70	770
중력분	30	330
이스트	3	33
제빵개량제	2	22
소금	1.8	19.8(20)
마가린	9	99
탈지분유	3	33
달걀	8	88
물	48	528
설탕	10	110
계	184.8	2,032.8

제품 평가

부피 분할 무게에 맞게 부피가 알맞고, 모양이 균일하며, 빵이 옆으로 퍼지지 않고 도톰해야 한다.

외부 균형 찌그러짐이 없고 균형이 잘 맞아야 한다.

껍질 껍질이 부드럽고 고른 색깔이 나야 하며 반점과 줄무늬가 없어야 한다.

내상 기공과 조직이 고르고 내상이 밝아야 한다.

맛과 향 부드러운 식감과 좋은 발효향이 나야 한다.

재료 계량

반죽하기

01 믹서볼에 마가린을 제외한 전 재료를 넣는다.

02 저속으로 믹싱하여 재료를 충분히 수화시킨다.

03 반죽 표면과 볼이 깨끗해지는 클린업 단계가 되면 마가린을 넣어준다.

04 중속에서 고속으로 믹싱 속도를 조절하여 최종 단계까지 반죽한다.

05 반죽의 일부를 떼어 양손으로 글루텐막 상태를 확인한다.

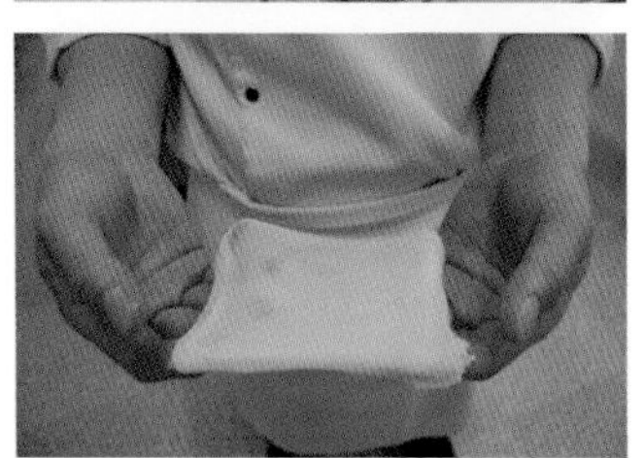

06 반죽 표면을 매끄럽게 정리하여 발효통에 넣은 뒤 반죽 온도를 측정한다(반죽 온도: 27 ℃).

Point

① 햄버거 전용 팬에 팬닝 시에는 최종 단계 후기까지 반죽한다.
② 기능사 시험에서는 평철판이 지급되므로 최종 단계 중반부에 마무리 한다.

1차 발효-분할-중간 발효

07 1차 발효시킨 후 상태를 확인한다(1차 발효 조건: 27 ℃, 75~80%).

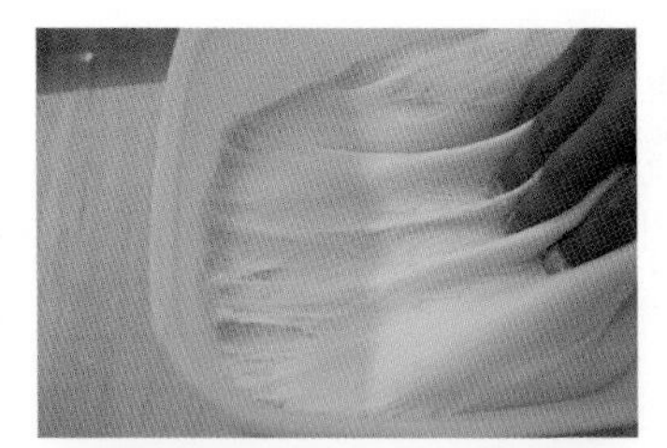

08 손이나 스크레이퍼를 이용하여 분할한다.

09 60 g씩 분할한다.

10 손바닥 위에 올려 둥글리기 한다.

11 나무판에 둥글리기 한 순서대로 나열한다.

12 중간 발효 도중 반죽 표면이 마르지 않도록 비닐을 덮는다.

Point

① 중간 발효 시간이 짧은 경우는 밀어 펴기 작업 시 반죽이 수축되고, 발효시간이 길어진 경우에는 반죽이 쳐진다.
② 분할 도중에도 발효가 진행되므로 가급적 짧은 시간 내에 정확히 분할한다.

성형하기

3 중간 발효 첫 번째 순서대로 손바닥 위에 올린다.

4 가볍게 재둥글리기 한다.

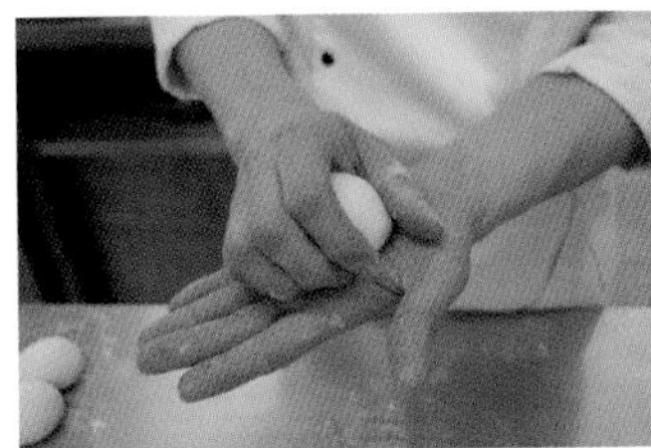

5 밑바닥의 매듭을 잘 봉해준다.

6 봉해준 면을 바닥으로 향하게 하여 반죽을 돌려가며 밀어 편다(크기는 약 7~8 cm 크기로 일정하게 밀어준다).

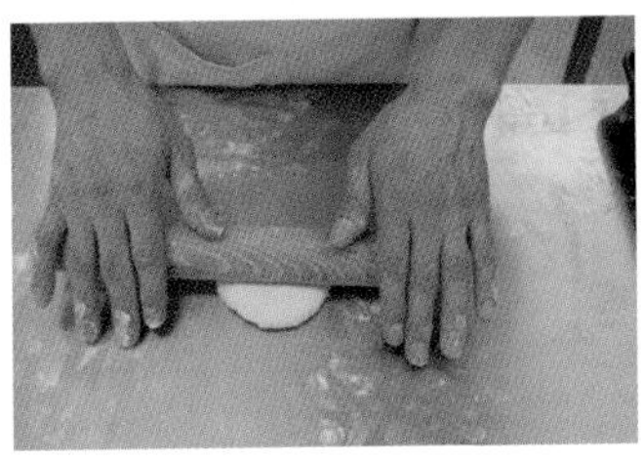

Point

성형 시 덧가루를 적절하게 사용하지 않으면 반죽이 작업대에 붙게 되어 밀어 펴기가 어렵고, 밀대로 힘 조절을 하지 못하면 반죽이 짓이겨져서 반죽이 뭉치게 되어 2차 발효 시간이 길어지고 완제품이 납작하게 나온다.

팬닝-2차 발효-굽기-제출

17 팬닝 후 2차 발효시킨다(2차 발효 관리: 38 ℃, 80~85%).

18 2차 발효 후 달걀물을 발라준다.

19 윗불 190 ℃/아랫불 140 ℃로 예열된 오븐에 넣어 약 12~15분 정도 황갈색으로 구워낸다.

20 완제품

Point

① 가스 포집력이 최대인 상태까지 발효시켜야 빵이 납작하게 나오지 않는다.
② 오븐의 위치에 따라 오븐 편차가 나므로 일정 시간이 경과 후 철판의 위치를 바꾸어 전체 제품의 색깔이 균일하도록 한다.

MEMO

제빵기능사
실기
• 부록 • 제빵 카드

1 빵도넛(스트레이트법) 3시간

2 소시지빵(스트레이트법) 3시간 30분

3 식빵(비상스트레이트법) 2시간 40분

4 단팥빵(비상스트레이트법) 3시간

1 빵도넛(스트레이트법)

① 쇼트닝을 제외한 모든 재료를 넣고 믹싱한다.
② 클린업 단계에서 쇼트닝을 넣어 최종 단계 초기까지 믹싱 완료한다(믹싱을 오버하지 않도록 한다).
③ 반죽 온도는 27 ℃로 맞춘다.
④ 1차 발효한다(온도 27 ℃, 습도 75~80%).
⑤ 분할한다(45 g).
⑥ 둥글리기 한 후 중간 발효한다(10분~15분).
⑦ 손바닥으로 밀어 가스를 빼면서 일자형으로 밀어 놓는다.
⑧ 8자, 꽈배기형으로 성형한다.
⑨ 패닝하여 2차 발효시킨다(온도 35~38 ℃, 습도 75~80%).
⑩ 180 ℃로 기름 온도를 예열한 후 같은 모양끼리 튀겨낸다(튀김 시 앞, 뒤는 한 번만 기름에 닿게 하여야 한다).
⑪ 튀겨낸 후 계피 설탕을 묻혀 제출한다.

2 소시지빵(스트레이트법)

① 마가린을 제외한 모든 재료를 넣고 믹싱한다.
② 클린업 단계에서 마가린을 넣어 최종 단계에서 믹싱 완료한다.
③ 반죽 온도는 27 ℃로 맞춘다.
④ 1차 발효한다(온도 27 ℃, 습도 75~80%).
⑤ 분할한다(70 g).
⑥ 둥글리기 한 후 중간 발효한다(10분).
⑦ 반죽을 타원형으로 만든 후 프랑크소시지를 감싸준다.
⑧ 1철판 위에 6개씩 팬닝한다.
⑨ 가위를 이용하여 낙엽 모양과 꽃잎 모양으로 자른다.
⑩ 충전물(양파)을 준비한다.
⑪ 2차 발효한다(온도 35~38 ℃, 습도 85%).
⑫ 충전물을 올려 마요네즈, 케첩을 짜 준 후 피자치즈를 올린다.
⑬ 윗불 190 ℃/아랫불 150 ℃에서 약 15~20분 정도 굽는다.

3 식빵(비상스트레이트법)

① 쇼트닝을 제외한 모든 재료를 넣고 믹싱한다.
② 클린업 단계에서 쇼트닝을 넣어 최종 단계까지 믹싱 완료한다(일반 식빵보다 믹싱 시간 20~25% 정도 늘려 준다).
③ 반죽 온도는 30 ℃로 맞춘다.
④ 1차 발효한다(온도 27 ℃, 습도 75~80%, 15~30분).
⑤ 분할한다(170 g).
⑥ 둥글리기 한 후 중간 발효한다(10~15분).
⑦ 중간 발효된 반죽을 밀대로 밀어 가스를 뺀다.
⑧ 3겹 접기를 하여 단단하게 말아 준다.
⑨ 3개씩 팬닝한다(산형 식빵).
⑩ 2차 발효한다(온도 35~38 ℃, 습도 85%).
⑪ 2차 발효 완료점은 틀 위 0.5~1 cm 정도이다.
⑫ 윗불 160 ℃/아랫불 180 ℃ 오븐에 넣어 30~35분 굽는다.

4 단팥빵(비상스트레이트법)

① 마가린을 제외한 모든 재료를 넣고 믹싱한다.
② 클린업 단계에서 마가린을 투입하여 최종 단계까지 믹싱 완료한다(일반 빵 반죽보다 믹싱을 20~25% 정도 증가).
③ 반죽 온도는 30 ℃로 맞춘다.
④ 1차 발효한다(온도 27 ℃, 습도 75~80%, 15~30분).
⑤ 분할한다(50 g).
⑥ 둥글리기 한 후 중간 발효한다(10분~15분).
⑦ 앙금 40 g을 포앙하여 이음매를 잘 꼬집어 준다.
⑧ 패닝 후 2차 발효시킨다(온도 35~38 ℃, 습도 85%).
⑨ 반죽 중앙을 눌러 구멍을 내준다.
⑩ 달걀물을 바른 후 윗불 180 ℃/아랫불 160 ℃ 오븐에 12~15분 정도 황갈색으로 굽는다.

5 그리시니
2시간 30분

6 밤 식빵
3시간 40분

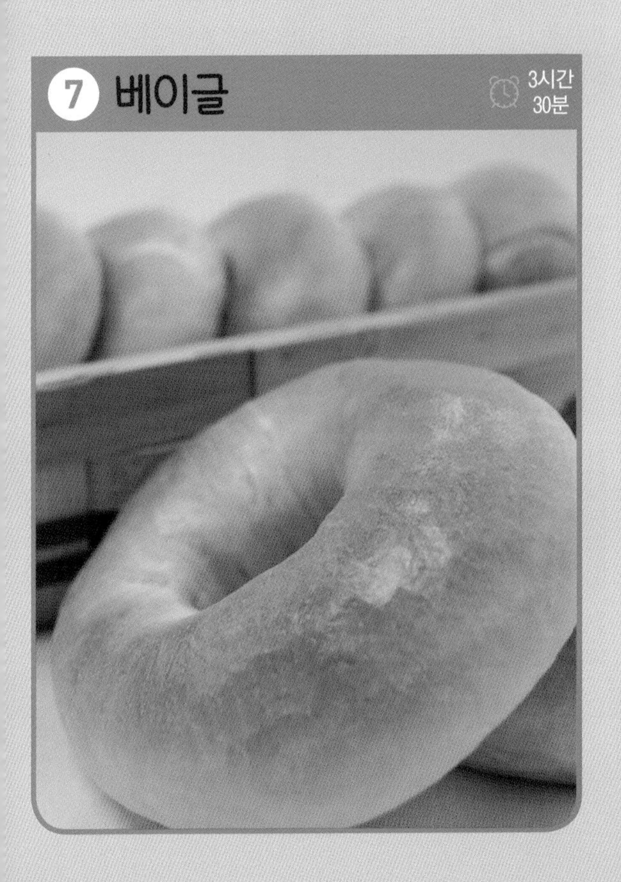
7 베이글
3시간 30분

8 스위트롤
3시간 30분

6 밤 식빵

① 버터를 제외한 모든 재료를 넣고 믹싱한다.
② 클린업 단계에서 버터를 넣어 최종 단계까지 믹싱 완료한다.
③ 반죽 온도를 27 ℃로 맞춘다.
④ 1차 발효한다(온도 27 ℃, 습도 75~80%).
⑤ 분할한다(450 g).
⑥ 둥글리기 한 후 중간 발효한다(10분~15분).
⑦ 중간 발효된 반죽을 밀대로 밀어 가스를 뺀다(한 덩이 식빵을 성형 시 양 옆을 잡아 주어 폭이 너무 넓지 않도록 주의한다).
⑧ 원로프로 말아 준다.
⑨ 이음매를 밑으로 하여 팬닝 후 눌러 준다(원로프 식빵).
⑩ 2차 발효한다(온도 35~38 ℃, 습도 85%).
⑪ 2차 발효점을 팬 밑 1 cm로 맞춘 후, 토핑을 짜고 아몬드 슬라이스를 뿌린다(토핑 짜는 시간이 걸리므로 발효점보다 미리 발효를 종료한다).
⑫ 윗불 160 ℃/아랫불 180 ℃ 오븐에 넣어 30~35분 굽는다.

[토핑 만들기]
① 마가린을 부드럽게 푼다.
② 설탕, 소금을 넣고 크림화한다.
③ 달걀을 나눠 넣어가면서 크림화한다.
④ 체에 친 가루를 넣고 매끄럽게 반죽한다.
⑤ 톱날 깍지가 든 짤주머니에 담아 준비한다.

5 그리시니

① 버터를 제외한 모든 재료를 넣고 믹싱한다.
② 클린업 단계에서 버터를 넣고 발전 단계 중기까지 믹싱 완료한다(일반 빵 반죽의 80%까지 믹싱한다).
③ 반죽은 온도 27 ℃에 맞춘다.
④ 1차 발효한다(온도 27 ℃, 습도 75~80%).
⑤ 30 g 분할한다.
⑥ 둥글리기 한 후 중간 발효한다(10~15분).
⑦ 반죽을 35~40 cm로 밀어 편다(일자형).
⑧ 1철판에 8개씩 패닝한다.
⑨ 2차 발효한다(온도 30~33 ℃, 습도 75~80%).
⑩ 윗불 200 ℃/아랫불 150 ℃에서 20~25분 정도 굽는다.

8 스위트롤

① 쇼트닝을 제외한 모든 재료를 넣고 믹싱한다.
② 클린업 단계에서 쇼트닝을 넣어 최종 단계까지 믹싱 완료한다.
③ 반죽 온도는 27 ℃로 맞춘다.
④ 1차 발효한다(온도 27 ℃, 습도 75~80%, 처음부터 두 덩어리로 만들어 1차 발효한다).
⑤ 세로 30 cm, 두께 0.4 cm로 하여 가로로 밀어 편다.
⑥ 가장자리 1 cm만 남기고 녹인 버터를 얇게 바른다.
⑦ 충전용 계피설탕을 만들어 골고루 뿌려 준다.
⑧ 약간 단단히 말아 주고 남긴 이음매 부분에 물칠을 하여 떨어지지 않도록 한다.
⑨ (야자잎) 약 2~3 cm 폭으로 두 잎을 잘라 준다.
⑩ (트리플리프) 약 2 ~3 cm 폭으로 세 잎을 잘라 준다.
⑪ (말발굽) 약 15 cm 정도 자른 후 8등분~10등분하여 U자형으로 한 방향으로 늘린다.
⑫ 팬닝하여 2차 발효시킨다(온도 35 ~38 ℃, 습도 85%).
⑬ 윗불 190 ℃/아랫불 140 ℃ 오븐에서 12~15분 굽는다.

7 베이글

① 모든 재료를 넣고 믹싱한다.
② 최종 단계 초기에서 믹싱을 완료한다.
③ 반죽 온도는 27 ℃로 맞춘다.
④ 1차 발효(온도 27 ℃, 습도 75~80%) 후 분할한다(80 g).
⑤ 둥글리기 한 후 일자형(12 cm)으로 반죽을 밀어서 중간 발효한다(10분~15분).
⑥ 3번 접어 20~25 cm 길이의 막대형으로 만든다.
⑦ 반죽 한쪽 끝부분을 밀대로 납작하게 밀어 펴고 다른 한쪽 끝을 이어 납작하게 밀어 편 부분으로 감싸 준다.
⑧ 1철판에 8개씩 팬닝한다.
⑨ 2차 발효한다(일반 빵 반죽에 비해 약간 적게 발효시킨다).
⑩ 큰 스텐볼에 물을 85~90 ℃까지 끓인다.
⑪ 끓인 물에 발효된 반죽을 넣고 앞, 뒷면을 살짝 데친다.
⑫ 반죽을 건져서 물기를 충분히 뺀다.
⑬ 평철판에 옮겨 5분 정도 발효시킨다.
⑭ 윗불 200 ℃/아랫불 170 ℃에서 15~20분 정도 굽는다.

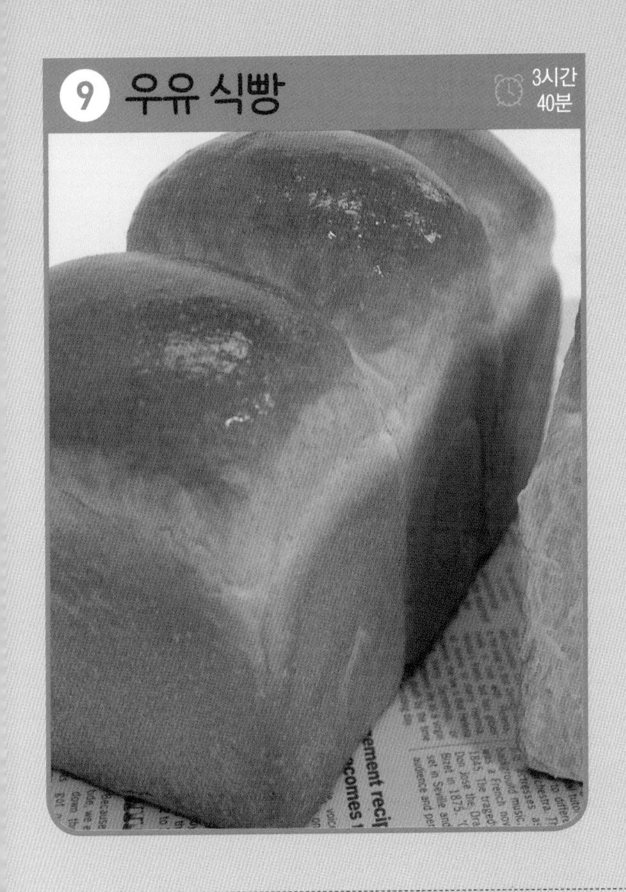
9 우유 식빵
3시간 40분

10 단과자(트위스트형)
3시간 30분

11 단과자(크림빵)
3시간 30분

12 풀만 식빵
3시간 40분

⑨ 우유 식빵

① 쇼트닝을 제외한 모든 재료를 넣고 믹싱한다.
② 클린업 단계에서 쇼트닝을 넣어 최종 단계까지 믹싱 완료한다.
③ 반죽 온도는 27 ℃로 맞춘다.
④ 1차 발효한다(온도 27 ℃, 습도 75~80%).
⑤ 분할한다(180 g).
⑥ 둥글리기 한 후 중간 발효한다(10분~15분).
⑦ 중간 발효된 반죽을 밀대로 밀어 가스를 뺀다.
⑧ 3겹 접기를 하여 단단하게 말아준다.
⑨ 3개씩 팬닝한다(산형 식빵).
⑩ 2차 발효한다(온도 35~38 ℃, 습도 85%).
⑪ 2차 발효 완료점은 틀 위 1 cm 정도이다.
⑫ 윗불 160 ℃/아랫불 180 ℃ 오븐에 넣어 30~35분 굽는다.

⑩ 단과자(트위스트형)

① 쇼트닝을 제외한 모든 재료를 넣고 믹싱한다.
② 클린업 단계에서 쇼트닝을 넣어 최종 단계까지 믹싱 완료한다.
③ 반죽 온도는 27 ℃로 맞춘다.
④ 1차 발효한다(온도 27 ℃, 습도 75~80%).
⑤ 분할한다(50 g).
⑥ 둥글리기 한 후 중간 발효한다(10분~15분).
⑦ 가스를 빼고 일자형으로 밀어 펴 놓는다.
⑧ 8자형, 달팽이형으로 성형하여 팬닝한다.
⑨ 2차 발효시킨다(온도 35~38 ℃, 습도 85%).
⑩ 달걀물을 바른 후 윗불 190 ℃/아랫불 140 ℃에서 약 10~12분 굽는다.

⑪ 단과자(크림빵)

① 쇼트닝을 제외한 모든 재료를 넣고 믹싱한다.
② 클린업 단계에서 쇼트닝을 넣어 최종 단계까지 믹싱 완료한다.
③ 반죽 온도는 27 ℃로 맞춘다.
④ 1차 발효한다(온도 27 ℃, 습도 75~80%).
⑤ 분할한다(45 g).
⑥ 둥글리기 한 후 중간 발효한다(10분~15분).
⑦ (크림 충전용 성형) 긴 타원형으로 밀어준 후, 크림 30 g을 넣고 반달로 접어 칼집 5군데를 내준다.
⑧ (크림 비충전용 성형) 긴 타원형으로 밀어 나열한 후 반죽 절반 정도에 붓으로 식용유를 얇게 바른 후, 반달 모양으로 접어 준다.
⑨ 팬닝하여 2차 발효시킨다(온도 35~38℃, 습도 85%).
⑩ 윗불 190 ℃/아랫불 140 ℃에서 약 12~15분 굽는다.

⑫ 풀만 식빵

① 쇼트닝을 제외한 모든 재료를 넣고 믹싱한다.
② 클린업 단계에서 쇼트닝을 넣고 최종 단계까지 믹싱 완료한다.
③ 반죽 온도는 27 ℃로 맞춘다.
④ 1차 발효한다(온도 27 ℃, 습도 75~80%).
⑤ 분할한다(250 g).
⑥ 둥글리기 한 후 중간 발효한다(10분~15분).
⑦ 중간 발효된 반죽을 밀대로 밀어 가스를 뺀다.
⑧ 3겹 접기를 하여 단단하게 말아 준다.
⑨ 2개씩 팬닝한다.
⑩ 2차 발효한다(온도 35~38℃, 습도 85%).
⑪ 2차 발효 완료점은 틀 밑 1 cm 정도이다.
⑫ 뚜껑을 덮어 윗불 180 ℃/아랫불 180 ℃ 오븐에 넣어 35~40분 굽는다.

13 단과자(소보로빵)

3시간 30분

14 더치빵

3시간 30분

15 호밀빵

3시간 30분

16 버터 톱 식빵

3시간 30분

13 단과자(소보로빵)

① 마가린을 제외한 모든 재료를 넣고 믹싱한다.
② 클린업 단계에서 마가린을 넣어 최종 단계까지 믹싱 완료한다.
③ 반죽 온도는 27 ℃로 맞춘다.
④ 1차 발효한다(온도 27 ℃, 습도 75~80%).
⑤ 분할한다(50 g).
⑥ 둥글리기 한 후 중간 발효한다(10분~15분).
⑦ 순서에 맞게 가볍게 재둥글리기 하여 가스를 살짝 뺀다.
⑧ 반죽의 매듭 부분을 잡고 물에 담갔다 뺀 후 소보로 토핑을 찍어 준다(30 g).
⑨ 팬닝하여 2차 발효시킨다(온도 35~38 ℃, 습도 85%).
⑩ 윗불 190 ℃/아랫불 140 ℃에서 약 12~15분 굽는다.

[토핑 만들기]

① 마가린과 땅콩버터를 부드럽게 푼다.
② 설탕, 소금, 물엿을 넣고 크림화한다.
③ 달걀을 나눠 넣으며 크림화한다.
④ 체에 친 가루에 크림을 넣어 보슬보슬한 상태로 비벼 준다(미리 만들어 놓을 경우에는 밀가루가 살짝 보일 정도에서 마무리한다).

14 더치빵

① 쇼트닝을 제외한 모든 재료를 넣고 믹싱한다.
② 클린업 단계에서 쇼트닝을 넣고 최종 단계 초기에서 믹싱 완료한다.
③ 반죽 온도는 27 ℃로 맞춘다.
④ 1차 발효한다(온도 27 ℃, 습도 75~80%).
⑤ 분할한다(300 g).
⑥ 둥글리기 한 후 중간 발효한다(10분~15분).
⑦ 반죽을 긴 타원형으로 밀어 펴서 원로프형으로 말아 준다.
⑧ 팬닝한 후 2차 발효시킨다(온도 35~38 ℃, 습도 85%).
⑨ 발효실에서 미리 꺼내 윗면에 토핑물을 바른다(너무 두껍거나 얇지 않게 골고루 발라 준다).
⑩ 윗불 180 ℃/아랫불 160 ℃ 오븐에 넣어 약 30분 정도 굽는다.

[토핑 만들기]

① 모든 재료를 볼에 넣고 용해 버터를 섞는다.
② 비닐을 덮어 실온에서 1시간 정도 발효시킨다(실내 온도가 낮을 때는 발효실에서 발효한다).
③ 발효된 반죽이 되직할 경우에는 물로 되기를 조절하여 토핑으로 사용한다.

15 호밀빵

① 쇼트닝을 제외한 모든 재료를 넣고 믹싱한다.
② 클린업 단계에서 쇼트닝을 넣어 발전 단계에서 믹싱을 완료한다.
③ 반죽 온도는 25 ℃로 맞춘다.
④ 1차 발효한다(온도 27 ℃, 습도 75~80%).
⑤ 분할한다(330 g).
⑥ 둥글리기 한 후 중간 발효한다(10분~15분).
⑦ 중간 발효된 반죽을 밀대로 밀어 가스를 뺀다(고구마형 반죽이 너무 넓어지지 않도록 타원형으로 모양을 잡아 밀어 준다).
⑧ 당기듯 말아 완성하고 이음매를 잘 꼬집어 준다.
⑨ 팬닝 후 2차 발효한다(온도 32~35 ℃, 습도 85%).
⑩ 윗불 180 ℃/아랫불 160 ℃ 오븐에 넣어 약 30분 구워 낸다(감독관의 지시에 따라 칼집을 일자형으로 낸다).

16 버터 톱 식빵

① 버터를 제외한 모든 재료를 넣고 믹싱한다.
② 클린업 단계에서 버터를 넣고 최종 단계까지 믹싱 완료한다.
③ 반죽 온도는 27 ℃로 맞춘다.
④ 1차 발효한다(온도 27 ℃, 습도 75~80%).
⑤ 분할한다(460 g).
⑥ 둥글리기 한 후 중간 발효한다(10분~15분).
⑦ 중간 발효된 반죽을 밀대로 밀어 가스를 뺀다(한 덩이 식빵의 성형 시 양 옆을 잡아 주어 폭이 너무 넓지 않도록 주의한다).
⑧ 원로프형으로 말아 준다.
⑨ 이음매를 밑으로 하여 팬닝 후 눌러 준다.
⑩ 2차 발효한다(온도 35~38℃, 습도 85%).
⑪ 2차 발효점을 팬밑 1 cm로 맞춘 후 미리 발효실에서 꺼내 표면을 살짝 건조시키고 정중앙에 0.5 cm 두께로 칼집을 낸다.
⑫ 부드러운 버터를 넣은 짤주머니를 준비해 두었다가 가운데 한 줄 짜준 후 윗불 160 ℃/아랫불 180 ℃ 오븐에서 넣어 30~35분 굽는다.

17 옥수수 식빵
3시간
40분

18 모카빵
3시간
30분

19 버터롤
3시간
30분

20 통밀빵
3시간
30분

17 옥수수 식빵

① 쇼트닝을 제외한 모든 재료를 넣고 믹싱한다.
② 클린업 단계에서 쇼트닝을 넣어 최종 단계까지 믹싱 완료한다.
③ 반죽 온도는 27 ℃로 맞춘다.
④ 1차 발효한다(온도 27 ℃, 습도 75~80%).
⑤ 분할한다(180 g).
⑥ 둥글리기 한 후 중간 발효한다(10분~15분).
⑦ 중간 발효된 반죽을 밀대로 밀어 가스를 뺀다.
⑧ 3겹 접기를 하여 단단하게 말아 준다.
⑨ 3개씩 팬닝한다(산형 식빵).
⑩ 2차 발효한다(온도 35~38 ℃, 습도 85%).
⑪ 2차 발효 완료점은 틀 위 1 cm 정도이다.
⑫ 윗불 160 ℃/아랫불 180 ℃ 오븐에 넣어 30~35분 굽는다.

18 모카빵

① 버터와 건포도를 제외한 모든 재료를 넣고 믹싱한다.
② 클린업 단계에서 버터를 넣어 최종 단계까지 믹싱 완료한다.
③ 물에 전처리한 건포도의 물기를 제거하고 저속으로 혼합하여 반죽을 완성한다.
④ 반죽 온도는 27 ℃로 맞춘다.
⑤ 1차 발효한다(온도 27 ℃, 습도 75~80%).
⑥ 분할한다(250 g).
⑦ 둥글리기 한 후 중간 발효한다(10분~15분).
⑧ 밀대로 밀어 긴 타원형 모양으로 가스를 뺀다.
⑨ 한쪽 끝에서부터 고구마형으로 당기듯 말아 간다.
⑩ 이음매가 일자가 되도록 한다.
⑪ 비스킷 반죽을 비닐 위에서 밀어 편다.
⑫ 물을 바른 후 성형한 빵의 이음매가 위로 향하게 하여 덮어 씌운다.
⑬ 팬닝 후 2차 발효한다(온도 35~38 ℃, 습도 85%).
⑭ 윗불 180 ℃/아랫불 150 ℃ 오븐에 25~30분 굽는다.

19 버터롤

① 버터를 제외한 모든 재료를 넣고 믹싱한다.
② 클린업 단계에서 버터를 넣어 최종 단계에서 믹싱 완료한다.
③ 반죽 온도는 27 ℃로 맞춘다.
④ 1차 발효한다(온도 27 ℃, 습도 75~80%, 40분 정도).
⑤ 분할한다(50 g).
⑥ 둥글리기 한 후 중간 발효한다(10분).
⑦ 한쪽 끝이 가는 원뿔 모양으로 다시 밀어 나열한 후 성형을 시작한다.
⑧ 밀대로 30 cm 길이 정도로 밀어 준다.
⑨ 머리 부분부터 말아 주어 꼬리를 붙여 준 후 팬닝한다(3겹 보이게 만다).
⑩ 2차 발효한다(온도 35~38 ℃, 습도 85%).
⑪ 윗불 190 ℃/아랫불 140 ℃에서 약 10~12분 굽는다.

20 통밀빵

① 버터를 제외한 전 재료를 넣고 저속으로 믹싱한다.
② 클린업 단계에서 버터를 넣어 발전 단계까지 믹싱 완료한다.
③ 반죽 온도는 25 ℃로 맞춘다.
④ 1차 발효한다(온도 27 ℃, 습도 75~80%).
⑤ 200 g씩 분할한다.
⑥ 둥글리기 한 후 중간 발효한다(10분~15분).
⑦ 중간 발효가 된 반죽을 밀대를 이용하여 밀어 펴 준 후 밀대(봉)형으로 성형(길이 22~23 cm)하고 반죽 윗면에 붓으로 물칠하여 반죽을 뒤집어서 오트밀을 묻혀 준다.
⑧ 팬닝 후 2차 발효한다(온도 32~35℃, 습도 85%).
⑨ 윗불 190 ℃/아랫불 170 ℃ 오븐에서 약 20~25분 정도 굽는다.